Né en 1962, Harlan Coben vit dans le New Jersey avec sa femme et leurs quatre enfants. Diplômé en sciences politiques du Amherst College, il a rencontré un succès immédiat dès ses premiers romans, tant auprès de la critique que du public. Il est le premier écrivain à avoir reçu le Edgar Award, le Shamus Award et le Anthony Award, les trois prix majeurs de la littérature à suspense aux États-Unis. Il est notamment l'auteur de *Ne le dis à personne…* (Belfond, 2002), qui a remporté le prix des Lectrices de *ELLE* et a été adapté avec succès au cinéma par Guillaume Canet. Il poursuit l'écriture avec plus d'une vingtaine d'ouvrages, dont *Ne t'éloigne pas* (2013), *Six ans déjà* (2014), *Tu me manques* (2015), *Intimidation* (2016), *Double piège* (2017) et *Par accident* (2018), publiés chez Belfond. Ses livres, parus en 40 langues, occupent la tête des listes de best-sellers dans le monde entier. Ses ouvrages *Une chance de trop* (2005) et *Juste un regard* (2006) ont fait l'objet d'une adaptation sur TF1 en 2015 et 2017. *À découvert* (2012), *À quelques secondes près* (2013) et *À toute épreuve* (2014), publiés chez Fleuve Éditions, mettent en scène le neveu de Myron, Mickey Bolitar. Le dernier roman de cette série, *Sans défense*, a paru en 2018 chez Belfond. Tous ses titres sont repris chez Pocket.

Retrouvez toute l'actualité de l'auteur sur :
www.harlan-coben.fr

SANS DÉFENSE

DU MÊME AUTEUR
CHEZ POCKET

Harlan Coben présente
INSOMNIES EN NOIR

HARLAN COBEN

SANS DÉFENSE

Traduit de l'anglais (États-Unis)
par Roxane Azimi

belfond

Titre original :
HOME
publié par Dutton, un membre de Penguin Random House LLC,
New York

MIXTE
Papier issu de
sources responsables
FSC® C003309

www.fsc.org

FSC

Pocket, une marque d'Univers Poche,
est un éditeur qui s'engage pour la préservation
de l'environnement et qui utilise du papier fabriqué
à partir de bois provenant de forêts gérées
de manière responsable.

ISBN : 978-2-266-28954-2
Dépôt légal : mars 2019

À Mike et George, et aux amitiés à la vie, à la mort

1

Le garçon disparu depuis dix ans s'avance dans la lumière.

Je ne suis pas du genre hystérique ni même enclin au sentiment qu'on nomme communément la stupéfaction. Durant mes quarante et quelques années d'existence, j'en ai vu de toutes les couleurs. J'ai failli être tué… et j'ai tué. J'ai été confronté à une perversité que beaucoup trouveraient difficile à imaginer, voire inconcevable. D'aucuns argueraient que j'en ai fait autant. J'ai appris au fil des ans à contrôler mes émotions et, qui plus est, mes réactions dans des situations stressantes ou explosives. Je peux frapper vite et violemment, mais je n'agis jamais sur un coup de tête ni de manière irréfléchie.

Disons que ces qualités m'ont sauvé, moi et ceux qui me sont chers, à plus d'une occasion.

J'avoue cependant que, en voyant ce garçon – du reste, c'est un adolescent maintenant –, je sens mon pouls s'accélérer. Mes oreilles se mettent à bourdonner. Inconsciemment, je serre les poings.

Dix ans – et une cinquantaine de mètres – me séparent du garçon porté disparu.

Patrick Moore – c'est son nom – s'adosse au mur barbouillé de graffitis du passage souterrain. La tête dans les épaules, il regarde furtivement autour de lui avant de fixer le trottoir fissuré. Ses cheveux sont taillés à ras, ce qu'on appelait autrefois une coupe en brosse. Deux autres ados traînent dans le passage. L'un tire sur une cigarette si furieusement qu'on dirait qu'il lui en veut. L'autre arbore un collier de chien clouté et un polo en maille qui ne laissent aucun doute quant à son activité professionnelle.

Au-dessus, les voitures filent sans se soucier de ce qui se passe sous terre. Nous sommes à King's Cross qui a subi un sérieux « rajeunissement » ces vingt dernières années : on y trouve des musées, des bibliothèques, l'Eurostar et même la pancarte du quai 9 ¾ d'où Harry Potter était monté dans le train pour Poudlard. La plupart de ceux qu'on qualifie d'éléments indésirables ont troqué ce dangereux commerce de rue contre la relative sécurité des transactions en ligne : on ne prend plus le risque de tapiner entre les voitures, autre avantage collatéral d'Internet. Mais il suffit de franchir les rails, au propre comme au figuré, pour trouver derrière ces buildings rutilants des îlots où la racaille survit sous forme concentrée.

C'est là que j'ai retrouvé notre disparu.

Une impulsion – le genre d'impulsion que je refrène – me pousse à franchir la chaussée en courant pour lui sauter dessus. Si c'est réellement Patrick et non un sosie ou une erreur de ma part, il devrait avoir seize ans maintenant. À distance, l'âge m'a l'air de correspondre. Il y a dix ans – faites donc le calcul –, dans la ville ultra-résidentielle d'Alpine, Patrick avait été invité à ce qu'on persiste à appeler un « goûter » chez le fils de ma cousine, Rhys.

D'où, naturellement, mon dilemme.

Si je saute sur Patrick là, tout de suite, qu'adviendra-t-il de Rhys ? D'accord, j'ai l'un des disparus dans ma ligne de mire, mais je suis venu les chercher tous les deux. Ce qui m'incite à la prudence. Pas de précipitation. Quoi qu'il ait pu se passer il y a dix ans, quelle qu'ait été la façon cruellement humaine (je ne crois pas à la cruauté du sort puisque le coupable est toujours un être humain) dont ce garçon a été arraché à l'opulence de sa demeure en pierre de taille pour atterrir dans ce cloaque souterrain, je crains qu'un geste inconsidéré de ma part ne le fasse disparaître à nouveau, et cette fois définitivement.

Je dois attendre Rhys. Et lorsqu'il sera là, je les récupérerai tous les deux pour les ramener chez eux.

Deux questions vous ont probablement traversé l'esprit.

Primo, comment puis-je être aussi sûr de pouvoir mettre la main sur les deux garçons ? Imaginons qu'ils aient subi un lavage de cerveau et qu'ils se rebiffent. Imaginons que leurs ravisseurs ou quiconque détenant les clés de leur liberté soient nombreux, violents et déterminés.

Ma réponse sera : « Ne vous inquiétez pas pour ça. »

Secundo, et c'est la question qui me taraude le plus, que faire si Rhys ne se manifeste pas ?

Comme je ne suis pas trop du style « On verra le moment venu », j'échafaude un plan B qui consiste à délimiter la zone et à prendre discrètement Patrick en filature. Mais pendant que j'y réfléchis, la situation se gâte brutalement.

Les affaires vont bon train. Notre monde est divisé en catégories. Et cet urinoir en plein air n'échappe pas à la règle. L'un des passages est réservé aux hommes en quête de compagnie féminine. C'est le plus fréquenté. Les vieilles valeurs ont la vie dure. On a beau parler genres, préférences et déviances, le plus gros des troupes se compose d'hétéros sexuellement frustrés. Les filles au regard éteint se postent le long des murets en béton, les voitures défilent, des filles y montent, d'autres filles les remplacent. C'est comme observer un distributeur de boissons dans une station-service.

Dans le second passage, il y a un petit contingent de transsexuels et de travestis diversement décatis, et, tout au fond, là où se trouve Patrick, officient les jeunes prostitués homos.

Sous mes yeux, un homme en chemise couleur melon s'approche de lui en bombant le torse.

Je me suis déjà demandé ce que je ferais si un client sollicitait les services de Patrick. De prime abord, il faudrait intervenir sur-le-champ. Ce serait la réaction instinctive, sauf que mon objectif est de ramener les *deux* garçons à la maison. Le fait est que Patrick et Rhys ont disparu il y a dix ans. Ils ont enduré Dieu sait quoi, et même si l'idée de les laisser subir ne serait-ce qu'un mauvais traitement de plus ne me sourit guère, j'ai déjà pesé le pour et le contre et pris ma décision. Inutile de revenir là-dessus.

Mais Chemise Melon n'est pas un client.

Je m'en rends compte très vite. Les clients ne se pavanent pas, la tête haute et un rictus aux lèvres. Ils ne portent pas de couleurs vives. Les clients qui en sont réduits à venir ici pour satisfaire leurs besoins sont rongés par la honte ou la peur d'être découverts, et très vraisemblablement les deux.

Or Chemise Melon a l'allure, la démarche et le peps d'un type sûr de lui et dangereux. Ces choses-là, ça se sent. Votre cerveau reptilien émet un signal primaire que la logique ne saurait expliquer. L'homme moderne, plus soucieux des apparences que de sa propre sécurité, a souvent tendance à l'ignorer à son détriment.

Chemise Melon jette un œil en arrière. Deux autres hommes s'approchent, deux malabars en pantalon de treillis, leurs torses luisants moulés dans ce qu'on appelait autrefois des marcels. Les autres garçons qui traînaient dans le passage – le fumeur et celui au collier de chien – détalent aussitôt, laissant Patrick seul avec les nouveaux venus.

Ça ne me dit rien qui vaille.

Patrick baisse la tête ; son crâne rasé de près brille dans la lumière. Il n'a pas vu les trois hommes arriver. Je fais quelques pas dans sa direction. Ça fait un moment qu'il est dans la rue. J'imagine ce qu'a été sa vie, le contraste entre le cocon d'une enfance choyée et… ceci.

Mais depuis tout ce temps, il a dû apprendre deux ou trois choses. Il est peut-être tout à fait capable de gérer la situation tout seul. Laquelle situation est peut-être moins critique qu'il n'y paraît. J'attends de voir.

Chemise Melon rapproche son visage du sien. Il lui dit quelque chose. Puis, sans crier gare, il projette son poing façon massue sur le plexus solaire de Patrick.

Le garçon s'écroule, pantelant, cherchant à reprendre son souffle. Les deux gorilles en pantalon de treillis se penchent sur lui. Ma réaction est immédiate.

— Messieurs ?

Chemise Melon et ses deux gorilles pivotent au son de ma voix. Au début, on dirait trois hommes de Cro-Magnon intrigués par un bruit étrange qu'ils entendraient pour la première fois. Ils me jaugent en plissant les yeux. Et je les vois sourire. Physiquement, je ne suis pas imposant. De taille moyenne, plutôt mince, cheveux blonds tirant sur le gris, un teint qui passe de porcelaine par beau temps au rouge brique quand il fait froid, et des traits fins qui, j'ose espérer, ajoutent à mon charme naturel.

Aujourd'hui, je porte un costume confectionné sur mesure à Savile Row, une cravate Lilly Pulitzer, une pochette Hermès et des chaussures fabriquées sur commande par le meilleur artisan de G. J. Cleverley dans Old Bond Street.

Bref, le parfait dandy.

Tandis que je m'approche d'un pas léger des trois malfrats – il ne me manque plus qu'un parapluie que j'aurais fait tournoyer entre mes doigts –, je sens leur assurance grandir. C'est bon pour moi, ça. Normalement, j'ai une arme de poing sur moi, voire deux, mais ici, en Angleterre, c'est strictement interdit par la loi. L'avantage, c'est que mes adversaires ne sont vraisemblablement pas armés, eux non plus. Mon regard glisse sur eux à la recherche d'une éventuelle

cachette, mais leurs tenues moulantes sont plus pro-
pices à la frime qu'à la dissimulation d'une arme à feu.

Ils ont probablement – sûrement même – des couteaux, mais pas de flingues.

Les couteaux ne m'inquiètent pas beaucoup.

Patrick – si tant est que ce soit vraiment lui – est
toujours à terre, le souffle coupé. Je m'arrête, écarte
les bras et leur adresse mon sourire le plus engageant.
Les trois voyous me dévisagent comme si j'étais une
pièce de musée dont la signification leur échappait.

Chemise Melon fait un pas vers moi.

— Tu es qui, toi ?

Je souris de plus belle.

— Vous feriez mieux de partir maintenant.

Chemise Melon regarde le premier gorille à ma
droite. Puis le second gorille à ma gauche. Mon regard
suit le sien, avant de revenir se poser sur lui.

Je lui décoche un clin d'œil, et ses sourcils grimpent
au plafond.

— On n'a qu'à le découper, dit le premier gorille.
En petits morceaux.

Feignant la surprise, je me tourne vers lui.

— Ça alors ! Je ne vous avais pas vu.

— Hein ?

— Cette tenue de camouflage. Vous vous fondez
complètement dans le décor. En plus, ça vous va à
ravir.

— Tu veux jouer au petit malin ou quoi ?

— Vous ne croyez pas si bien dire.

Tout le monde, moi y compris, sourit largement.

Ils se dirigent vers moi. Je pourrais tenter de les
convaincre, peut-être même leur proposer de l'argent

pour nous laisser tranquilles, mais je doute que ça marche, et ce, pour trois raisons. Premièrement, ces gars-là vont vouloir tout mon argent, ma montre et tout ce qu'ils pourront trouver sur ma personne. L'argent n'est pas une solution. Deuxièmement, ils flairent l'odeur du sang – un sang tiède, facile à faire couler – et ça les émoustille. Et surtout, troisièmement, moi aussi j'aime bien l'odeur du sang.

Ça fait trop longtemps.

Je m'efforce de réprimer mon sourire. Chemise Melon sort un grand couteau de chasse. Tant mieux. Je n'ai pas de scrupules à régler leur compte à ceux que je considère comme des nuisibles. Mais il est bon de savoir – et je m'adresse à ceux qui ont besoin d'excuses pour me trouver « sympathique » – que, vu les circonstances, je peux dès maintenant invoquer la légitime défense.

Néanmoins, je leur laisse une dernière chance.

Les yeux dans les yeux, je dis à Chemise Melon :

— Ce serait mieux pour vous si vous laissiez tomber.

Ses deux Musclor éclatent de rire, mais le sourire de Chemise Melon se met à vaciller. Il a compris. Je le sais. Il l'a lu dans mes yeux.

Le reste se passe en une fraction de seconde.

Le premier gorille se plante devant moi. Il est bâti comme une armoire à glace. Je me retrouve face à son torse musclé et épilé. Il me sourit comme si j'étais une friandise dont il n'allait faire qu'une bouchée.

Inutile de retarder l'inévitable.

Je lui tranche la gorge avec le rasoir caché dans ma main.

Le sang m'éclabousse en un arc de cercle quasi parfait. Zut. Il va falloir que je retourne à Savile Row.

— Terence !

C'est l'autre gorille. Les deux se ressemblent et, en me déplaçant dans sa direction, je me demande s'ils ne sont pas frères. Sa sidération m'aide à l'expédier plus facilement, mais même s'il avait été plus alerte, cela n'aurait représenté aucune difficulté.

Le second gorille trépasse de la même façon que ce cher Terence, son probable frère.

Le rasoir coupe-chou, c'est mon truc.

Reste Chemise Melon, leur vénérable chef qui a dû accéder à ce rang en étant plus brutal et plus rusé que feu ses camarades. Futé, il a réagi alors que je n'en avais pas encore fini avec le second gorille. Du coin de l'œil, je vois briller le couteau de chasse au-dessus de ma tête.

Ce qui est une erreur de sa part.

On n'attaque jamais quelqu'un par-dessus. Le coup est trop facile à parer. Il n'y a qu'à se baisser ou bien à lever l'avant-bras pour se protéger. Lorsqu'on tire, on vous apprend à viser le gros de la masse : comme ça, si votre main dévie, vous êtes sûr de toucher quelque chose. On s'autorise une marge d'erreur. Eh bien, c'est pareil avec un couteau. Il faut viser au centre ; ainsi, même si votre adversaire bouge, vous pourrez le blesser.

Mais Chemise Melon n'en a pas tenu compte.

Je me baisse et lève mon bras droit en protection, comme indiqué plus haut. Puis, toujours plié en deux, je pivote et lui plante le rasoir dans l'abdomen. Sans attendre sa réaction, je me redresse et l'achève comme je l'ai fait avec les deux autres.

Tout cela n'a pris qu'une poignée de secondes.

L'asphalte fissuré se transforme en une bouillie écarlate qui s'étale à vue d'œil. Je goûte brièvement cet instant. Si vous étiez honnêtes avec vous-mêmes, vous reconnaîtriez que vous auriez fait pareil.

Je me retourne.

Plus de Patrick.

Je regarde à droite, à gauche. Le voilà... encore un peu, et je le perdais de vue. Je me précipite, mais, très vite, je comprends que ça ne servira à rien. Il se dirige vers la gare de King's Cross, l'une des plus fréquentées de Londres. Il l'atteindra – et se mêlera à la foule – avant que je ne puisse le rattraper. Je suis couvert de sang. J'ai beau exceller dans ce que je fais, contrairement à Harry Potter qui a pris le train dans cette même gare, je n'ai pas de cape d'invisibilité.

Je m'arrête, réfléchis à la situation et aboutis à une conclusion : je me suis planté.

Je n'ai plus qu'à lever le camp. Je ne crains pas d'apparaître sur la vidéo d'une caméra de surveillance. Les éléments indésirables ne choisissent pas ces coins-là par hasard. Ici, ils se savent à l'abri des regards indiscrets, fussent-ils électroniques.

N'empêche, j'ai raté mon coup. Après toutes ces années de recherches infructueuses, j'avais enfin une piste sérieuse, et si jamais je la perds...

J'ai besoin d'aide.

Je m'éloigne à la hâte et effleure du doigt le numéro familier que je n'ai pas appelé depuis près d'un an.

Il décroche à la troisième sonnerie.

— Allô ?

Le simple fait d'entendre à nouveau sa voix, même si je m'y étais préparé, manque me faire chavirer. Le numéro est masqué : il ne sait donc pas qui l'appelle.

Je réponds :

— Tu veux dire : « Articule » ?

Il s'étrangle au téléphone.

— Win ? Mon Dieu, où étais-tu… ?

— Je l'ai vu.

— Qui ?

— Réfléchis.

Il y a une brève pause.

— Attends, tous les deux ?

— Non, seulement Patrick.

— Whaou.

Je fronce les sourcils. Whaou ?

— Myron ?

— Oui ?

— Saute dans le premier avion pour Londres. J'ai besoin de ton aide.

2

Deux minutes avant le coup de fil de Win, Myron Bolitar était étendu nu dans son lit avec une femme sublime à son côté. Haletants, tous deux fixaient les moulures tarabiscotées du plafond, en proie à une béatitude qui survient après... hmm, la béatitude.

— Alors là, dit Terese.

— Je sais.

— C'était...

— Je sais.

Myron, le champion du badinage post-coïtal.

Terese se leva et s'approcha de la fenêtre. Myron l'observait. Il aimait sa façon de se mouvoir dans le plus simple appareil, telle une panthère prête à bondir, puissante, sûre d'elle. L'appartement était perché au-dessus de Central Park dans le West Side. Terese contempla par la fenêtre le lac et le Bow Bridge. Si vous avez déjà vu un film où un couple d'amoureux traverse en courant une passerelle à Manhattan, vous connaissez le Bow Bridge.

— Mon Dieu, cette vue, dit Terese.

— Exactement ce que je me disais.

— Serais-tu en train de reluquer mes fesses ?

— Je préfère le terme surveiller. Garder à l'œil.

— À titre de protection, donc ?

— Le contraire serait tout sauf professionnel de ma part.

— Ma foi, il serait dommage que tu perdes de ta crédibilité.

— Je te remercie.

Tout en lui tournant le dos, sa fiancée reprit :

— Myron ?

— Oui, mon amour.

— Je suis heureuse.

— Moi aussi.

— C'est flippant.

— Effrayant, acquiesça Myron. Reviens te coucher.

— Sérieux ?

— Ouaip.

— Ne fais pas de promesses que tu ne pourras pas tenir.

— Je peux tenir celle-là, répondit Myron.

Puis :

— Y a-t-il quelqu'un ici qui livre des huîtres et de la vitamine E ?

Elle fit volte-face, lui sourit, et son cœur explosa en mille morceaux. Terese Collins était de retour. Après de longues années de séparation, d'angoisse et d'incertitude, ils allaient enfin se marier. C'était incroyable. Merveilleux. Fragile.

Et ce fut à ce moment-là, précisément, que le téléphone sonna.

Ils se figèrent, comme mus par un pressentiment. Dans les moments de grâce comme celui-ci, on a tendance à retenir son souffle pour que ça dure le plus longtemps possible. On n'a pas tant envie d'arrêter ni même de ralentir le cours du temps que de rester bien au chaud dans sa petite bulle.

La sonnerie du téléphone, pour filer la maigre métaphore, avait fait exploser la bulle.

Myron voulut voir l'identité de l'appelant, mais le numéro était masqué. Ils se trouvaient dans le mythique immeuble Dakota à Manhattan. Un an plus tôt, avant de s'évanouir dans la nature, Win avait mis l'appartement au nom de Myron. Mais Myron avait préféré rester dans la maison de son enfance à Livingston, dans le New Jersey, pour s'occuper de son mieux de son neveu Mickey. Maintenant que son frère, le père de Mickey, était revenu, Myron leur avait laissé la maison pour reprendre ses quartiers en ville.

Le téléphone sonna une deuxième fois. Terese se tourna à moitié comme si elle venait de recevoir une gifle. Il vit la cicatrice de la blessure par balle dans son cou et sentit monter en lui le sentiment familier, l'éternel besoin de protéger.

Myron hésita – il pourrait écouter le message plus tard –, mais Terese ferma les yeux et hocha imperceptiblement la tête. Ne pas répondre, ce serait reculer pour mieux sauter.

Myron décrocha à la troisième sonnerie.

— Allô ?

Il y eut un drôle de silence, de la friture, puis une voix qu'il n'avait pas entendue depuis un long moment fit :

— Tu veux dire : « Articule » ?

Myron, qui s'attendait au pire, s'étrangla.

— Win ? Mon Dieu, où étais-tu… ?

— Je l'ai vu.

— Qui ?

— Réfléchis.

Myron y avait pensé, mais n'avait pas osé l'exprimer tout haut.

— Attends, tous les deux ?

— Non, seulement Patrick.

— Whaou.

— Myron ?

— Oui ?

— Saute dans le premier avion pour Londres. J'ai besoin de ton aide.

Il regarda Terese. Il y avait comme une fêlure dans ses yeux. Une fêlure qui avait toujours été là, depuis qu'ils s'étaient sauvés ensemble une première fois voilà des lustres, mais, ces derniers jours, elle semblait avoir disparu. Il tendit la main vers elle, et elle la prit.

— La vie est un peu compliquée en ce moment, dit Myron.

— Terese est revenue.

Ce n'était pas une question. Win était au courant.

— Oui.

— Et vous allez enfin vous marier.

Toujours sur le ton de l'affirmation.

— Oui.

— Tu lui as acheté une bague ?

— Oui.

— Chez Norman dans la 47e Rue ?

— Évidemment.

— Plus de deux carats ?

— Win…

— Je suis très heureux pour vous deux.

— Merci.

— Mais tu ne peux pas te marier, dit Win, pas sans ton témoin.

— J'ai déjà demandé à mon frère.

— Il me cédera cet honneur. Le vol décolle de Teterboro. La voiture attend en bas.

Et Win raccrocha.

Terese le regarda.

— Il faut y aller.

Il ne savait pas exactement si c'était une question ou une affirmation.

— Win ne demande rien sans raison, dit Myron.

— Justement.

— Ce ne sera pas long. Et dès que je serai rentré, on se mariera. Promis.

Terese s'assit sur le lit.

— Tu peux me dire de quoi il s'agit ?

— Que sais-tu exactement ?

— Pas grand-chose.

Puis :

— C'est vrai que la bague fait plus de deux carats ?

— Oui.

— Parfait. Vas-y, je t'écoute.

— Tu te souviens du kidnapping d'Alpine, il y a dix ans ?

Elle hocha la tête.

— Bien sûr. On en a parlé à l'antenne.

Terese avait présenté le journal télévisé sur l'une des grandes chaînes d'information.

— L'un des garçons kidnappés, Rhys Baldwin, est parent avec Win.

— Tu ne me l'as jamais dit.

Myron haussa les épaules.

— Ça ne me concernait pas directement. Le temps qu'on se penche sur l'affaire, la piste avait refroidi depuis longtemps. Mais je l'ai toujours gardée dans un coin, au fond d'un tiroir.

— Pas Win.

— Win ne garde rien dans ses tiroirs.

— Il a donc une nouvelle piste ?

— Mieux que ça. Il dit qu'il a vu Patrick Moore.

— Alors pourquoi ne pas avoir alerté la police ?

— Aucune idée.

— Tu ne lui as pas posé la question ?

— J'ai confiance en son jugement.

— Et il a besoin de ton aide.

— C'est ça.

— Dans ce cas, va faire ta valise.

— Et toi, ça ira ?

— Il avait raison.

— À propos de… ?

Terese se leva.

— On ne peut pas se marier sans ton témoin.

Win avait envoyé une limousine noire. Elle attendait sous le porche du Dakota. La limousine l'emmena à l'aéroport de Teterboro dans le nord du New Jersey, à une demi-heure de route. L'avion de Win, un Boeing Business Jet, était déjà sur le tarmac. Il n'y avait ni sécurité à passer, ni check-in à faire, ni billet à présenter. La limousine le déposa au pied de la passerelle. L'hôtesse de l'air, une ravissante Asiatique, accueillit

Myron dans un uniforme à l'ancienne, très ajusté, avec chemisier bouffant et toque.

— Heureuse de vous voir, monsieur Bolitar.

— Je le suis tout autant, Moa.

Au cas où cela vous aurait échappé, Win était riche.

Son nom complet était Windsor Horne Lockwood III, comme la holding financière Lock-Horne et la tour Lock-Horne dans Park Avenue. Sa famille faisait partie des vieilles fortunes, de celles qui étaient descendues du *Mayflower* avec un polo rose et un parcours de golf réservé à l'année.

Myron plia sa carcasse d'un mètre quatre-vingt-dix pour franchir la porte. À l'intérieur de la carlingue, il y avait des sièges en cuir, des boiseries, une banquette, une épaisse moquette verte, du papier peint zèbre – l'avion avait appartenu à un rappeur, et Win avait décidé de le garder tel quel parce que « ça déchirait sa race » –, un écran géant, un canapé-lit et un lit queen size dans la chambre du fond.

Myron était seul dans l'avion : ça le gênait un peu, mais il allait s'y faire. Il s'assit dans un siège, boucla la ceinture. L'avion s'ébranla en direction de la piste. Moa fit sa démonstration de sécurité. Elle avait gardé sa petite toque. Une toque que Win aimait bien.

Deux minutes plus tard, ils avaient décollé.

— Vous désirez boire quelque chose ? s'enquit Moa.

— Vous l'avez vu ? demanda Myron. Où était-il passé tout ce temps ?

— Je ne suis pas en mesure de vous répondre.

— Et pourquoi ça ?

— Win m'a recommandé de prendre soin de vous. Nous avons votre boisson préférée à bord.

Elle lui avait apporté un Yoo-Hoo.

— C'est fini, ça, dit Myron.

— Ah bon ? Dommage. Un cognac alors ?

— Je n'ai besoin de rien pour le moment. Comme ça, vous n'avez aucune info pour moi, Moa ?

Moi, Moa. Myron se demandait si c'était son vrai nom. Un nom qui plaisait beaucoup à Win. Il entraînait la jeune femme dans le fond de l'appareil avec force calembours équivoques du style « Il me faut du temps pour Moa », « J'adore m'envoyer en l'air avec Moa » ou « J'aime cette toque. Elle est parfaite sur Moa ».

Win, quoi.

— Vous n'avez rien à me dire ? répéta Myron.

— La météo prévoit des chutes de pluie intermittentes sur Londres, répondit Moa.

— Incroyable. Et que pouvez-vous me dire au sujet de Win ?

— Bonne question, mais vous, que pouvez-vous dire à Moa…

Elle pointa le doigt sur sa poitrine.

— … au sujet de Win ?

— Ne commencez pas.

Elle lui sourit.

— Il y a une retransmission en direct d'un match des Knicks, si ça vous tente.

— Je ne regarde plus le basket.

Moa le considérait d'un œil si compatissant qu'il faillit regarder ailleurs.

— J'ai vu le documentaire qu'on vous a consacré sur ESPN.

— Ce n'est pas pour ça.

Elle hocha la tête. Visiblement, elle ne le croyait pas.

— Si le match ne vous branche pas, il y a une vidéo qui pourrait vous intéresser.

— Quel genre de vidéo ?

— Win m'a demandé de vous la montrer.

— Ce n'est pas… euh…

Win aimait bien filmer ses… disons, ses galipettes et les visionner ensuite pendant ses séances de méditation.

— Non, monsieur Bolitar. Ça, il le garde pour son usage personnel. Vous le savez bien. C'est spécifié sur la décharge que nous signons.

— La décharge ?

Myron leva la main sans lui laisser le temps de répondre.

— Peu importe, je ne veux pas savoir.

— Tenez, voici la télécommande.

Moa la lui tendit.

— Vous êtes sûr que vous ne voulez rien d'autre ?

— Ça va très bien, merci.

Myron pivota vers le téléviseur mural et l'alluma. Il s'attendait à demi à ce que Win apparaisse à l'écran avec un message comme dans *Mission impossible*, mais non, c'était une vraie enquête criminelle comme on en voit sur les chaînes du câble. Le sujet en était bien sûr le kidnapping, un retour en arrière alors que les garçons étaient portés disparus depuis dix ans déjà.

Myron se cala dans son siège. Autant en profiter pour se rafraîchir la mémoire. L'histoire était la suivante.

Il y a une dizaine d'années, Patrick Moore, six ans, était venu goûter chez son petit camarade Rhys Baldwin dans la banlieue « cossue » – c'était le terme employé par les médias – d'Alpine, New Jersey, pas très loin de Manhattan. Cossue comment ? Le prix moyen d'une maison au cours du dernier trimestre dépassait les quatre millions de dollars.

Les deux enfants se trouvaient sous la garde de Vada Linna, jeune fille au pair, une Finlandaise de dix-huit ans. Quand la mère de Patrick, Nancy Moore, était venue chercher son fils, personne n'avait répondu à son coup de sonnette. Nancy Moore ne s'en était pas alarmée outre mesure. Elle s'était dit que la jeune Vada avait dû emmener les garçons faire un tour, manger une glace ou quelque chose de ce genre.

Deux heures plus tard, Nancy Moore revint et frappa à la porte, toujours sans résultat. Moyennement inquiète, elle téléphona à la mère de Rhys, Brooke. Brooke essaya de joindre Vada sur son portable et tomba sur sa messagerie.

Sur ce, Brooke Lockwood Baldwin, la cousine germaine de Win, rentra précipitamment chez elle. Les deux femmes appelèrent les garçons. Au début, il n'y eut pas de réponse. Puis elles entendirent un bruit en provenance du sous-sol transformé en une vaste salle de jeux pour enfants.

Ce fut là qu'elles trouvèrent Vada Linna bâillonnée et ligotée sur une chaise. La fille au pair avait fait tomber une lampe d'un coup de pied pour les alerter. Elle était terrifiée mais indemne.

Les deux garçons, Patrick et Rhys, eux, restaient introuvables. D'après Vada, elle était en train de leur préparer un goûter dans la cuisine lorsque trois hommes armés avaient fait irruption par la grande baie vitrée. Ils portaient des cagoules et des cols roulés noirs.

Ils avaient traîné Vada au sous-sol et l'avaient ligotée.

Nancy et Brooke appelèrent immédiatement la police. Les pères – Hunter Moore, médecin, et Chick Baldwin, gérant d'un fonds d'investissement – furent convoqués depuis leur lieu de travail. Pendant quelques heures, il ne se passa rien : aucun contact, aucun indice, aucune piste. Puis une demande de rançon via un mail anonyme arriva sur la messagerie professionnelle de Chick Baldwin. Recommandant de ne pas avertir les autorités s'ils voulaient revoir leurs enfants vivants.

Trop tard.

L'auteur du message exigeait que les familles réunissent deux millions de dollars – « un million par enfant » – en attendant de nouvelles instructions. Ils préparèrent l'argent et attendirent. Au bout de trois jours de calvaire, les ravisseurs enjoignirent à Chick Baldwin, et à lui seul, de se rendre à Overpeck Park et de laisser l'argent dans un endroit bien précis à côté du centre nautique.

Chick Baldwin s'exécuta.

Le FBI, bien sûr, avait placé le parc sous surveillance ; toutes les entrées et sorties étaient sécurisées. Ils avaient également mis un GPS dans le sac, même si, à l'époque, cette technologie était un peu moins fiable qu'aujourd'hui.

Jusque-là, les autorités avaient réussi à garder le secret sur l'enlèvement. Aucun média n'était au courant. Sur l'insistance du FBI, ni parents ni amis, y compris Win, n'avaient été prévenus. Même les autres enfants Moore et Baldwin étaient tenus dans l'ignorance.

Chick Baldwin déposa l'argent et repartit. Une heure passa. Puis deux. Durant la troisième heure, quelqu'un ramassa le sac, mais ce n'était qu'un bon Samaritain qui pensait le rapporter aux objets trouvés.

Personne d'autre n'était venu chercher l'argent de la rançon.

Regroupées autour de l'ordinateur de Chick Baldwin, les familles attendirent un nouveau mail. Entre-temps, le FBI poursuivait ses investigations. Pour commencer, ils s'intéressèrent de près à Vada Linna, la fille au pair, mais sans grand résultat. Elle n'était entrée aux États-Unis que deux mois plus tôt et parlait à peine l'anglais. Elle n'avait qu'une seule amie. Ils passèrent au peigne fin ses mails, ses textos, l'historique de sa navigation sur Internet et ne trouvèrent rien de suspect.

Le FBI se pencha également sur le cas des quatre parents. Le seul à leur poser problème fut le père de Rhys, Chick Baldwin. La demande de rançon était arrivée dans sa boîte mail, or Chick était un personnage peu recommandable. Poursuivi à deux reprises pour délit d'initié, il avait aussi été accusé de détournement de fonds. D'aucuns prétendaient qu'il avait mis en place une chaîne de Ponzi. Quelques-uns de ses clients – dont certains haut placés – n'étaient pas contents.

Mais au point de commettre un acte pareil ?

Ils attendirent des nouvelles des ravisseurs. Un jour passa. Puis un deuxième. Trois, quatre jours. Pas un mot. Une semaine s'écoula.

Un mois. Un an.

Dix ans.

Et toujours rien. Aucun signe des deux garçons.

Jusqu'à aujourd'hui.

Myron se redressa en regardant défiler le générique. Moa s'approcha d'un pas gracieux.

— Finalement, je prendrais bien un cognac, fit-il.

— Tout de suite.

Lorsqu'elle revint, Myron lui dit :

— Asseyez-vous, Moa.

— Merci, non.

— Quand avez-vous vu Win pour la dernière fois ?

— On me paie pour rester discrète.

Myron ravala la vanne qu'il avait au bout de la langue.

— Il y a eu des rumeurs à propos de Win, dit-il. Je me suis fait du souci.

Elle pencha la tête.

— Vous n'avez pas confiance en lui ?

— Je mettrais ma vie entre ses mains.

— Alors respectez son intimité.

— Je ne fais que ça depuis un an.

— Dans ce cas, vous pouvez attendre quelques heures de plus.

Elle avait raison, bien sûr.

— Il vous manque, dit Moa.

— Évidemment.

— Il vous aime, vous savez.

Myron ne répondit pas.

— Essayez de dormir un peu.

Sur ce point aussi, elle avait raison. Il obéit, mais sans trop y croire. Un ami proche l'avait récemment converti à la méditation transcendantale et, sans être entièrement convaincu, il trouvait que la simplicité même de cette technique était parfaite pour l'aider à s'endormir. Il ouvrit l'application Méditation sur son portable – eh oui, ça existe –, régla le chrono sur vingt minutes, ferma les yeux et se laissa aller à la détente.

On s'imagine que la méditation éclaircit l'esprit. Balivernes. On ne peut pas éclaircir l'esprit. Plus on s'efforce de *ne pas* penser à quelque chose, plus on y pense. Il ne faut pas bloquer les pensées si on veut arriver à se détendre. Il faut les observer sans se juger ni réagir. C'est ce que fit Myron.

Il pensa à ses retrouvailles avec Win, à Esperanza et Big Cyndi, à son père et sa mère partis vivre en Floride. Il pensa à son frère Brad, à son neveu Mickey, aux changements survenus dans leur existence. Il pensa à Terese qui était enfin de retour, à leur prochain mariage, à leur future vie à deux, à la soudaine et tangible perspective du bonheur.

Et il pensa à quel point tout cela était fragile.

L'avion finit par atterrir. Il roula sur la piste, ralentit. Lorsqu'il s'arrêta complètement, Moa tira sur la poignée et ouvrit la porte. Elle le gratifia d'un large sourire.

— Bonne chance, Myron.

— Pareil pour vous, Moa.

— Transmettez mon bonjour à Win.

3

La Bentley attendait sur le tarmac. Tandis que Myron descendait les marches de la passerelle, la portière arrière s'ouvrit.

Il hâta le pas. Ses yeux commençaient à déborder. À trois mètres de son ami, il s'arrêta, cligna des paupières, sourit.

— Myron.

— Win.

Win soupira.

— Tu veux absolument que ça reste un moment mémorable, hein ?

— Que serait la vie sans cela ?

Win hocha la tête. Myron s'avança. Les deux hommes s'étreignirent avec force, se cramponnant l'un à l'autre comme à une bouée de sauvetage.

— J'ai mille questions à te poser, annonça Myron sans lâcher Win.

— Et je n'ai pas l'intention d'y répondre.

Ils relâchèrent leur étreinte.

— Notre seule préoccupation, c'est Rhys et Patrick.

— Bien sûr.

Win lui fit signe de monter à l'arrière de la limousine noire. Myron se poussa sur la banquette pour lui faire de la place. La vitre qui les séparait du chauffeur était levée. Il n'y avait que deux sièges, beaucoup d'espace pour les jambes et un bar bien garni. Normalement, il y a plus de sièges dans une limousine, mais Win n'en voyait pas l'utilité.

— Tu veux boire quelque chose ? s'enquit-il.

— Non, merci.

La voiture démarra. Moa se tenait à la porte de l'avion. Win baissa sa vitre et lui adressa un signe de la main. Elle le salua en retour. Une certaine nostalgie se lisait sur le visage de Win. Myron ne quittait pas son ami des yeux, son meilleur ami depuis leur première année à l'université de Duke. Il craignait que, s'il le perdait de vue, Win ne disparaisse à nouveau.

— Elle a un postérieur de premier choix, tu ne trouves pas ? dit Win.

— Mmm. Win ?

— Oui.

— Tu étais à Londres pendant tout ce temps ?

Regardant toujours par la fenêtre, Win répondit :

— Non.

— Où, alors ?

— Un peu partout.

— Il y a eu des rumeurs.

— Oui.

— On racontait que tu vivais en reclus.

— Je sais.

— Et ce n'est pas vrai ?

— Non, Myron, ce n'est pas vrai. C'est moi qui ai fait courir ces rumeurs.

— Pour quelle raison ?

— Plus tard. Concentrons-nous plutôt sur Patrick et Rhys.

— Tu dis que tu as vu Patrick.

— Je crois, oui.

— Tu crois ?

— Patrick avait six ans quand il a été enlevé, dit Win. Il aurait seize ans maintenant.

— Il n'y a donc aucun moyen de l'identifier avec certitude.

— Voilà.

— Ainsi, tu as vu quelqu'un que tu penses être Patrick.

— C'est ça.

— Et puis ?

— Et puis je l'ai perdu.

Myron se redressa.

— Ça t'étonne, hein, fit Win.

— Et comment.

— Tu te dis : « Ça ne lui ressemble pas. »

— En effet.

Win hocha la tête.

— J'ai mal calculé mon coup.

Et il ajouta :

— Il y a eu des dommages collatéraux.

Venant de Win, cela ne présageait rien de bon.

— Combien ?

— Si on commençait par rembobiner ?

Win sortit une feuille de papier de la poche de son complet.

— Lis ça.

C'était un mail expédié à son adresse personnelle. Myron avait envoyé une demi-douzaine de messages sur cette adresse-là, sans jamais obtenir de réponse. L'expéditeur était Anon5939413. Myron lut :

Vous recherchez Rhys Baldwin et Patrick Moore. Pendant ces dix dernières années, ils sont restés ensemble, mais pas tout le temps. Ils ont été séparés au moins trois fois. Ils sont à nouveau réunis désormais.

Ils sont libres de partir, mais pas forcément avec vous. Ils ne sont plus ce que vous les croyez être. Ni tels que leurs familles les ont gardés dans leur souvenir. Vous n'aimerez peut-être pas ce que vous allez trouver. Voici où ils sont. Oubliez la récompense. Un jour je vous demanderai un renvoi d'ascenseur.

Aucun des deux ne se souvient réellement de sa vie passée. Soyez patient avec eux.

Myron sentit un frisson lui parcourir l'échine.

— J'imagine que tu as cherché à savoir qui t'a envoyé ce mail.

Win acquiesça.

— Et tu as fait chou blanc.

— VPN, dit Win. Impossible de déterminer d'où ni de qui ça vient.

Myron relut le message.

— Le dernier paragraphe, dit-il.

— Oui, je sais.

— Il y a quelque chose là-dedans.

— Un accent de sincérité, opina Win.

— Ce qui explique pourquoi tu l'as pris au sérieux.

— Oui.

— Et l'adresse qu'ils donnent ?

— Un coin assez sordide de Londres. Un passage où on trouve des trafics en tout genre. Je suis allé voir sur place.

— Et ?

— Je suis tombé sur quelqu'un qui ressemble fort aux photos vieillies de Patrick.

— Quand ?

— Environ une heure avant de t'appeler.

— Tu l'as entendu parler ?

— Pardon ?

— Est-ce qu'il a parlé ? J'essaie de mieux définir son profil. Peut-être qu'il avait l'accent américain.

— Je n'ai pas entendu sa voix, dit Win. Et on ne peut pas savoir. Si ça se trouve, il a passé toute sa vie ici, dans ces rues.

Il y eut un silence.

— Toute sa vie, répéta Myron.

— Je sais, fit Win. Inutile de s'appesantir là-dessus.

— Tu as donc vu Patrick. Et ensuite ?

— J'ai attendu.

Myron hocha la tête.

— Tu espérais que Rhys se manifesterait aussi.

— Oui.

— Et puis ?

— Patrick a été agressé par trois individus qui semblaient lui en vouloir.

— Et tu les as arrêtés ?

Pour la première fois, un petit sourire flotta sur les lèvres de Win.

— Tu me connais.

En effet.

— Tous les trois ? s'enquit Myron.

Win sourit, haussa les épaules.

Myron ferma les yeux.

— C'étaient des voyous de la pire espèce, dit Win. On ne va pas les pleurer.

— C'était de la légitime défense ?

— Appelle ça comme tu veux. Est-ce bien le moment d'analyser mes méthodes, Myron ?

Il n'avait pas tort.

— Et que s'est-il passé ensuite ?

— Pendant que j'étais occupé avec lesdits voyous, Patrick a pris la fuite. La dernière fois que je l'ai vu, il se dirigeait vers la gare de King's Cross. Peu après ça, je t'ai appelé à la rescousse.

Myron se cala dans le siège. Ils arrivaient au pont de Westminster qui enjambe la Tamise. Le London Eye, la roue gigantesque qui tournait à la vitesse d'un escargot catatonique, scintillait au soleil de l'après-midi. Myron l'avait essayée une fois, il y a longtemps. Il avait cru mourir d'ennui.

— Tu comprends l'urgence de la situation, poursuivit Win.

Myron hocha la tête.

— Ils vont faire disparaître les garçons.

— Exactement. Les emmener ailleurs ou, s'ils craignent d'être démasqués…

Win n'eut pas besoin d'aller au bout de sa pensée.

— Tu as prévenu les parents ?

— Non.

— Même pas Brooke ?

— Je ne voyais pas l'intérêt de leur donner de faux espoirs.

Ils roulaient en direction du nord. Myron regarda par la vitre.

— Ils sont portés disparus depuis l'âge de six ans, Win.

Son ami ne dit rien.

— Tout le monde les croyait morts. Sauf toi.

— Je les croyais morts moi aussi.

— Mais tu as continué à chercher.

Win joignit le bout de ses doigts. Ce geste familier ramena Myron au temps de leur jeunesse.

— La dernière fois que j'ai vu Brooke, nous avons débouché une bouteille d'un très grand vin. Nous étions assis sur une terrasse face à l'océan. Là, j'ai retrouvé la Brooke avec laquelle j'avais grandi. Il y a des gens qui attirent la poisse. Brooke, c'est tout l'inverse. Elle est la joie personnifiée. Tu sais, le lieu commun, quand on dit que quelqu'un illumine une pièce par sa présence…

— Oui, je vois très bien.

— Brooke faisait ça à distance. Il suffisait de penser à elle pour se sentir mieux. Quelqu'un comme elle, on a envie de le protéger. Et quand on le voit souffrir autant, on veut… non, on se fait un devoir de le soulager.

Win tapota sur ses doigts.

— On était donc là à boire du vin et à contempler l'océan. En général, on recourt à l'alcool pour anesthésier la douleur. Mais pas Brooke. L'alcool a fait tomber le masque. Elle ne s'est plus forcée à sourire. Ce soir-là, elle m'a fait un aveu.

Il s'interrompit. Myron attendait la suite.

— Longtemps, Brooke a imaginé que Rhys allait rentrer à la maison. Chaque fois que le téléphone sonnait, son sang ne faisait qu'un tour. Elle espérait que c'était Rhys : il appelait pour dire qu'il allait bien. Elle le voyait dehors parmi la foule. Elle rêvait qu'elle le sauvait, le retrouvait, et qu'ils se jetaient en pleurs dans les bras l'un de l'autre. Elle revivait mentalement cette fameuse journée : elle restait chez elle au lieu de sortir, elle emmenait Rhys et Patrick avec elle plutôt que de les laisser avec la fille au pair. Elle réécrivait l'histoire pour que cela ne soit pas arrivé. « Ça ne vous quitte pas, m'a-t-elle dit. Ça vous suit partout. On peut s'évader quelques instants, mais cette journée sera toujours là, à vous taper sur l'épaule, à vous tirer par la manche. »

Myron osait à peine respirer.

— Tout cela, je le savais, bien sûr. La douleur des parents n'est pas une révélation en soi. Brooke est toujours aussi belle. Et forte. Mais les choses ont changé.

— Changé dans quel sens ?

— Il faut que ça cesse.

— Qu'est-ce que tu veux dire ?

— C'est ce que Brooke m'a avoué. Quand le téléphone sonne, sais-tu ce qu'elle espère ?

Myron secoua la tête.

— Que c'est la police. Qu'ils ont fini par retrouver le corps de Rhys. Tu comprends ? Le fait de ne pas savoir – l'espoir – est devenu plus insupportable que la mort. Et ça rend le drame d'autant plus obscène. C'est déjà horrible de faire souffrir une mère de la sorte. Mais ceci, m'a-t-elle dit, vouloir que ça se termine coûte que coûte, est encore pire.

Ils se turent quelques instants.

— Au fait, lança Win, comment tu les as trouvés, les Knicks ?

— Très drôle.

— Allez, détends-toi.

— Où allons-nous ?

— On retourne à King's Cross.

— Où tu ne peux pas vraiment te montrer.

— Je suis extrêmement séduisant. Il suffit que les gens me voient une fois pour qu'ils se souviennent de moi.

— C'est là que j'interviens.

— Heureux de constater que mon absence n'a pas émoussé tes remarquables capacités de déduction.

— Raconte-moi, fit Myron. C'est quoi, le plan ?

4

Lorsqu'ils passèrent devant la gare, Myron lut le nom :

— King's Cross. Ce n'est pas dans *Harry Potter* ?

— Si.

Il jeta un autre coup d'œil.

— C'est moins crasseux que je ne l'aurais cru.

— La gentrification, répliqua Win. Mais la crasse, on ne s'en débarrasse pas comme ça. On la repousse juste dans les coins sombres.

— Et ces coins sombres, tu sais où ils sont.

— C'était spécifié dans le mail.

La Bentley s'arrêta.

— On ne peut pas aller plus loin sans risquer d'être repérés. Tiens, prends ça.

Win lui tendit un smartphone.

— J'en ai déjà un.

— Pas comme celui-ci. C'est un système complet de monitoring. Avec ça, je peux te suivre grâce au GPS. Je peux écouter n'importe quelle conversation grâce aux micros. Et voir ce que tu vois grâce à la caméra.

— Les mots-clés, c'est « grâce à ».

— Hilarant. À propos de mot-clé, il nous faut un signal de détresse si jamais tu as des ennuis.

— Que dirais-tu d'« Au secours » ?

Win le dévisagea d'un air impassible.

— Ton humour m'a manqué.

— Tu te souviens, à nos débuts ?

Myron sourit malgré lui.

— Je t'appelais sur un vieux portable pour que tu puisses tout entendre.

— Je me souviens.

— On se croyait à la pointe de la technologie.

— Et on l'était.

— Articule, fit Myron.

— Pardon ?

— Si j'ai des ennuis, je dirai « Articule ».

Myron descendit et poursuivit à pied. Tout en marchant, il se surprit à siffloter un air de *Fun Home*, une comédie musicale. D'aucuns trouveraient ça bizarre. La situation était grave, voire dangereuse, mais il mentirait s'il disait qu'il ne se réjouissait pas à l'idée de refaire équipe avec Win. La plupart du temps, c'était Myron qui fonçait tête baissée à la rescousse de la veuve et de l'orphelin. Tout le temps, en fait. Win, c'était la voix de la raison, le second couteau, quelqu'un qui l'assistait plus pour le plaisir que par souci d'équité.

Du moins, c'était ce qu'il prétendait.

« Toi, lui disait Win, tu as le complexe du héros. Tu penses que tu peux sauver le monde. Tu es Don Quichotte se battant contre des moulins à vent.

— Et toi ?

— Moi, je suis le chéri de ces dames. »

Win.

Il faisait encore jour, mais il fallait être naïf pour croire que ce genre de commerce se pratique seulement à la tombée de la nuit. Cependant, arrivé au poste d'observation que Win avait occupé la veille, Myron regarda en bas et comprit que ça n'allait pas être facile.

La police était sur les lieux.

À l'endroit où Win avait vu le présumé Patrick, il y avait deux agents en uniforme et deux autres hommes, sans doute des techniciens de la police scientifique. Le sang répandu sur le bitume semblait encore humide. Il y en avait partout, comme si quelqu'un avait balancé des pots de peinture d'une grande hauteur.

Les corps n'étaient plus là. Les tapineurs non plus, évidemment… ils ne tenaient pas à se faire épingler sur une scène de crime. C'était mort, se dit Myron. Il fallait passer au plan B.

Il rebroussait chemin quand quelque chose attira son regard. Là-bas, dans un « coin sombre » selon l'expression de Win, tout au bout de Railway Street, il repéra une femme qui, manifestement, faisait le trottoir.

Elle était habillée comme une pute américaine des années soixante-dix : bas résille, cuissardes (les deux n'étant pas franchement compatibles), une jupe aussi longue que, disons, une ceinture, et un corsage violet qui la gainait façon peau de saucisse.

Myron se dirigea vers elle. À son approche, la femme se retourna. Il lui adressa un petit signe de la main.

— Tu cherches de la compagnie ? lui demanda-t-elle.

— Euh… non. Pas tout à fait.

— Tu ne sais pas trop comment ça marche, hein ?

— Non, désolé.

— On essaie encore une fois. Tu cherches un peu de compagnie ?

— Mais absolument.

La femme sourit. Myron s'attendait à une vision d'horreur, mais non, elle avait de jolies dents, blanches et régulières. Elle devait avoir une cinquantaine d'années, ou alors une quarantaine très abîmée. Elle était grosse, débraillée, elle débordait de partout, mais son sourire faisait oublier tous ces petits inconvénients.

— Tu es américain, dit-elle.

— Oui.

— J'ai beaucoup d'Américains parmi mes clients.

— On dirait que vous n'avez pas trop de concurrence par ici.

— Plus maintenant. Aujourd'hui, les filles ne traînent plus dans la rue. Elles utilisent l'ordinateur ou une appli.

— Mais pas vous.

— Ben, ce n'est pas mon style. C'est d'une froideur, tous ces Tinder, Ohlala et autres. Vraiment, c'est dommage. Où sont les rapports humains là-dedans ? Où est la touche personnelle ?

— Hmm, répondit Myron par défaut.

— Moi, j'aime la rue. Mon domaine d'activité est une sorte de retour en arrière. Je fais appel à… Comment t'expliquer ça ?

Elle réfléchit un instant, puis fit claquer ses doigts.

— À la nostalgie. Tu comprends ? Enfin quoi, les gens sont en vacances. Ils viennent à King's Cross pour voir les putes, pas pour tripoter leur iPhone. Tu vois ce que je veux dire ?

— Hmm.

— Ils veulent la totale. Cette rue, ces fringues, ma façon d'être, de parler... je suis ce qu'on nomme le marketing de niche.

— C'est bien de répondre à un besoin.

— J'étais dans le porno avant.

Elle marqua une pause.

— Oh, tu ne peux pas me reconnaître. Je n'ai tourné que dans trois films... on a bien le droit à son jardin secret, non ? Mon plus grand rôle, ç'a été la troisième servante dans une scène avec ce célèbre Italien, Rocky ou Rocco quelque chose. Mais pendant des années, j'ai été une dérameuse de choc. Tu sais ce que c'est, une dérameuse ?

— Je pense que oui.

— La plupart des mecs, en vérité, avec les caméras, les projecteurs et tous ces gens qui les regardent, eh bien, ils ont du mal à garder leur érection. C'est là que les dérameurs interviennent. Dans les coulisses. C'était trop génial. J'ai fait ça pendant des années, je connaissais tous les trucs, tu peux me croire.

— Je vous crois.

— Puis le Viagra est arrivé et... ma foi, un comprimé vaut beaucoup moins cher qu'une fille. Dommage, vraiment. Les dérameurs sont une espèce disparue maintenant. Comme les dinosaures ou les cassettes VHS. Du coup, je suis retournée bosser dans la rue. Mais je ne me plains pas, hein, c'est clair ?

— Comme de l'eau de roche.

— Au fait, tu sais que le compteur tourne ?

— Pas de problème.

— Il y a des filles qui vendent leur corps. Pas moi. Moi, je vends mon temps. Comme un consultant ou un avocat. Ce que tu fais de ce temps – et comme je dis, l'heure tourne –, c'est ton affaire. Alors, tu cherches quoi, beau gosse ?

— Euh… un jeune homme.

Son sourire s'évanouit.

— Allons bon.

— Un adolescent.

— Bah.

Elle fit mine de chasser quelque chose de la main.

— Tu n'es pas un pointeur.

— Un quoi ?

— Un pointeur. Un pédophile, quoi. Tu n'es pas un pédophile, hein ?

— Oh non, pas du tout. Je le cherche, c'est tout. Je ne lui veux pas de mal.

Les mains sur les hanches, elle l'examina longuement.

— Pourquoi est-ce que je te crois ?

Myron sourit d'un air engageant.

— C'est mon sourire.

— Non, mais tu as un visage qui inspire confiance. Quant au sourire, il est plutôt glauque.

— C'est censé être engageant.

— Ben, ça ne l'est pas.

— J'essaie juste de lui venir en aide, dit Myron. Il court un grave danger.

— Et en quoi je peux t'aider ?

— Il était là hier.

— Ah…

— Quoi ?

— Hier.

— Oui.

— Alors c'est toi qui as liquidé ces trouducs ?

— Non.

— Dommage, fit-elle. Rien que pour ça, je t'aurais offert une passe.

— Le gamin dont je parle est dans un sale pétrin.

— Tu l'as déjà dit.

Elle hésita. Myron sortit son portefeuille, mais elle l'écarta de la main.

— Je n'ai pas besoin de ton fric. Enfin, si. Mais pas pour ça.

Elle n'arrivait visiblement pas à se décider.

Myron pointa le doigt sur son torse.

— J'ai un visage qui inspire confiance, rappelez-vous.

— Les garçons ne vont pas revenir ici de sitôt. Pas tant qu'il y aura les flics. Ils iront ailleurs.

— Et où ça ?

— À Hampstead Heath. D'habitude, ils traînent du côté ouest de Merton Lane.

5

— Hampstead heath, répéta Win lorsque Myron eut regagné la voiture. Un lieu historique.

— Ah bon ?

— Keats a arpenté ses allées. Kingsley Amis, John Constable, Alfred Tennyson, Ian Fleming ont tous eu une maison là-bas. Mais sa réputation actuelle tient à tout autre chose.

— Elle tient à quoi aujourd'hui, dis-moi ?

— Tu te souviens quand George Michael a été arrêté pour s'être livré à la bagatelle dans des toilettes publiques ?

— C'était là ?

— Oui, à Hampstead Heath. C'est un lieu de drague notoire pour les gays, mais, d'après ce que j'en sais, ce n'est pas un coin à prostitués. On y pratique plus le cottaging qu'autre chose.

— Le cottaging ?

— Mon Dieu, ce que tu peux être ingénu. Le cottaging. Sexe anonyme entre hommes dans les buissons, les toilettes publiques, et cetera. L'argent change rarement de main. Mais bon, un jeune prostitué peut toujours tenter sa chance là-bas, pour rencontrer un protecteur ou se constituer un réseau de clients. Je suggère d'entrer dans le parc et de bifurquer à gauche, direction toilettes. Tu passes devant les étangs et continues dans l'allée. Je pense que c'est le bon endroit.

— Tu m'as l'air bien informé sur le sujet.

— Je suis bien informé sur tous les sujets.

Ce qui était la pure vérité.

— Et j'utilise ce nouveau truc qui s'appelle Google.

Win leva son smartphone.

— Tu devrais essayer un jour. As-tu besoin de ceci ?

Il remit à Myron les photos de Rhys et Patrick vieillis de dix ans. Et il décrivit avec force détails le supposé Patrick qu'il avait vu la veille, ainsi que sa tenue vestimentaire.

Myron scruta leurs visages.

— Quel âge auraient-ils maintenant ?

— Seize ans tous les deux. Incidemment – ou pas –, seize ans est l'âge du consentement en Grande-Bretagne.

Myron photographia les clichés avant de les rendre à Win. Puis, la main sur la poignée de la portière, il marqua une pause.

— Il y a quelque chose qui me chiffonne là-dedans, Win.

— Possible.

— Toi aussi, ça te tracasse ?

— Oui.

— Et si c'était un coup monté ?

— Possible, répéta Win en joignant à nouveau les doigts. Mais la seule façon de le découvrir est de passer à l'action.

La limousine s'était arrêtée au croisement de Merton et de Millfield Lane.

— Prêt ?

— C'est parti, répondit Myron en se glissant dehors.

Hampstead Heath était un bel endroit noyé dans une végétation luxuriante. Myron suivit l'allée, mais ne vit aucun signe de Patrick ou de Rhys. Il y avait des hommes, beaucoup d'hommes, entre dix-huit (voire moins) et quatre-vingts ans, la plupart d'allure discrète, mais bon, que croyait-il trouver ? Myron ne remarqua rien de déplacé, mais sans doute parce qu'il y avait des toilettes publiques et des buissons touffus le long du chemin.

Au bout d'un quart d'heure de marche, il porta le téléphone à son oreille.

— Rien, fit-il.

— Personne ne t'a dragué ?

— Non.

— Oh, dur.

— Je sais, répliqua Myron. Tu penses que ce pantalon me grossit ?

— On continue à blaguer, dit Win.

— Hein ?

— Nous croyons à l'égalité et nous nous dressons contre quiconque manifeste le moindre préjugé.

— Et pourtant, on continue à blaguer, acheva Myron.

Soudain, il s'arrêta net.

— Attends une minute.

— Je t'écoute.

— Quand tu m'as décrit le… l'incident d'hier, tu as parlé de deux autres gars qui faisaient le tapin.

— Exact.

— Dont un avec un crâne rasé et un collier de chien.

— Oui.

Myron orienta le téléphone de manière à pointer la caméra sur le jeune homme vêtu de cuir au bord de l'étang.

— Alors ?

— C'est lui, dit Win.

Myron rangea le téléphone et traversa l'allée. Les mains dans les poches de son pantalon, Collier de Chien paraissait de mauvais poil. Il avait un tatouage dans le cou, mais impossible de dire ce que ça représentait. Le dos voûté, il tirait sur une cigarette comme s'il voulait la fumer en une seule bouffée.

— Salut, lança Myron, histoire d'attirer son attention.

En même temps, il ne tenait pas à effaroucher ce… garçon ? homme ? gamin ? individu ?

Collier de Chien fit volte-face, s'efforçant de se donner une contenance. Cependant, derrière son air bravache, on sentait poindre une certaine angoisse. Comme chez quelqu'un qui aurait pris trop de coups, mais aurait aussi appris à ses dépens que faire montre de faiblesse aggravait encore la situation. Si la maltraitance existait, ce garçon en était l'incarnation emblématique.

— Vous avez du feu ? demanda-t-il.

Myron allait répondre qu'il ne fumait pas, mais peut-être que c'était une sorte de code, et il en profita pour se rapprocher.

— On peut parler deux minutes ? s'enquit-il.

53

Le regard du garçon vagabondait comme un oiseau sautant de branche en branche.

— Je connais un endroit.

Myron l'observait en silence. Qui était ce jeune, d'où venait-il, à quel moment avait-il mal tourné ? Est-ce que ç'avait été une lente descente, une enfance malheureuse peut-être ? Avait-il fugué ? Avait-il encore un père ou une mère ? Avait-il été battu, s'ennuyait-il dans la vie, était-ce un junkie ? Sa chute avait-elle été soudaine… un coup, un cri, une coupure nette, chirurgicale ?

— Alors ? fit le garçon.

Myron embrassa d'un coup d'œil sa silhouette malingre, ses bras pâles et fins comme des roseaux, le nez qui avait dû prendre plus d'une torgnole, les piercings aux oreilles, les paupières soulignées de noir et songea à Patrick et Rhys, deux gamins brutalement arrachés à leur cocon.

Avaient-ils cette tête-là aujourd'hui eux aussi ?

— OK, acquiesça-t-il, cachant son découragement. Allons-y.

— Suivez-moi.

Collier de Chien grimpa le talus vers le chemin entre les deux étangs. Myron ne savait pas s'il devait marcher à côté du garçon – il lui donnait entre dix-huit et vingt ans, donc c'était encore un garçon – ou s'il valait mieux rester derrière lui. Collier de Chien accéléra le pas, si bien que Myron opta pour la seconde solution.

Jusqu'ici, il n'avait pas été question d'argent. C'était plutôt troublant. Tout en marchant, Myron scrutait les alentours. Ils se dirigeaient vers les fourrés, une zone moins fréquentée. Ils passèrent devant un type en pantalon de treillis, et Myron surprit un minuscule signe de tête entre lui et Collier de Chien.

Tiens, tiens.

Il décida de prévenir Win.

— Qui est-ce ? demanda-t-il au garçon.

— Hein ?

— Le gars que tu viens de saluer. Le mec en treillis.

— Je vois pas.

Puis :

— Vous êtes américain, vous.

— Oui.

Le garçon contourna un buisson. Ils étaient complètement hors de vue maintenant. Myron aperçut une capote usagée par terre.

— Alors, c'est quoi, votre truc ? s'enquit le garçon.

— La conversation.

— Quoi ?

Myron était quelqu'un d'imposant, un mètre quatre-vingt-dix, ancien champion de basket. À l'époque, il avait pesé cent sept kilos. Depuis, il en avait pris cinq de plus. Il se positionna de façon à bloquer toute velléité de fuite. Il n'était pas sûr de vouloir recourir à la force, mais il tenait à ce que le message soit clair.

— Tu étais là-bas hier, dit-il.

— Hein ?

— Quand il y a eu cette… altercation. Tu as tout vu.

— Qu'est-ce qui… ? Attendez, vous êtes flic ?

— Non.

— Alors pourquoi un Américain…

Il s'étrangla, écarquilla les yeux.

— J'ai rien vu, je vous le jure.

Avait-il entendu Win parler ? Dans ce cas, le calcul était simple : un Américain tue trois hommes, et un autre retrouve le témoin.

— Ce n'est pas ça qui m'intéresse, dit Myron. Je cherche le garçon qui était là. Il s'est enfui.

Collier de Chien prit un air sceptique.

— Crois-moi, je ne te veux aucun mal. Ni à toi ni à personne d'ailleurs.

Il tenta de prendre son air le plus débonnaire, mais, contrairement à la prostituée avec qui il s'était entretenu un peu plus tôt, ce gamin ne devait pas comprendre que Myron voulait se montrer bienveillant à son égard. Dans son monde à lui, les hommes étaient soit des brutes, soit des michetons potentiels.

— Baissez votre froc, fit Collier de Chien.

— Quoi ?

— On est là pour ça, non ?

— Non, écoute, je te paierai. Je te paierai bien.

Il marqua une pause.

— Pour ?

— Tu connais le garçon qui s'est enfui ?

— Et si je dis oui ?

— Je te donnerai cinq cents livres si tu me mènes jusqu'à lui.

Ses yeux se remirent à bouger dans tous les sens.

— Cinq cents ?

— Oui.

— Vous avez tout ça sur vous ?

Bonne question. Mais qui ne tente rien…

— Oui.

— Dans ce cas, vous devez en avoir encore plus.

Comme sur un signal, deux types sortirent des buissons. L'un était l'homme en pantalon de treillis qu'ils avaient croisé en venant. L'autre était un gros malabar, genre casseur, moulé dans un tee-shirt noir, avec un front de Cro-Magnon et des bras épais comme des jambonneaux.

Le malabar mâchait du tabac façon vache dans un pré et, pour mieux coller à son personnage, faisait craquer les jointures de ses doigts.

— Tu vas nous donner tout ton fric, dit Treillis, ou Dex te flanquera une raclée… et après, on n'aura plus qu'à se servir.

Myron regarda Dex.

— Ce sont vos jointures qui craquent ?

— Quoi ?

— J'ai bien compris. Vous êtes un vrai dur. Mais faire craquer vos jointures ? Franchement, c'est superflu.

Déboussolé, Dex fronça les sourcils. Myron avait déjà rencontré ce genre d'énergumène. Il cherchait des noises dans les bars à des plus faibles que lui et ne s'attaquait jamais à quelqu'un qui savait se battre.

Dex se planta devant lui.

— T'es une sorte de bouffon ou quoi ?

— Vous en connaissez beaucoup, des sortes ?

— Ma parole.

Dex se frotta les mains.

— Je sens que je vais prendre mon pied, là.

— Ne le tue pas, Dex.

Dex sourit de toutes ses petites dents pointues, comme un prédateur marin tournant autour d'un poisson rouge. Inutile d'attendre plus longtemps. Myron forma une lance avec ses doigts et le frappa droit à la gorge. Le coup l'atteignit comme une flèche.

Dex porta les deux mains à sa gorge, complètement à la merci de son adversaire. Mais Myron n'était pas disposé à causer de sérieux dégâts. Il balaya la jambe de Dex, le faisant tomber à terre. Puis il se tourna vers Treillis, mais celui-ci ne tenait pas à s'en prendre plein la tête. Était-ce la facilité avec laquelle Myron avait neutralisé son gorille ou le souvenir de ce qui était arrivé à ses frères d'armes la veille, en tout cas il prit ses jambes à son cou.

Collier de Chien fit de même.

Bon sang.

Myron était rapide, mais, en se retournant, il sentit la vieille blessure lui bloquer l'articulation du genou. Entre l'avion et la limousine, il avait passé trop de temps en position assise. Il aurait dû l'étirer davantage en marchant.

Entre-temps, le garçon avait détalé comme un lapin. Il devait avoir l'habitude de se sauver en courant, mais l'heure n'était pas à la sympathie.

Il ne pouvait se permettre de perdre cette piste-là.

Si le garçon prenait trop d'avance – s'il se mêlait aux flâneurs du parc –, il échapperait à ce que Myron voulait… enfin, lui faire. Il pourrait aussi appeler à l'aide.

D'un autre côté, un voleur qui aurait tenté de dépouiller un promeneur chercherait-il à attirer l'attention sur lui ?

Myron avait regagné l'allée, mais la distance entre eux s'allongeait à vue d'œil. Encore une occasion manquée. Le lien qui les reliait à Patrick et Rhys était plus que ténu. En disparaissant, ce garçon risquait de marquer la fin de la partie.

Collier de Chien contourna un réverbère, et Myron le perdit de vue. Zut. Aucune chance, se dit-il. Il n'avait aucune chance de le rattraper.

Soudain, le garçon s'étala de toute sa longueur. Quelqu'un lui avait fait un croche-pied. Tout bêtement.

Win.

Il regarda à peine Myron avant de se fondre dans l'ombre. Myron accourut et, à califourchon sur Collier de Chien, le retourna sur le dos. Le garçon se couvrit le visage, s'attendant à prendre des coups.

— S'il vous plaît, bredouilla-t-il piteusement.

— Je n'ai pas l'intention de te frapper, dit Myron. Allez, calme-toi. Tout va bien.

Il mit quelques secondes à écarter ses mains de son visage. Ses yeux étaient remplis de larmes.

— Je te promets que je ne te frapperai pas, répéta Myron. OK ?

Collier de Chien acquiesça à travers ses larmes, même si, visiblement, il n'en croyait pas un mot. Myron prit le risque de lâcher sa prise. Il l'aida à s'asseoir.

— Reprenons, fit-il. Tu connais le garçon qui s'est enfui hier ? Celui qui a été la cause de la bagarre ?

— L'autre Américain, c'est un ami à vous ?

— Pourquoi ?

— Il les a tués comme qui rigole. Le temps de dire putain de merde, il les avait saignés tous les trois.

Myron essaya une autre approche.

— Tu les connaissais, ces trois types ?

— Bien sûr. Terence, Matt et Peter. Ce que j'ai pu morfler avec eux, tous autant qu'ils étaient. Quand j'avais une livre en poche, il fallait que je leur en donne deux.

Il leva les yeux sur Myron.

— Si vous y êtes pour quelque chose, ben… je vous serrerai la main.

— Je n'y suis pour rien.

— Vous voulez juste le petit gars qu'ils ont tabassé.

— C'est ça.

— Pour quoi faire ?

— C'est une longue histoire. Il a besoin d'aide.

Collier de Chien fronça les sourcils.

— Tu le connais, oui ou non ?

— Ouais, un peu que je le connais.

— Tu peux me conduire jusqu'à lui ?

Une lueur de méfiance brilla dans les yeux du garçon.

— Vous les avez toujours, les cinq cents livres ?

— Toujours, oui.

— Donnez-les-moi.

— Et qui me dit que tu ne vas pas te sauver à nouveau ?

— J'ai vu ce qu'il a fait, votre ami. Si je file, vous me retrouverez et vous me tuerez.

Myron allait protester mais, réflexion faite, ce n'était pas plus mal que le garçon ait peur de lui. Collier de Chien tendit la main, paume vers le haut. Myron lui remit les billets. Il les fourra dans sa chaussure.

— Ne dites à personne que vous me les avez donnés.

— Entendu.

— Allez, venez. Je vais vous le présenter.

6

Myron essaya de baratiner son jeune compagnon tandis qu'ils s'engouffraient dans une rame de métro à Gospel Oak. Mais, durant la première partie du trajet, le garçon enfonça des écouteurs dans ses oreilles et monta le son si fort que Myron entendit clairement les paroles misogynes qui se déversaient dans ses conduits auditifs.

Il se demanda si Win recevait toujours le signal de son téléphone. Ils changèrent de ligne à Highbury, puis à Islington. Finalement, le garçon coupa sa musique et dit :

— C'est quoi, votre nom ?

— Myron. Et toi ?

— Myron comment ?

— Myron Bolitar.

— Vous cognez drôlement bien. Vous avez rétamé Dex comme si c'était un chiffon mouillé.

— Merci, répondit Myron, faute de mieux.

— Vous habitez où, aux States ?

Drôle de question.

— New Jersey.

— Vous êtes baraqué comme mec. Vous jouez au rugby ?

— Non, je… j'ai joué au basket quand j'étais étudiant. Et toi ?

Le garçon renifla.

— Les études. C'est ça. Et où c'est que vous avez étudié ?

— Dans une université qui s'appelle Duke, fit Myron. C'est comment, ton nom ?

— Vous occupez pas de ça.

— Depuis quand fais-tu le trottoir ?

Le garçon s'efforça de prendre un air mauvais mais, comme chez tous les ados, sa mine se fit plus renfrognée que menaçante.

— Ça vous regarde ?

— Je ne dis pas ça pour t'humilier. Je sais juste que la plupart des… euh, affaires se traitent sur Internet. Sur Grindr ou Scruff, ce genre d'applis.

Il baissa le nez.

— C'est une punition.

— Hein, qu'est-ce qui est une punition ?

— Le trottoir.

— Pourquoi ?

Le train s'arrêta.

— On descend, dit le garçon en se levant. Venez.

En sortant du métro, ils tombèrent dans une rue bruyante et noire de monde. Ils longèrent Brixton Road, passèrent devant un supermarché Sainsbury's et pénétrèrent dans une boutique nommée AdventureLand.

La première chose qui frappait le visiteur, c'était la cacophonie : aucun son n'était agréable en soi, sauf peut-être pour les plus nostalgiques. Au fracas des quilles de bowling se mêlaient le tintement numérique des jeux d'arcade, le sourd crépitement des tirs manqués, le chuintement mécanique des lancers francs. Il y avait les bruits artificiels d'avions abattus en plein vol et de monstres canardés par l'artillerie lourde. Il y avait des néons et des couleurs fluo. Il y avait des machines de Skee-Ball, Pac-Man, air hockey, des *shoot 'em up*, des courses automobiles et des espèces de machines à pinces pour attraper des peluches dans une cage en verre. Il y avait des autos tamponneuses, des tables de ping-pong, des billards et un bar à karaoké.

Il y avait surtout beaucoup d'adolescents.

Le regard de Myron balaya la salle. Plus prostré que les deux vigiles à l'entrée, ça s'appelait une lobotomie. Il ne s'attarda pas sur eux. Ce qui retint son attention, ce furent les quelques hommes qui cherchaient à se mêler à la foule… ou plutôt à se fondre dans le décor.

Des hommes en pantalon de treillis.

Le garçon au collier de chien se fraya un passage vers une section appelée Labyrinthe Laser, un peu comme dans *Mission impossible* où il faut se déplacer entre les rayons sans déclencher l'alarme. Derrière, il y avait une porte avec le panneau SORTIE DE SECOURS. Le garçon s'approcha et regarda la caméra de surveillance. Myron le rejoignit. Le garçon lui fit signe de se placer face à l'objectif. Myron obtempéra, sourit et esquissa même un petit salut de la main.

— Comment tu me trouves ? demanda-t-il à son compagnon. Je suis un peu décoiffé, non ?

Le garçon se borna à détourner la tête.

La porte s'ouvrit. Ils entrèrent. La porte se referma. Ils furent accueillis par deux autres pantalons de treillis.

— Vous avez acheté un lot en solde ? s'enquit Myron en les désignant du doigt.

Personne ne parut trouver ça amusant.

— Vous avez une arme sur vous ?

— Non, rien que mon sourire engageant.

Myron leur en fit la démonstration. Ce qui ne les impressionna guère.

— Videz vos poches. Portefeuille, clés, téléphone.

Il s'exécuta. Ils avaient même un panier comme à l'aéroport, où l'on dépose ses clés et sa monnaie avant de passer sous le portique de sécurité. L'un des hommes sortit un détecteur de métaux et le promena sur Myron. Puis, comme si cela ne suffisait pas, il entreprit de le palper avec un peu trop de zèle.

— Oh oui, c'est bon, fit Myron. Un peu plus à gauche.

L'homme s'arrêta aussitôt.

— OK, deuxième porte à droite.

— Je peux récupérer mes affaires ?

— En sortant.

Myron regarda Collier de Chien qui fixait obstinément le plancher.

— Pourquoi ai-je l'impression que je ne trouverai pas ce que je cherche derrière cette porte ?

Cette porte-là était verrouillée également. Et équipée d'une caméra. Le garçon la regarda, fit signe à Myron. Mais, cette fois, Myron ne sourit pas. Ça leur apprendra.

Il y eut un cliquetis. La porte, en acier renforcé, pivota. Le garçon entra le premier, Myron sur ses talons.

Le premier mot qui venait à l'esprit était « high-tech ». Ou étaient-ce deux mots ? AdventureLand était un bouge, avec des jeux d'arcade qui avaient connu des jours meilleurs. Cette pièce-là était ultra-design dernier cri. Avec une bonne douzaine de moniteurs et écrans haut de gamme aux murs, sur les bureaux, partout. Myron compta quatre hommes, mais aucun pantalon de treillis.

Au milieu de la pièce se tenait un Indien corpulent au crâne rasé, avec un casque sur les oreilles et une télécommande à la main. Ils étaient tous en train de jouer à un jeu de guerre. Mais alors que tout le monde s'agitait frénétiquement autour de lui, l'homme corpulent avait l'air détendu, presque nonchalant.

— Une petite seconde, OK ? Ces fichus Ritals s'imaginent qu'ils peuvent nous battre.

L'Indien leur tourna le dos. Tous les regards étaient braqués sur l'écran central au mur. Une sorte de tableau des scores, devina Myron. À la première place figurait ROMAVSLAZIO. À la deuxième GROSGANDHI47. La troisième place revenait à ÉTALONBIENMONTÉ12. Mais oui, rêve, petit joueur. Les autres équipes se nommaient UNECHANCEDETROP, CRACK-VADOR (sûrement un pote à ÉTALONBIENMONTÉ12) et SOUS-SOLÀMAMAN (enfin un joueur honnête).

L'Indien corpulent leva lentement la main, tel un chef d'orchestre sur le point de commencer. Il regarda un Noir fluet devant son clavier.

— Maintenant ! fit l'Indien en abaissant le bras.

Le Noir fluet pressa une touche.

Au début, rien ne bougea. Puis le tableau des scores changea, affichant GROSGANDHI47 en tête.

Les hommes dans la pièce exultèrent, se tapèrent dans la main. Vinrent ensuite les tapes dans le dos et les accolades. Myron et Collier de Chien attendirent que les clameurs se taisent. Les trois autres hommes se rassirent chacun devant son ordinateur. Myron vit les reflets des écrans sur leurs lunettes. Le grand écran central, celui qui affichait les résultats, s'éteignit. Et l'Indien corpulent se tourna vers Myron.

— Bienvenue.

Myron regarda Collier de Chien. Le garçon semblait pétrifié.

Traiter cet homme-là de corpulent relevait du politiquement correct. Il était rond, avec des bourrelets partout et un ventre comme s'il avait avalé une boule de bowling. Son tee-shirt ne lui arrivait pas tout à fait à la taille et pendouillait comme une robe. Son cou grassouillet formait une seule entité trapézoïdale avec son crâne rasé. Il arborait une petite moustache, des lunettes cerclées de métal et un sourire faussement affable.

— Bienvenue, Myron Bolitar, dans notre humble QG.

— Ravi d'être là, Gros Gandhi, répondit Myron.

Cela parut lui faire plaisir.

— Ah oui, oui. Vous avez vu le tableau ?

— Oui.

Il écarta les bras, faisant ballotter ses triceps.

— Un nom seyant, hein ?

— Comme une chaussette bien taillée, opina Myron, sans être tout à fait sûr du sens de cette expression.

Gros Gandhi se tourna vers Collier de Chien. Le garçon se ratatina à un point tel que Myron se sentit obligé de se placer devant lui.

— Vous ne me demandez pas d'où je connais votre nom ? fit Gros Gandhi.

— Le petit m'a posé la question dans le métro, répondit Myron. Il voulait savoir d'où je viens, où j'ai fait mes études. Je suppose que vous avez dû entendre mes réponses.

— En effet.

Gros Gandhi le gratifia d'un autre sourire béat, mais, cette fois – où était-ce son imagination ? –, Myron y décela comme un début de dégradation.

— Vous croyez être le seul à utiliser un téléphone comme moyen d'écoute ?

Myron garda le silence.

Gros Gandhi fit claquer ses doigts. Une carte apparut à l'écran. Truffée de points bleus clignotants.

— Tous mes employés sont équipés de ce genre de téléphone. On s'en sert comme mouchard, GPS, pager. Ça nous permet de suivre chacun de nos employés à la trace.

Il désigna les points bleus à l'écran.

— Quand on a un contact sur l'une de nos applications… mettons qu'un de nos clients ait envie d'un jeune Blanc sous-alimenté avec un collier de chien…

Le garçon se mit à trembler.

— … nous savons où il se trouve et pouvons organiser un rendez-vous à n'importe quel moment. Nous pouvons aussi écouter tout ce qui se dit. Nous pouvons détecter un danger potentiel. Ou…

Le sourire se fit nettement carnassier.

— … toute tentative d'arnaque.

Le garçon sortit les cinq cents livres de sa chaussure et les tendit à Gros Gandhi. Ce dernier ne fit pas un geste. Le garçon les posa sur le bureau le plus proche et se cacha littéralement derrière Myron. Qui le laissa faire.

Gros Gandhi se tourna vers la carte en écartant les bras. Les autres hommes dans la pièce pianotaient, le nez sur leurs claviers.

— Ceci est notre centre nerveux.

Centre nerveux, pensa Myron. Il ne lui manquait plus qu'un chat sans poil dans les bras. Ce gars-là parlait comme un méchant dans un film de James Bond.

Il regarda Myron par-dessus son épaule.

— Savez-vous pourquoi je ne crains pas de vous révéler tout ceci ?

— Serait-ce mon visage qui inspire confiance ? Il m'a déjà rendu service aujourd'hui.

— Non. C'est parce que vous ne pouvez pas faire grand-chose. Vous avez remarqué notre système de surveillance. Certes, la police pourrait pénétrer ici, ou même la personne qui vous suit à la trace grâce à votre smartphone. À ce propos, j'ai envoyé un de mes hommes se promener en voiture avec votre appareil. C'est plus drôle comme ça, non ?

— Je suis mort de rire.

— Seulement voilà, Myron. Puis-je vous appeler Myron ?

— Bien sûr. Et moi, je vous appelle Gros ?

— Ha ha. Je vous aime bien, Myron Bolitar.

— J'en suis ravi.

— Vous avez peut-être remarqué, Myron, que nous n'avons aucun disque dur ici. Tout – l'ensemble des informations sur nos clients, nos employés, nos transactions – est stocké dans un cloud. Ainsi, si quelqu'un débarque à l'improviste, on appuie sur un bouton et hop…

Gros Gandhi fit claquer ses doigts.

— … tout disparaît.

— Malin.

— Si je vous dis ça, ce n'est pas pour me vanter.

— Ah bon ?

— Je veux que vous sachiez à qui vous avez affaire avant de négocier. Tout comme je me dois de savoir qui j'ai en face de moi.

À nouveau, il fit claquer ses doigts.

L'écran se ralluma, et Myron ravala un gémissement.

— Une fois que nous avons su votre nom, il ne nous a pas fallu longtemps pour en apprendre davantage.

Gros Gandhi pointa le doigt sur l'écran. Quelqu'un avait mis la vidéo en pause sur le titre :

La Collision. L'histoire de Myron Bolitar.

— On a visionné le documentaire qui vous a été consacré. C'est très émouvant.

Tous les amateurs de sport de sa génération connaissaient la « légende » de Myron Bolitar, recruté dès l'université par les Boston Celtics. Sinon, pour les plus jeunes ou des étrangers comme ces gars-là, ESPN avait tourné un documentaire intitulé *La Collision*, gros succès d'audience dévoilant au public tout ce qu'il n'avait pas besoin de savoir.

Sur un signe de Gros Gandhi, la vidéo se mit en route.

— Ouais, fit Myron. Je l'ai déjà vue.

— Allons, allons. Ne soyez pas aussi modeste.

Le film commençait sur une note optimiste : musique cristalline, grand soleil, foule en liesse. On ne sait comment, ils s'étaient procuré des clichés de Myron jouant au sein de l'Amateur Athletic Union en classe de sixième. Plus tard, au lycée, il avait gagné ses galons de star à Livingston, New Jersey. Durant ses années à l'université de Duke, sa légende n'avait fait que croître. Il avait été double champion de la NCAA et même meilleur joueur universitaire de l'année.

La musique cristalline enfla.

Lorsque les Boston Celtics le choisirent dès le premier tour de la draft, le rêve de Myron semblait être devenu réalité.

Quand soudain, annonça le commentateur d'une voix d'outre-tombe : « Ce fut le drame… »

La musique cristalline s'arrêta net, cédant la place à quelque chose de plus lugubre.

Le « drame » se produisit au troisième quart-temps de son tout premier match d'avant-saison, la première – et la dernière – fois où Myron avait endossé le maillot vert des Celtics avec le numéro 34. Ils jouaient contre les Washington Bullets. Jusque-là, tout avait marché comme sur des roulettes. Avec ses dix-huit points, Myron était comme un poisson dans l'eau, nageant dans une douce et transpirante béatitude que seul un terrain de basket pouvait lui apporter, quand…

Les auteurs de *La Collision* montraient la séquence fatidique une bonne vingtaine de fois, filmée sous toutes les coutures. À la vitesse normale. Puis au ralenti. Avec un gros plan sur Myron. Vue d'en haut. Ou depuis les tribunes. Peu importait. Le résultat était le même.

Le rookie Myron Bolitar n'avait pas vu Big Burt Wesson, l'ailier fort, débouler à toute vitesse vers lui. Le genou de Myron se tordit d'une façon que ni Dieu ni l'anatomie n'avaient prévue. La bande-son avait capté un bruit répugnant semblable à un claquement mouillé.

Bye-bye, la carrière.

— On a trouvé ça triste, fit Gros Gandhi avec une moue théâtrale.

Il jeta un œil autour de lui.

— Pas vrai, les gars ?

Tout le monde, y compris Collier de Chien, s'empressa d'imiter sa moue. Puis ils regardèrent Myron.

— Oh, je m'en suis remis, dit-il.

— Vraiment ?

— L'homme prévoit et Dieu rit.

Gros Gandhi sourit.

— Elle est bonne, celle-là. C'est un dicton américain ?

— Yiddish.

— Ah… En hindi, nous disons que le savoir vaut tous les débats. Vous comprenez ? Pour commencer, on a appris votre nom. Ensuite, on a regardé le documentaire, on a piraté votre boîte mail…

— Vous quoi ?

— Il n'y avait rien d'intéressant, mais nous n'avons pas fini. Nous avons également épluché vos factures de téléphone. Vous avez reçu un appel sur votre portable provenant d'un numéro masqué il y a moins de vingt-quatre heures. Vous étiez encore à New York. L'appel venait de Londres.

Il tendit les mains, paumes vers le haut.

— Et vous voilà ici. Chez nous.

— Beau travail, dit Myron.

— On fait de notre mieux.

— Vous savez donc pourquoi je suis là.

— En effet.

— Et ?

— Vous travaillez pour la famille de ce garçon, je présume ?

— Ça change quelque chose ?

— Pas vraiment. Il nous arrive d'effectuer des sauvetages. Pour ne rien vous cacher, c'est une question de profit. Je l'ai appris du grand Eshan qui dirigeait un culte du côté de Varanasi en Inde. Un homme remarquable. Il enseignait la paix, l'harmonie, la compassion. Il était très charismatique. Les jeunes affluaient de partout pour faire don à son temple de tout ce qu'ils possédaient. Ils vivaient sous des tentes dans une friche bien gardée. Certains parents souhaitaient récupérer leurs enfants. Le grand Eshan n'avait rien contre. Il ne demandait pas beaucoup – « Ne soyez pas trop cupides », disait-il –, mais s'il pouvait obtenir des parents plus que leurs enfants ne lui rapportaient en travaillant ou en faisant la manche, il acceptait leur argent. Je ne fonctionne pas autrement. Si un de mes garçons est doué pour les choses du sexe, alors il devient un travailleur sexuel. S'il est un meilleur voleur, comme notre ami Garth qui a voulu tenter sa chance avec vous…

Dieu que ce type était bavard.

— Combien ?

— Cent mille livres cash pour chacun des garçons.

Myron ne broncha pas.

— Ce montant n'est pas négociable.

— Je ne cherche pas à négocier.

— Parfait. Combien de temps vous faut-il pour réunir cette somme ?

— Vous pouvez l'avoir tout de suite, dit Myron. Où sont les garçons ?

— Allons, allons. Vous n'avez pas autant de liquide sur vous.

— Je peux l'avoir en moins d'une heure.

Gros Gandhi sourit.

— J'aurais dû demander plus.

— Ne soyez pas trop cupide, comme disait le grand Eshan.

— Vous connaissez Bitcoin ?

— Pas trop.

— Aucune importance. La transaction se fera en cybermonnaie.

— Ça non plus, je ne sais pas ce que c'est.

— Rassemblez l'argent. On vous donnera des instructions sur la marche à suivre.

— Quand ?

— Demain, répondit Gros Gandhi. Je vous appellerai pour vous dire comment nous procéderons.

— Le plus tôt sera le mieux.

— J'entends bien. Mais il faut que vous compreniez aussi, Myron, que si vous essayez de me doubler d'une manière ou d'une autre, je tuerai les garçons, et on ne les retrouvera jamais. Je leur infligerai une mort lente et douloureuse, et il n'en restera pas une cendre. Suis-je clair ?

Une cendre ?

— Très clair, acquiesça Myron.

— Dans ce cas, vous pouvez partir.

— Une petite chose encore.

Gros Gandhi attendit.

— Comment puis-je savoir que ce n'est pas une arnaque ?

— Vous doutez de ma parole ?

Myron haussa les épaules.

— Simple question.

— C'est peut-être bien une arnaque, dit Gros Gandhi. Vous ne devriez peut-être pas prendre la peine de revenir demain.

— Je ne cherche pas à jouer au plus malin. Vous...

Myron le désigna du doigt.

— ... êtes suffisamment intelligent pour comprendre ça.

Gros Gandhi caressa son menton et hocha la tête.

Les psychopathes, Myron le savait, ne restent jamais insensibles à la flatterie.

— Puisqu'une telle somme est en jeu, il me paraît légitime de vous demander de m'apporter la preuve que vous détenez bien les garçons.

Gros Gandhi leva la main et, une fois encore, fit claquer ses doigts.

Le documentaire disparut de l'écran.

Celui-ci redevint noir, et Myron crut qu'ils avaient éteint le téléviseur. Mais non, Gros Gandhi s'approcha d'un clavier et tapota doucement sur la touche de luminosité. L'écran se ralluma. Myron vit une pièce avec des murs en béton.

Au centre de la pièce se tenait Patrick. Les yeux au beurre noir, la lèvre enflée et sanguinolente.

— Il est détenu hors site, fit Gros Gandhi.

Myron s'efforça de maîtriser sa voix.

— Que lui avez-vous fait ?

Un claquement de doigts, et l'écran s'éteignit.

Myron fixa le rectangle noir.

— Et l'autre garçon ?

— Je pense que ça suffit. Partez maintenant.

Myron soutint son regard.

— Nous avons conclu un marché.

— Exact.

— Je ne veux pas qu'on les maltraite. Et j'ai besoin de votre parole.

— Vous ne l'aurez pas, rétorqua Gros Gandhi. Je vous contacterai demain. En attendant, je vous prie de sortir de mon bureau.

7

La dernière fois qu'ils s'étaient retrouvés à Londres, Win avait loué sa suite préférée, la Davies, à l'hôtel Claridge dans Brook Street. Le voyage s'était mal terminé pour tout le monde. Cette fois, histoire de changer un peu, Win avait choisi le Covent Garden, un établissement plus cosy dans Monmouth Street près de Seven Dials. Arrivé dans sa chambre, Myron utilisa le téléphone jetable que Win lui avait donné pour appeler Terese.

— Tu vas bien ? demanda-t-elle.

— Ça va.

— Je n'aime pas ça.

— Je sais.

— On a déjà trop donné dans le passé.

— Je suis d'accord.

— On voulait tourner la page.

— C'est vrai. Et on veut toujours.

— Je n'ai pas envie de jouer les femmes de marin.

— Jolie métaphore.

— Ce n'est pas pour rien que j'ai été présentatrice à la télé, répondit Terese. Mais ne crois pas que je me vante.

— Tu es une femme aux talents multiples.

— Tu ne peux pas t'en empêcher, hein ?

— On m'aime aussi pour mes défauts.

— Pourquoi, il y a autre chose ? OK, d'accord, vide ton sac. Et évite s'il te plaît les blagues foireuses sous prétexte que je t'aurais tendu la perche.

— La perche ?

— Je t'aime, tu sais.

— Moi aussi, je t'aime.

Sur ce, il lui raconta sa journée.

— Il aime bien qu'on l'appelle Gros Gandhi ? s'enquit Terese lorsqu'il eut terminé.

— Il adore ça.

— C'est comme si toi et Win aviez été parachutés dans un vieux film de Humphrey Bogart.

— Je suis trop jeune pour ce genre de référence.

— Si seulement… Alors c'est toi qui vas leur apporter la rançon ?

— Oui.

Il y eut un silence.

— J'étais en train de penser, dit Myron.

— Mmm.

— Aux familles. Aux parents surtout.

— De Patrick et Rhys ?

— Oui.

Nouveau silence.

— Et, reprit-elle, tu as besoin d'un avis d'expert sur la question.

Il y a très longtemps, Terese avait perdu un enfant, une tragédie qui avait failli la briser.

— Je n'aurais pas dû en parler.

— Erreur, répliqua-t-elle. C'est pire quand on tourne autour du pot.

— Je veux fonder une famille avec toi.

— Moi aussi.

— Comment on fait ? demanda Myron. Quand on aime quelqu'un à ce point-là. Comment vit-on avec la crainte qu'il pourrait être blessé ou tué à tout moment ?

— Je pourrais te répondre que c'est la vie, fit Terese.

— C'est vrai.

— Ou je pourrais te faire remarquer que tu n'as pas le choix.

— Je crois entendre un « mais ».

— Et tu ne te trompes pas. Je pense qu'il y a une autre réponse, une réponse que j'ai mis du temps à comprendre.

— Laquelle ?

— On bloque.

Myron attendit, mais rien ne vint.

— C'est tout ?

— Tu voulais quelque chose de plus profond ?

— Peut-être.

— On bloque, répéta-t-elle, sans quoi on serait incapables de sortir du lit.

— Je t'aime, répéta-t-il.

— Moi aussi, je t'aime. Du coup, si je te perds, je souffrirai comme une damnée. Tu en es conscient ?

— Oui.

— Si tu veux connaître l'amour, prépare-toi à souffrir. L'un ne va pas sans l'autre. Si je ne t'aimais pas, je n'aurais pas peur de te perdre. Si tu veux rire, attends-toi à pleurer.

— Ça tombe sous le sens, fit Myron.

Puis :

— Tu sais quoi ?

— Dis-moi.

— Tu le vaux bien.

— C'est ça, le problème.

Myron entendit une clé dans la serrure. Win entra dans la chambre. Myron dit au revoir à Terese et raccrocha.

— Comment va-t-elle ? demanda Win.

— Elle est inquiète.

— On se fait un pub ? Je meurs de faim.

Ils descendirent et prirent la direction de Seven Dials. À l'affiche du théâtre Cambridge il y avait la comédie musicale *Matilda*.

— J'ai toujours voulu voir ça, dit Myron.

— Pardon ?

— *Matilda.*

— Le moment me paraît mal choisi.

— Je plaisante.

— Oui, je sais. L'humour est un mécanisme de défense. Et une facette de la personnalité très attachante.

Win entreprit de traverser la rue.

— Quant au spectacle, il est plutôt moyen.

— Attends, tu l'as vu ?

Win poursuivit son chemin.

— Tu as vu une comédie musicale sans moi ?

— Ça y est, on est arrivés.

— Tu détestes les comédies musicales. J'ai dû te traîner tout le long du chemin pour te forcer à voir *Rent*.

Win ne répondit pas. Seven Dials, comme son nom l'indiquait, était une place circulaire vers laquelle convergeaient sept rues. Une colonne avec six cadrans solaires, haute comme un immeuble de trois étages, se dressait au milieu. Le théâtre Cambridge se trouvait à un coin de rue ; un petit pub, *The Crown*, à un autre. Win en poussa la porte.

C'était un pub à l'ancienne, avec un comptoir poli, des boiseries sombres et, malgré le peu d'espace, un mètre à tout casser, un jeu de fléchettes. L'endroit était accueillant et bondé. La plupart des clients étaient debout. Win échangea un regard avec le barman qui hocha la tête. La foule s'écarta, et deux tabourets libres apparurent dans leur ligne de mire. Deux chopes de Fuller's London Pride les attendaient déjà sur des sous-bocks.

Win prit l'un des tabourets, Myron l'autre. Win leva sa chope.

— À la tienne, camarade.

Ils trinquèrent. Deux minutes plus tard, le barman posa sur le comptoir deux plats de fish and chips. L'estomac de Myron gargouilla de plaisir.

— Je croyais qu'ils ne servaient pas à manger, dit-il.

— C'est exact.

— Tu es une belle personne, Win.

— Je le reconnais.

Ils savourèrent le dîner et les boissons. Tout le reste pouvait attendre. Leurs assiettes terminées, ils commandèrent une seconde fournée. Il y avait un match de rugby à la télévision. Myron ne connaissait pas grand-chose au rugby, mais il regarda tout de même.

— Comme ça, notre ami Gros Gandhi a vu ton documentaire sur ESPN ? fit Win.

— Oui.

Myron pivota vers lui.

— Et toi, tu l'as vu ?

— Évidemment.

Question idiote.

— Mais je serais curieux, ajouta Win, de connaître ta réaction.

Myron haussa les épaules, l'œil rivé sur sa bière.

— J'ai trouvé que c'était bien résumé.

— Tu leur as donné une interview.

— Ouaip.

— C'était la première fois. Que tu parlais de ta blessure.

— Ouaip.

— Tu n'avais même pas visionné le passage de l'accident.

— Exact.

Revoir cette scène avait été au-dessus de ses forces. Pas étonnant. Le rêve de toute une vie est là, à portée de main, à l'âge de vingt-deux ans quand soudain... paf, extinction des feux, bye-bye, *game over*.

— Je n'en voyais pas l'intérêt, répondit Myron.

— Et maintenant ?

Il prit une grande gorgée de bière.

— Ils n'ont pas arrêté de répéter que cette blessure me « définissait ».

— Ç'a été vrai pendant un moment.

— Justement. Pendant un moment. Mais plus maintenant. Aujourd'hui, je suis capable de regarder Burt Wesson me décalquer avec à peine un pincement au

81

cœur. Cet abruti de narrateur n'arrêtait pas de dire que la blessure…

Myron esquissa des guillemets avec ses doigts.

— … « a brisé ma vie ». Mais je sais désormais que c'était juste une croisée de chemins. Tous ces gars qui ont débuté en même temps que moi, ces brillants joueurs qui ont réussi et fait carrière en NBA, ils sont tous à la retraite maintenant. Pour eux aussi, le rideau est tombé.

— Mais entre-temps, observa Win, ils se sont tapé des filles par dizaines.

— Oui, bon, c'est une façon de voir les choses.

— Et la lumière des projecteurs ne s'est pas éteinte d'un seul coup. Elle a baissé progressivement.

— Très progressivement, dit Myron. C'est peut-être encore plus dur.

— Comment ça ?

— On retire le sparadrap d'un coup plutôt que de le décoller millimètre par millimètre.

Win but une gorgée de bière.

— Pas faux.

— Tant qu'à enfiler les clichés, je pourrais aussi ajouter celui de la douche froide. Ce qui m'est arrivé a été brutal et soudain. Ça m'a forcé à agir. À m'inscrire à la fac de droit. C'est grâce à ça que je suis devenu agent sportif.

— Tu as toujours eu l'esprit de compétition… je dirais même une ambition démesurée, mon salaud.

Myron sourit, souleva sa chope de bière.

— À la tienne, camarade.

Ils trinquèrent à nouveau. Puis Win s'éclaircit la voix et dit :

— *Mensch tracht und Gott lacht.*

— Whaou, fit Myron.

— J'ai appris le yiddish, déclara le blond Anglo-Saxon aux yeux bleus. Ça a un effet bœuf sur les filles de confession juive.

Mensch tracht und Gott lacht. Traduction : l'homme prévoit et Dieu rit.

Bon sang, ce qu'il était heureux d'avoir retrouvé Win !

Ils se turent pendant quelques secondes. Tous deux étaient en train de penser à la même chose.

— Peut-être que je n'en fais plus tout un plat parce que je sais qu'il y a des choses bien plus graves dans la vie, dit Myron.

Win hocha la tête.

— Patrick et Rhys.

— Tu connais ça, la cybermonnaie ?

— On peut s'en servir pour payer une rançon, mais avec toutes ces lois anti-blanchiment, c'est devenu extrêmement compliqué. D'après mon expert, il faut acheter la monnaie, la placer dans une sorte de porte-feuille virtuel, puis la transférer sur leur compte. Ça fait partie du Darknet, l'Internet noir.

— Tu comprends ce que ça signifie, toi ?

— Je te l'ai dit, mes connaissances englobent pratiquement tous les domaines.

Myron attendit.

— Mais ça, je n'ai pas la moindre idée de ce que c'est.

— Il faut croire qu'on vieillit.

Le portable de Win se mit à bourdonner. Il jeta un œil sur l'écran.

— Des infos sur notre ami Gros Gandhi fournies par un ami policier.

— Et ?

— Son vrai nom est Chris Alan Weeks.

— Sans rire ?

— Vingt-neuf ans. Il est connu des services de police, mais il opère surtout sur le Darknet.

— Encore ce terme.

— Il trempouille dans la prostitution, l'esclavage sexuel, le vol, le chantage…

— Trempouille ?

— L'expression est de moi. Ah, tiens… ça ne m'étonne pas. Il fait aussi dans le piratage informatique. Son gang gère plusieurs arnaques financières sur Internet.

— Genre prince nigérian qui veut te léguer sa fortune ?

— Un peu plus sophistiqué, je le crains. Gros Gandhi… je préfère son nom de plume, si tu n'y vois pas d'inconvénient.

— Aucun.

— Donc Gros Gandhi est doué en informatique. Il est diplômé d'Oxford. Comme nous le savons tous les deux, les autorités évitent de se référer aux criminels comme à des « génies » ou des « cerveaux »… mais notre délicieux ami n'est pas loin de mériter les deux épithètes. Hmm.

— Quoi ?

— Gros Gandhi est aussi réputé pour « sa créativité en matière de violence ».

Win s'arrêta, sourit.

— On dirait toi, fit Myron.

— D'où mon sourire.

— Et les kidnappings ?

— Le trafic d'êtres humains à des fins d'exploitation sexuelle. Par définition, c'est du kidnapping.

Win leva la main avant que Myron ne puisse l'interrompre.

— Mais si tu penses aux enlèvements de gosses de riches pour en faire des esclaves sexuels, rien ne laisse entendre qu'il se livre à ce genre de commerce. Qui plus est, Gros Gandhi devait avoir dix-neuf ans quand les deux garçons ont été enlevés. Selon toute vraisemblance, il faisait ses études à Oxford à cette époque-là.

— Alors comment expliques-tu que Patrick et Rhys aient atterri chez lui ?

Win haussa les épaules.

— Il y a plusieurs explications. Les ravisseurs les ont vendus. Les garçons ont pu changer de main plusieurs fois durant ces dix dernières années. Ce n'est peut-être pas leur premier prédateur.

— Beuh.

— Oui, beuh. Patrick et Rhys auraient pu fuguer et vivre dans la rue. Un parasite tel que Gros Gandhi recrute de cette manière-là aussi. Il leur offre un boulot. Leur fournit de la drogue pour les rendre accros et les obliger à gagner de l'argent. Il existe mille façons d'en arriver là.

— Mais aucune n'est bonne, dit Myron.

— À ma connaissance, non. Cependant, comme nous l'avons appris, les gens – surtout les jeunes – sont résilients. Pour l'instant, notre priorité est de les secourir.

Myron contempla fixement sa bière.

— Tu as vu Patrick dans la rue. S'il était libre de ses mouvements…

— Pourquoi n'a-t-il pas appelé chez lui ? acheva Win. Tu connais la réponse. Le syndrome de Stockholm, la peur, il était peut-être surveillé ou alors il ne se souvient pas de son ancienne vie. Il n'avait que six ans quand il a été enlevé.

Myron hocha la tête.

— Quoi d'autre ?

— Mes hommes sont en train de quadriller l'arcade.

— Pour ?

Win éluda la question.

— L'un d'eux suivra Gros Gandhi quand il sortira. L'argent va arriver dans une dizaine de minutes. Nos chambres sont mitoyennes. Dès qu'il t'appelle, on bouge. Et d'ici là…

— On attend.

Le téléphone sonna à quatre heures du matin.

Émergeant de son sommeil, Myron le chercha à tâtons. Win surgit dans l'encadrement de la porte, encore habillé. Il fit signe à Myron de répondre et colla le double de son portable à son oreille.

— Bonjour, monsieur Bolitar.

C'était Gros Gandhi. Il appelait délibérément à cette heure-ci pour surprendre Myron en plein cycle de sommeil et donc avoir affaire à quelqu'un de légèrement déphasé. Le coup classique, quoi.

— Salut, dit Myron.

— Vous avez l'argent ?

— Oui.

— Magnifique. Veuillez vous rendre à la banque NatWest dans Fulham Palace Road.

— Maintenant ?

— Dès que possible, oui.

— Il est quatre heures du matin.

— J'en suis conscient. Une employée du nom de Denise Nussbaum vous attendra à l'entrée. Elle vous aidera à ouvrir un compte et à effectuer un dépôt dans les règles.

— J'ai du mal à suivre.

— Vous y arriverez si vous m'écoutez. Allez là-bas. Denise Nussbaum vous donnera les instructions pour le virement.

— Vous voulez que je vous vire l'argent avant d'avoir récupéré les garçons ?

— Non, je veux que vous fassiez ce que je vous dis. On vous amènera les garçons une fois que le compte aura été ouvert. Lorsque vous les verrez, vous finaliserez le virement sur notre compte en cybermonnaie. Et après, ils seront à vous.

Myron regarda Win. Qui hocha la tête.

— OK.

— Allons, monsieur Bolitar, vous auriez préféré l'ancienne méthode ? Vous avez cru que je vous aurais fait utiliser plusieurs cabines téléphoniques rouges, sauter dans le métro et déposer l'argent dans un arbre creux ?

Gros Gandhi s'esclaffa.

— Vous regardez trop la télé, mon ami.

Oh, Seigneur.

— C'est bon, on a fini ?

— Pas si vite, monsieur Bolitar. J'ai quelques autres… disons… requêtes à vous soumettre.

Myron attendit.

— Venez sans aucune arme sur vous.

— OK.

— Et venez seul. Vous serez suivi et surveillé. Nous savons que vous bénéficiez de soutiens dans ce pays. Des gens qui travaillent avec vous. Si on en repère un ne serait-ce qu'à l'odeur, il y aura des conséquences.

— Qui est-ce qui regarde trop la télé, hein ?

Sa réponse plut à Gros Gandhi.

— Vous n'avez pas intérêt à me doubler, mon pote.

— Je n'en ai pas l'intention.

— Parfait.

— Une dernière chose.

— Oui ?

— Je sais que vous avez les chocottes, dit Myron. Mais vous n'êtes pas les seuls.

Il attendit la réaction de Gros Gandhi, mais ce dernier coupa la communication. Myron et Win échangèrent un coup d'œil.

— Il a raccroché ? fit Win.

— Oui.

— C'est très malpoli de sa part.

8

Ils prirent place à l'arrière de la Bentley. Win avait rangé l'argent dans une élégante valise en cuir.

Myron lut l'étiquette.

— Un bagage Swaine Adeney Brigg pour payer une rançon ?

— Je n'avais rien de moins cher sous la main.

— Tu connais Fulham Palace Road ? s'enquit Myron.

— Pas très bien.

— Alors où faut-il me déposer pour qu'on passe inaperçus ?

— Derrière le Claridge.

— C'est à côté de la banque ?

— Non. C'est à vingt ou vingt-cinq minutes de voiture.

— Je ne comprends pas.

— J'ai changé ton téléphone hier soir.

— Oui, je sais.

— Quand ton ami rondouillard de l'arcade a provisoirement confisqué ledit téléphone, il a mis une puce GPS dedans.

— Sans blague ?

— Eh oui.

— Du coup, il me suit à la trace.

— Pas toi, non. Un de mes hommes a emporté le téléphone au Claridge. Il est descendu à l'hôtel sous le nom de Myron Bolitar.

— Mon homonyme a-t-il pris la suite Davies ?

— Non.

— Mon homonyme est accoutumé au luxe.

— Tu as fini ?

— Presque. Gros Gandhi me croit donc au Claridge ?

— Oui. Tu entreras par la porte de service. Mon homme te remettra ton téléphone. Et il placera deux micros sur ta personne.

— Deux ?

— Selon l'endroit où tu iras, ils risquent de te fouiller à nouveau. Je doute qu'ils découvrent les deux.

Myron avait compris. Ainsi, Win collait toujours deux balises GPS sur une voiture : une sous le pare-chocs et donc facile à trouver, et une autre plus difficile à localiser.

— On garde le même mot de code, ajouta Win.

— « Article ».

— Content que tu t'en souviennes.

Win se tourna pour faire face à Myron.

— N'hésite pas à l'utiliser même si tu as l'impression que ça ne servira à rien.

— Hein ?

— Nous avons passé la soirée à surveiller l'arcade, dit Win. Ton copain Gros Gandhi n'est pas sorti. Et personne correspondant au signalement de Patrick ou de Rhys n'est entré.

— Conclusion ?

— Il pourrait les détenir sur place. On a perçu des signes…

Marquant une pause, Win tapota sa lèvre inférieure.

— … des signes de vie provenant du sous-sol.

— Il y aurait quelqu'un là-dedans ?

— Et ce quelqu'un ne serait pas tout seul.

— Tu t'es servi d'un scanner thermique ?

— Oui, mais les murs du sous-sol sont épais. N'empêche que…

— Quoi ?

Win coupa court à ses questions d'un geste de la main. La limousine s'arrêta.

— Mon homme est à l'intérieur tout de suite sur la gauche. Entre, récupère ton téléphone, laisse-le fixer les micros et prends un taxi pour aller à Fulham Palace Road.

Myron s'exécuta. Il repensa brièvement à son dernier séjour dans cet hôtel, à la mort, la destruction et le chaos qui s'étaient ensuivis, mais il chassa aussitôt ces pensées. Il ne reconnut pas l'homme qui l'accueillit. Ce dernier s'acquitta de sa tâche en silence. Tout d'abord, il plaça un micro sur la poitrine de Myron, sous sa chemise.

— Hou, c'est froid, dit Myron.

Pas de réaction.

L'homme cacha le second micro dans la chaussure de Myron. À l'entrée, le portier en grande tenue coiffé d'un chapeau haut de forme lui demanda :

— Puis-je vous aider, monsieur ?

Agrippant la valise avec l'argent plus fort qu'il n'aurait voulu, Myron scruta discrètement les environs.

Mais à cette heure-ci, il n'y avait personne dehors, aucun individu adossé à un mur faisant mine de lire le journal ou se baissant pour nouer son lacet.

La seule chose qui méritait peut-être son attention était une voiture grise aux vitres teintées garée un peu plus bas dans la rue.

— Un taxi, s'il vous plaît.

Le portier donna un coup de sifflet, même si un taxi londonien attendait à deux mètres de l'entrée. D'un geste théâtral, il ouvrit la portière à Myron. Ce dernier fourragea dans ses poches et, ne trouvant pas de monnaie, haussa les épaules d'un air contrit. Le portier demeura impassible. Myron s'installa à l'arrière, chercha de la place pour ses jambes et donna au chauffeur l'adresse de la banque dans Fulham Palace Road.

Trois rues plus loin, il devint clair que la voiture grise les suivait. Myron savait que la ligne était restée ouverte entre Win et lui, si bien que Win pouvait tout entendre. Mais il n'était pas utile de recourir à ce subterfuge. Pas encore. Myron colla le téléphone à son oreille.

— Tu es là ?

— Oui.

— Il y a une voiture grise qui me suit, dit Myron.

— Quelle marque ?

— Aucune idée. Tu sais bien que je ne connais pas grand-chose aux voitures.

— Décris-la-moi.

— Le logo ressemble à un lion agressif dressé sur ses pattes arrière.

— C'est une Peugeot. Une voiture française. Toi qui adores les Français.

— C'est vrai.

Malgré l'heure matinale, il y avait déjà beaucoup de circulation dans Fulham Palace Road. Le taxi déposa Myron à l'entrée de la banque NatWest. Naturellement, elle était fermée. Myron régla la course et descendit. Le taxi repartit. Myron se tint devant la banque, la valise de cash à la main. Les billets étaient « marqués » – autrement dit, Win connaissait leurs numéros de série –, mais Gros Gandhi n'avait rien dit à ce sujet. Ou était-ce encore une idée reçue ? Qui vérifiait les numéros de série quand on lui achetait quelque chose ?

Pendant qu'il faisait le pied de grue devant la banque, le téléphone de Myron sonna. Le numéro était masqué, mais ce ne pouvait être que Gros Gandhi. Myron répondit avec un accent british bidon, imitant de son mieux Alfred le majordome :

— Manoir Wayne, ne quittez pas, monsieur.

— Une référence à Batman, gloussa Gros Gandhi. Qui était votre préféré ? Christian Bale, hein ?

— Il n'y a qu'un seul Batman, et son nom est Adam West.

— Qui ça ?

Ah, les jeunes d'aujourd'hui.

— Vous voyez la voiture grise aux vitres teintées ? demanda Gros Gandhi.

— La Peugeot, dit Myron, faisant étalage de ses connaissances nouvellement acquises.

— C'est ça. Montez dedans.

— Et mon rendez-vous avec Denise Nussbaum à la banque ?

Gros Gandhi raccrocha.

La voiture s'arrêta devant lui. Le Noir fluet de l'arrière-boutique ouvrit la portière.

— On y va, mec.

Myron jeta un œil à l'intérieur. Un conducteur. Et un gringalet.

— Où sont les deux garçons ?

— Ils nous attendent sur place.

Le gringalet se décala pour faire de la place à Myron. Ce dernier hésita, mais finit par monter. Le Noir avait un ordinateur portable sur les genoux.

— Donnez-moi votre téléphone.

— Non.

— Ça ne change rien, de toute façon.

Il eut un grand sourire.

— J'ai bloqué votre portable.

— Pardon ?

— Vous voyez cet ordinateur ? Je m'en sers pour brouiller votre signal. Comme hier, quoi, pendant tout cet échange de données entre vous et l'autre, celui qui écoutait. Eh bien, il ne peut plus vous entendre. Pareil si vous avez un micro sur vous. Même topo.

— Voyons si j'ai bien compris, dit Myron. Votre ordinateur désactive tous les signaux ?

Le sourire s'élargit.

— C'est ça.

Myron hocha la tête. Puis il baissa la vitre de la voiture, arracha l'ordinateur des mains du gringalet et le lança sur le pavé.

— Eh ! Qu'est-ce qui… ?

Il regarda par la lunette arrière l'ordinateur qui gisait sur la chaussée, les tripes à l'air.

— Vous êtes malade ou quoi ? Vous savez combien ça coûte ?

— Un milliard de livres ?

— Ce n'est pas drôle, mec.

— Entièrement d'accord. Bon, assez rigolé. Appelez Gros Gandhi.

L'autre semblait au bord des larmes.

— Vous n'étiez pas obligé de faire ça, geignit-il. J'ai juste obéi aux ordres.

— Eh bien, continuez. Appelez Gros Gandhi. Dites-lui que j'ai l'argent. Je veux les garçons.

Les épaules du gringalet s'affaissèrent.

— Vous savez combien il m'a coûté, cet ordi ?

— Non, et ça ne m'intéresse pas. Si vous continuez à me chauffer, c'est vous que je vais balancer par la fenêtre. Allez, appelez-le.

— Pas la peine.

Il pointa le doigt vers le pare-brise.

— On est arrivés. Vous n'auriez pas pu attendre un peu, non ?

Myron regarda par la vitre et reconnut l'enseigne de la salle de jeux d'arcade.

La Peugeot s'arrêta. Myron descendit sans autre forme de cérémonie. Deux gars en pantalon de treillis ouvrirent la porte. Le gringalet lui emboîta le pas en maugréant :

— L'enfoiré, il a jeté mon putain d'ordi par la fenêtre !

On aurait dit que le local tout entier avait été débranché, ce qui était probablement le cas. Aucun bruit, aucun éclairage, aucun mouvement. L'explosion de couleurs et de lumières avait cédé la place à un univers d'ombres. Les contours fantomatiques des machines éteintes paraissaient étranges, menaçants, grotesques. L'ensemble dégageait une impression quasi post-apocalyptique.

— Allons-y, dit Premier Treillis à Myron.

— Où ça ?

— Dans le bureau du fond.

Myron n'aimait pas ça.

— La salle est déserte. On pourrait faire l'échange ici.

— Ce n'est pas comme ça que ça marche, déclara Second Treillis.

— Dans ce cas, je m'en vais.

— Dans ce cas...

Croisant les bras, Premier Treillis essaya de faire jouer ses biceps.

— ... on te casse en deux et on prend l'argent.

Myron resserra les doigts sur la poignée de la valise. Il pouvait facilement les neutraliser tous les deux – déjà, il se préparait mentalement à frapper –, mais à quoi bon ? Pour le meilleur ou pour le pire, il devait aller jusqu'au bout. Il suivit le même chemin que la première fois et s'arrêta devant la sortie de secours.

Il sourit avec entrain à la caméra et leva les pouces. Règle numéro 14 d'une remise de rançon : ne jamais montrer aux méchants qu'on a peur. La porte s'ouvrit. Les types en pantalon de treillis vidèrent les poches de Myron. Le détecteur de métaux trouva le micro sur sa poitrine.

Ils allaient le lui retirer quand Gros Gandhi passa la tête par la porte du bureau.

— Pas d'armes ?

— Rien.

— OK, ça ira. Il peut garder le reste.

Myron ignorait si c'était un bon ou un mauvais présage.

Il pénétra dans la pièce aux ordinateurs. Le gringalet avait déjà repris sa place devant l'un des écrans.

— Il a bousillé mon putain d'ordi ! s'écria-t-il en pointant le doigt sur Myron.

Gros Gandhi était resplendissant dans ce qui ressemblait à un costume zazou jaune.

— L'argent est dans ce sac ?

— En tout cas, il n'est pas dans mon slip, répondit Myron.

Gros Gandhi fronça les sourcils, ce qui était compréhensible.

— Il y a quelqu'un qui nous écoute sur votre téléphone, dit-il.

Myron ne prit pas la peine de démentir.

— Il n'y a qu'une entrée dans cette tanière, fit Gros Gandhi. Comprenez-vous ?

— Vous avez bien dit « tanière » ?

— On a des caméras partout. Derek et Jimmy, levez la main.

Deux gars scotchés à leurs écrans d'ordinateur levèrent la main.

— Derek et Jimmy surveillent les caméras. Si quelqu'un tente de pénétrer ici, nous le verrons. Les deux portes que vous venez de franchir sont blindées, mais vous avez dû vous en apercevoir. Bref, même quelqu'un de rapide et de surarmé ne pourra accéder à cette pièce à temps pour vous secourir.

Ne surtout pas montrer qu'on a peur.

— Ouais, OK, cool. Bon, si on passait aux choses sérieuses ? Vous avez parlé de cybermonnaie.

— Non.

— Non, vous n'avez pas dit...

— Ça n'a aucun sens, monsieur Bolitar. Déjà, pour commencer, il faudrait que vous possédiez un porte-feuille Bitcoin ou un équivalent en cybermonnaie. Ensuite, je devrais vous donner une clé publique qui correspond grosso modo à un compte bancaire person-nalisé. Vous transféreriez l'argent via un réseau, et le tour serait joué. Ni vu ni connu. C'est ainsi que j'avais prévu l'échange initialement.

— Mais plus maintenant ?

— Plus maintenant, non. Voyez-vous, ça marche pour les petites sommes, mais un montant de cet ordre, eh bien, ça risque d'attirer l'attention. La cybermonnaie est trop connue du grand public. Vous voulez mon avis ?

Il se pencha comme s'il allait révéler un secret.

— À mon avis, la cybermonnaie s'est transformée en une gigantesque opération d'infiltration pour per-mettre aux autorités de recueillir des renseignements sur le marché noir. Du coup, j'ai réfléchi. Pourquoi les pirates somaliens exigent-ils toujours du cash ?

Il regarda Myron comme dans l'attente d'une réponse. Myron se dit que, s'il se taisait, l'autre fini-rait par la boucler aussi.

— Parce que c'est la plus simple et la meilleure des solutions.

Gros Gandhi tendit la main vers la valise.

— Minute, fit Myron. Nous avions conclu un marché.

— Vous doutez de ma parole ?

— Voici comment on va procéder, dit Myron, s'efforçant de reprendre un semblant de contrôle. Les deux garçons sortent d'ici. Dans la rue. Et une fois qu'ils seront dehors, je vous remettrai l'argent.

— Où ça, dehors ?

— Vous m'avez dit vous-même que quelqu'un nous écoutait.

— Continuez.

— Il sait où je suis. Il arrivera en voiture. Les garçons monteront dedans, je vous donne l'argent et je pars à mon tour.

— Tss tss. Ça ne marchera pas.

— Pourquoi ?

— Parce que je vous ai menti.

Myron ne dit rien.

— Votre ami n'est pas en train de nous écouter. Tous les appareils, y compris nos propres portables, sont actuellement bloqués. Cette pièce a été conçue de la sorte. Pour plus de sécurité. Notre wi-fi est protégé par un mot de passe. Que vous n'avez pas, hélas. Alors, quels que soient les gadgets cachés dans les replis de votre anatomie, ils ne vous seront d'aucune utilité.

Les doigts qui pianotaient sur les claviers ralentirent légèrement.

— Pas grave, répliqua Myron.

— Redites-moi ça ?

— J'ai fracassé l'ordinateur portable de votre ami.

— Il m'a coûté les yeux de la tête ! Et cet enfoiré…

— Du calme, Lester.

Gros Gandhi se retourna vers Myron.

— Et donc ?

— Donc mon téléphone n'était pas bloqué quand je suis arrivé. Mes hommes savent que je suis ici. Ils attendent dehors. Vous faites sortir les garçons, et ils les récupèrent. Facile, non ?

Myron les gratifia de son sourire trente-trois *bis*, option « Soyons amis ».

Gros Gandhi tendit la main.

— La valise, s'il vous plaît.

— Les garçons, d'abord.

Gros Gandhi agita sa main grassouillette, le poignet enserré dans un bracelet, et le grand écran mural s'alluma.

— Ça vous va ?

C'était la même cellule. Les deux garçons étaient assis par terre, jambes repliées, le front sur les genoux.

— Où sont-ils ?

Le sourire de Gros Gandhi lui fit l'effet d'une dizaine de serpents ondulant dans son dos.

— Je vais vous montrer. Attendez ici, je vous prie.

Il composa un code sur le boîtier de la porte, après s'être tourné de façon que Myron ne puisse pas le voir. Tandis qu'il sortait, deux autres types en pantalon de treillis entrèrent dans la pièce.

Tiens donc.

Le silence se fit dans le bureau. Tout le monde cessa de taper sur les claviers. Myron s'efforça de décrypter leurs expressions.

Ça ne sentait pas bon.

Deux minutes plus tard, il entendit la voix de Gros Gandhi :

— Monsieur Bolitar ?

Il était sur le grand écran à présent.

Dans la cellule avec les deux garçons.

Win avait vu juste. Ils étaient détenus ici même, dans ce bâtiment.

— Faites-les sortir, dit Myron.

Gros Gandhi sourit à la caméra.

— Derek ?

— Je suis là, répondit l'un de ses acolytes.

— Quelque chose sur les caméras de surveillance ?

— Rien du tout.

Gros Gandhi agita le doigt.

— Aucune cavalerie galopant à votre rescousse, monsieur Bolitar.

Hmm hmm.

— Pour quoi faire ?

— Vous avez tué trois de mes hommes.

La température dans la pièce changea, et pas dans le bon sens. Tout le monde se mit à bouger lentement.

— Je n'ai rien à voir là-dedans.

— Allons, monsieur Bolitar. Ne vous abaissez pas à mentir.

Premier Treillis sortit un gros couteau. Second Treillis fit de même.

— Comprenez-vous mon dilemme, monsieur Bolitar ? Si vous et vos partenaires vous étiez approchés de moi avec respect, c'était une chose...

Un troisième type se leva de son ordinateur. Lui aussi était armé d'un couteau.

Myron réfléchissait fébrilement. Chope le couteau du premier treillis, puis saute sur le gars à ta droite...

— Vous auriez dû nous contacter. Comme ça se fait entre hommes d'affaires. Vous auriez demandé

101

un échange équitable. Un arrangement. On aurait pu travailler ensemble…

« Non, ça ne marchera pas. Ils sont trop loin l'un de l'autre. Et la porte est verrouillée… »

— Au lieu de quoi, monsieur Bolitar, vous avez massacré trois de mes hommes.

Derek sortit un couteau. Jimmy aussi.

Pour finir, le gringalet exhiba une machette.

Six gars, tous armés, dans un espace réduit.

— Comment puis-je vous laisser partir après ça ? De quoi aurais-je l'air ? Comment mes hommes pourraient-ils encore me faire confiance ?

« Ou alors me jeter au sol, lancer la jambe en arrière… non, ça n'ira pas. Il me faut la machette d'abord. Mais c'est lui qui est le plus loin de moi. Ils sont trop nombreux, et la pièce trop petite. »

— Je serais bien resté pour assister au dénouement, mais avec ce costume ? Il est tout neuf et je le trouve plutôt élégant.

Myron n'avait aucune chance. Déjà, ils commençaient à l'encercler.

— Articule ! cria-t-il.

Tout le monde s'immobilisa brièvement. Se laissant tomber à terre, Myron banda ses muscles.

L'instant d'après, le mur explosa.

Le vacarme fut assourdissant. Le mur s'écroula comme si l'Incroyable Hulk en personne venait de faire irruption dans la pièce depuis la rue. Les autres furent pris de court. Pas Myron. Il se doutait bien que Win mijotait quelque chose. Il supposait que son ami déjouerait la surveillance électronique. Ce ne fut pas le cas. Win avait dit que la veille ses hommes avaient quadrillé les lieux. Ils avaient localisé le mur extérieur. Il avait dû y installer un puissant dispositif d'écoute pour savoir à quel moment intervenir.

Avait-il utilisé la dynamite ou bien un lance-roquettes ?

Mystère.

Frapper vite et fort, tel était le credo de Win.

Les gars dans la pièce ne comprenaient rien à ce qui leur arrivait. Mais ils n'allaient pas rester bien long-temps dans l'ignorance.

Toujours à terre, Myron lança la jambe et fit tomber un de ses assaillants. C'était Second Treillis. Myron attrapa la main qui tenait le couteau. Instinctivement, l'autre s'y cramponna. Pas de problème, Myron n'avait pas eu l'intention de le désarmer. L'agrippant par le poignet, il leva sa main d'un geste brusque.

La lame, qu'il serrait toujours entre ses doigts, se planta dans la gorge de Second Treillis.

Le sang jaillit. Et la main retomba.

Myron s'empara du couteau, qui ressortit avec une sorte de smack mouillé. Autour de lui, tout n'était que chaos. La poussière lui obstruait la vue. Ça criait et toussait dans tous les coins.

Le tohu-bohu avait dû alerter le type qui montait la garde dans le couloir.

Lorsqu'il ouvrit la porte, il se prit le poing de Myron en plein nez et bascula en arrière. Myron le suivit. Il préférait ne pas avoir à tuer de nouveau, dans la mesure du possible. Il assena un autre coup de poing, et le type se ratatina contre le mur. L'empoignant par le cou, Myron plaça la pointe ensanglantée du couteau pile sous son œil.

— S'il vous plaît !

— Comment accède-t-on au sous-sol ?

— La porte de gauche. Code 8787.

Myron le cogna à l'estomac, le laissant s'affaisser sur le sol, et se précipita. Il trouva la porte, tapa le code, poussa le battant.

La première chose qui le frappa, et manqua le faire vaciller, ce fut la puanteur.

Rien de tel qu'une forte odeur pour provoquer une sensation de déjà-vu. Myron se retrouva propulsé à l'époque du basket-ball, dans les effluves du vestiaire après un match, les chariots à linge sale remplis de chaussettes, maillots et suspensoirs trempés de sueur. L'odeur était épouvantable, mais, après un match ou un entraînement, où des garçons au départ propres avaient simplement joué au basket, la magie de ce qui s'était passé sur le parquet persistait et la rendait sinon plaisante, du moins supportable.

Ce n'était pas le cas ici.

C'était une odeur fétide, une odeur de crasse et de misère.

Myron regarda en bas et n'en crut pas ses yeux.

Une vingtaine, voire une trentaine d'adolescents étaient en train de s'égailler comme des rats pris dans le faisceau d'une lampe torche.

« Qu'est-ce qui… ? »

Le sous-sol ressemblait à un camp de réfugiés insalubre. Avec des lits pliants, des couvertures, des sacs de couchage. Mais bon, ce n'était pas le plus urgent. En descendant les marches, Myron vit la cellule.

Vide.

Arrivé en bas, il tourna à droite. Les jeunes se pré-cipitaient tous vers le même endroit, comme dans un film de zombies... où ils grimpent les uns sur les autres pour se nourrir d'une proie coincée dans un cul-de-sac. Myron suivit le mouvement, jouant des coudes pour se frayer un passage. Il y avait des garçons surtout, mais aussi quelques filles. L'air perdu, le regard éteint, ils continuaient à se bousculer tout autour de lui.

— Où est Gros Gandhi ? Où sont les deux garçons qui étaient enfermés dans cette cellule ?

Personne ne répondit. Ils se poussaient dans leur hâte à parvenir jusqu'au coin. Y avait-il une porte là-bas ou bien...

Un trou ?

Les jeunes disparaissaient dans une sorte de trou dans le béton.

Myron accéléra, quitte à les rudoyer plus que néces-saire. Un des garçons se mit à hurler et tenta de lui grif-fer le visage. Myron l'envoya valdinguer. Il avançait tel un attaquant au football, l'épaule en avant, balayant tout sur son chemin, jusqu'à atteindre le trou.

Un garçon voulut se faufiler à l'intérieur.

C'était un tunnel.

Myron le ceintura par-derrière. Autour, c'était la cohue ; tout le monde cherchait à s'engouffrer dans l'ouverture. Myron tint bon. Il tira le garçon de façon à se trouver nez à nez avec lui.

— C'est par là qu'il est parti, Gros Gandhi ? Et il a emmené les deux garçons avec lui ?

— On doit tous filer, répondit le jeune en hochant la tête. Sans quoi, les flics vont nous tomber dessus.

Derrière eux, ça poussait de plus belle. Myron avait le choix. S'écarter ou bien…

Il plongea dans le trou et atterrit sur un sol froid et humide. Lorsqu'il se releva, sa tête cogna le béton. Un instant, il vit des étoiles. Le plafond du tunnel était bas. Quelqu'un de plus petit que lui aurait pu le parcourir en courant. Myron n'avait pas cette chance.

Les jeunes affluaient derrière lui.

Il faut que je bouge, se dit-il.

— Patrick ! hurla-t-il. Rhys !

Il n'entendit d'abord que le piétinement des jeunes s'enfuyant dans le tunnel obscur. Soudain, quelqu'un cria :

— Au secours !

Myron sentit son pouls s'accélérer. Le cri avait été bref, deux mots seulement, mais une chose était claire.

L'accent était américain.

Il s'efforça d'avancer plus vite. Les fuyards lui bloquaient le passage. Il louvoya entre eux.

— Patrick ! Rhys !

L'écho se réverbéra entre les murs, mais personne ne répondit à son appel.

Le tunnel changeait constamment de hauteur et de largeur. Il serpentait et tournait au petit bonheur la chance. Les murs étaient humides, noircis par les ans. Le faible éclairage le rendait encore plus fantomatique.

Myron évoluait au milieu d'une foule d'adolescents : certains se ruaient en avant, d'autres traînaient les pieds.

Il en empoigna un, plus violemment qu'il ne l'aurait voulu.

— Où mène ce tunnel ?

— À des tas d'endroits.

Myron le lâcha. *Des tas d'endroits.* Super.

Arrivé à une bifurcation, il marqua une pause. Certains jeunes partaient à gauche, d'autres à droite.

— Patrick ! Rhys !

Silence. Puis à nouveau la voix avec l'accent américain :

— Au secours !

À droite.

Myron se hâta en direction de la voix, prenant garde à ne pas se cogner la tête contre le plafond. La puanteur lui donnait la nausée. Ces tunnels devaient exister depuis des centaines d'années. Il avait l'impression de se retrouver dans un roman de Dickens lorsqu'il aperçut deux garçons devant lui.

Et un gros homme en costume jaune.

Gros Gandhi pivota vers lui et sortit un couteau.

— Non ! cria Myron.

Il n'était pas tout seul. Il y avait d'autres adolescents entre eux. Myron baissa la tête et fonça.

Gros Gandhi leva le couteau.

Myron poussa sur ses jambes, mais il était encore trop loin.

Le couteau retomba. Myron entendit un cri.

L'un des garçons s'effondra sur le sol.

— Non !

Myron se précipita vers le corps inerte. Le costume jaune en profita pour prendre la fuite. Mais Myron s'en moquait. Il couvrit le blessé de son corps.

Où était l'autre garçon ?

Là. Myron le saisit par la cheville. On le piétina, mais il ne lâcha pas prise. Se servant de son corps comme d'un bouclier, il trouva la plaie et essaya de contenir l'hémorragie avec son avant-bras.

Un pied lui écrasa le poignet. Ses doigts autour de la cheville commençaient à se desserrer.

— Ne bouge pas ! cria-t-il.

Mais la cheville était en train de lui échapper.

Myron grinça des dents. Combien de temps parviendrait-il à tenir ainsi ?

Le garçon tentait de se dégager, mais il se cramponna malgré un coup de pied en plein visage, puis un autre. Au troisième coup de pied, cependant, sa main s'ouvrit.

Le garçon fut emporté par le flot des fuyards.

Il était parti.

Myron se recroquevilla au-dessus du jeune blessé, pressant son avant-bras contre la plaie.

« Tu ne vas pas mourir. Tu m'entends ? On n'est pas venu te chercher jusqu'ici… »

Lorsque les adolescents eurent fini de l'enjamber, Myron arracha sa chemise et la noua étroitement autour de la blessure. Finalement, il regarda le garçon.

Et reconnut son visage.

— Accroche-toi, Patrick, lui dit-il. On rentre à la maison.

9

Trois jours passèrent.

La police posa beaucoup de questions à Myron. Il y répondit partiellement, invoquant, en tant que juriste, le secret professionnel de façon à ne pas avoir à citer le nom de Win. Oui, il s'était rendu en Grande-Bretagne à la demande d'un client dans le jet privé de la firme Lock-Horne. Non, il ne pouvait rien divulguer de ses entretiens avec ledit client. Oui, il avait apporté l'argent dans l'espoir de faire libérer Patrick Moore et Rhys Baldwin. Non, il ne savait absolument pas ce qui était arrivé au mur. Il ne savait pas non plus qui avait égorgé un jeune homme de vingt-six ans nommé Scott Taylor, dont le casier judiciaire était très chargé. Non, il n'avait pas entendu parler du triple meurtre du côté de la gare de King's Cross. Et ce, d'autant moins que, au moment des faits, il se trouvait à New York.

Aucun signe de Gros Gandhi. Aucun signe de Rhys.

Faute de preuves substantielles, les flics ne pouvaient le garder plus longtemps. Quelqu'un (Win) avait dépêché un jeune avocat nommé Mark Wells pour représenter Myron. Le juriste se révéla très efficace.

Ils le relâchèrent donc à contrecœur. À midi, Myron retourna au pub et attendit, perché sur le même tabouret que lors de sa première visite. Win entra, s'assit à côté de lui. Le barman posa deux bières sur le comptoir.

— Monsieur Lockwood, dit-il, ça fait un sacré bail. Content de vous voir.

— Moi aussi, Nigel.

Myron regarda le barman, puis Win, et haussa un sourcil interrogateur.

— Je suis arrivé des États-Unis dès que j'ai appris la nouvelle, expliqua Win.

Le barman dévisagea Myron. Myron dévisagea le barman, puis Win, et dit :

— Ah…

Le barman s'éloigna.

— Ils n'avaient pas tamponné ton passeport la dernière fois ? s'enquit Myron.

Win sourit.

— Non, bien sûr, dit Myron. Au fait, merci de m'avoir envoyé cet avocat, Wells.

— Avoué.

— Hein ?

— En Angleterre, on appelle ça un avoué.

— Un type comme toi, en Angleterre, on appelle ça un pédant. En Amérique, tu serais qualifié de casse-bur…

— Oui, tout à fait, je vois ce que tu veux dire. À propos d'avoués, le mien est actuellement au poste de police. Il leur expliquera que c'est moi qui ai sollicité tes services et que, en tant que mon conseiller juridique, tu as cherché à protéger mes intérêts.

— Je leur ai parlé du secret professionnel, acquiesça Myron.

— Eh bien, j'abonderai dans ce sens. Nous leur communiquerons également le mail anonyme qui est à l'origine de toute l'affaire. Peut-être que Scotland Yard aura plus de chances que moi d'identifier son expéditeur.

— Tu crois ?

— Absolument pas. C'était pour feindre la modestie.

— Ça ne te sied guère, répondit Myron. Alors, comment as-tu fait ?

— Je t'avais dit que nous avions quadrillé l'arcade. Mais pas qu'à l'intérieur.

Myron hocha la tête.

— Vous avez donc localisé cette pièce sécurisée.

— Et nous y avons installé un mouchard. Fixé à n'importe quel mur, il permet d'entendre tout ce qui se passe. Nous avons attendu le mot de code.

— Et ensuite ?

— C'était un RPG-29.

— Très fin.

— Tu me connais.

— Merci, dit Myron.

Win fit mine de ne pas avoir entendu.

— Comment va Patrick ? demanda Myron. Les flics n'ont rien voulu me dire. J'ai lu dans le journal que ses parents avaient traversé l'Atlantique, mais personne n'a l'air de confirmer que c'est bien lui.

— Nous allons bientôt recevoir d'autres informations en provenance d'une source encore plus fiable.

— Laquelle ?

Win balaya la question d'un geste de la main.

— Tu ne te demandes pas pourquoi la police ne t'a pas interrogé avec plus d'insistance au sujet du type qui s'est fait égorger ?

— Pas vraiment, répliqua Myron. Dans la confusion, personne ne l'a remarqué. J'ai pensé que tu avais récupéré le couteau, pour faire en sorte qu'ils n'aient rien contre moi.

— Pas exactement. Pour commencer, la police avait confisqué tes vêtements.

— J'aimais bien ce pantalon.

— Oui, il t'amincissait. Sauf qu'ils vont analyser les traces de sang et découvrir qu'il correspond à celui de la victime.

Myron finit par capituler et but une petite gorgée de bière.

— Ça pose un problème ?

— Je ne le crois pas. Tu te souviens de ton ami noir avec la machette ?

— Mon ami noir ?

— Oui, enfin, pour rester dans le politiquement correct, appelons-le… afro-anglais ? Il faut que je consulte le manuel.

— Au temps pour moi. Et pourquoi lui ?

— Son nom est Lester Connor.

— OK.

— Quand la police a débarqué sur les lieux, Lester était inconscient et – surprise, surprise – serrait le couteau ensanglanté dans sa main. Évidemment, il affirme que c'est un coup monté.

— Évidemment.

— Mais tu pourrais dire que tu as vu Lester égorger Scott Taylor.

— Je pourrais, oui.

— Mais ?

— Je ne le ferai pas, répondit Myron.

— Parce que ?

— Parce que ce n'est pas vrai.

— M. Connor a tenté de te tuer.

— Ouais, mais, en même temps, j'ai cassé son ordinateur portable.

— Je ne vois pas le rapport, fit Win.

— Moi, j'en vois un avec un faux témoignage.

— Touché.

— Si on me le demande, je dirai que quelqu'un a poignardé ce type et qu'il est tombé sur moi. Dans la confusion, je ne me suis rendu compte de rien.

— Ça devrait le faire, opina Win.

— A-t-on une quelconque piste pour Rhys ?

— Je t'ai parlé d'une meilleure source, rappelle-toi.

— Oui, et c'est qui, ce gars-là ?

— Pourquoi un gars ?

Win secoua la tête.

— Mon Dieu, Myron, ce que tu peux être sexiste ! Tiens, justement, la voilà.

Myron suivit son regard et reconnut immédiatement la femme qui venait d'entrer. C'était Brooke Baldwin, la cousine de Win et, plus important encore, la mère de Rhys Baldwin, toujours porté disparu.

Myron n'avait pas vu Brooke depuis au moins cinq ans.

Un tabouret de bar se matérialisa entre Win et lui. Les deux hommes s'écartèrent pour lui faire de la place. Brooke s'approcha sans hésiter, s'empara de la bière que Nigel avait déjà placée sur le comptoir et la but à grandes lampées. Lorsqu'elle reposa sa chope, celle-ci était à moitié vide. Nigel hocha la tête avec approbation.

— J'en avais besoin, dit Brooke.

Myron avait rencontré d'innombrables proches de disparus. La plupart paraissaient vulnérables et épuisés, ce qui était à la fois normal et compréhensible. Brooke, c'était tout l'inverse. Elle était bronzée, pétulante, éclatante de santé, tout en énergie contenue comme si elle venait juste de finir ses longueurs matinales dans une piscine olympique ou de sortir d'une séance d'entraînement de boxe. Sa fine ossature contrastait avec ses muscles saillants. Le mot qui venait à l'esprit face à cette mère de famille dont l'existence aisée avait basculé de la manière la plus cruelle qui soit était « indomptable ».

Brooke Lockwood Baldwin avait beau avoir grandi dans un manoir et étudié dans les meilleures écoles privées, elle semblait parfaitement à sa place dans un pub comme celui-là. On l'imaginait bien vous défier dans une partie de fléchettes, balayer les verres du comptoir et vous flanquer une dérouillée au bras de fer.

Elle se tourna vers Myron et, sans même prendre le temps de le saluer :

— Dites-moi exactement ce qui s'est passé.

Il s'exécuta, relatant par le menu tous les événements depuis son arrivée à Londres jusqu'à son séjour au commissariat. Ses yeux vert émeraude ne le quittèrent pas une seule seconde.

— Vous avez donc attrapé Rhys par la cheville.

— Il semblerait bien que oui.

La voix de Brooke s'était radoucie.

— Vous l'avez touché.

L'écho de ces paroles résonna un long moment dans le silence.

— Je suis désolé, fit Myron. J'ai essayé de le retenir.

— Je ne vous reproche rien. Vous avez vu son visage ?

— Non.

— Alors on ne peut affirmer avec certitude que c'était Rhys.

— Je ne pourrais pas le jurer, non, dit Myron.

Brooke regarda Win. Qui ne broncha pas. Elle se tourna à nouveau vers Myron.

— D'un autre côté, nous n'avons aucune raison de croire que ce n'était pas mon fils, n'est-ce pas ?

Win sortit enfin de son mutisme.

— Ça dépend.

— De… ?

— Sommes-nous à cent pour cent sûrs que l'autre garçon est Patrick ?

— Oui, répondit Brooke. Du moins, Nancy dit que c'est Patrick.

— Elle en est convaincue ? demanda Myron.

— C'est ce qu'ils disent, Hunter et elle. Ils sont divorcés maintenant. Hunter et Nancy. Ils se sont séparés peu de temps après.

Elle n'eut pas besoin de préciser après quoi.

— Nous sommes venus ensemble. Tous les quatre. À nouveau réunis. Je ne me souviens même plus quand nous nous sommes parlé pour la dernière fois. Nous sommes toujours voisins. On aurait dû déménager, je suppose, mais… Nancy continue à m'en vouloir.

— Je trouve ça injuste, dit Myron.

— Myron ?

— Oui ?

— Épargnez-moi ce ton paternaliste, OK ?

— Loin de moi cette idée.

— Les garçons étaient chez moi. C'était ma fille au pair. J'aurais dû être là pour les surveiller. Si les rôles avaient été inversés… Enfin, c'est de l'histoire ancienne.

— Y a-t-il un quelconque élément extérieur qui puisse confirmer que ce garçon est bien Patrick ? demanda Win.

— Comme quoi ?

— Comme l'ADN.

— J'en ai parlé. Je pense qu'ils le feront un jour ou l'autre, mais, en attendant, il y a une sorte d'embrouillamini juridique. Patrick – en admettant que ce soit lui – est mineur : il faut donc l'autorisation de ses parents.

Win hocha la tête.

— Et on n'a aucune preuve concrète que Nancy et Hunter sont les parents du garçon.

— C'est ubuesque, hein ?

— Et Patrick, il dit quoi ? s'enquit Myron. Où étaient-ils ? Qui les a enlevés ?

Brooke prit sa chope, examina son contenu et le vida d'un trait. Myron et Win l'observaient en silence.

— Patrick n'a rien dit pour le moment.

Il y eut une brève pause.

— C'est si grave que ça, sa blessure ?

— Apparemment. Non pas que j'aie pu le voir. Seule la famille a le droit d'entrer dans sa chambre d'hôpital.

— On connaît l'ampleur des dégâts ?

— Nancy dit qu'il survivra, mais il a été drôlement secoué. C'est une situation absurde. Pendant dix ans, nous sommes restés sans nouvelles de Rhys. Rien, pas un mot. Voici enfin quelqu'un qui pourrait m'apporter des réponses, et je ne peux même pas lui parler.

Brooke ferma les yeux et les frotta avec le pouce et l'index. Myron voulut poser la main sur son épaule, mais Win secoua la tête.

— Quoi qu'il en soit, dit-elle en rouvrant les yeux, nous tenons une conférence de presse cet après-midi. Comme vous le savez, les médias ont su une partie de l'histoire. Il est temps de divulguer le reste.

— Ça fait trois jours, observa Myron. Pourquoi avoir attendu ?

Brooke se leva et s'adossa au comptoir.

— Le premier jour, deux détectives ou quel que soit le nom qu'on leur donne à Scotland Yard nous ont convoqués, Chick et moi. Nous avons un dilemme, nous ont-ils annoncé. Si nous nous adressons à la presse pour publier la photo de Rhys tel qu'il serait aujourd'hui, de deux choses l'une. Soit…

Brooke brandit son index.

— … on fait monter la pression et on retrouve Rhys. Soit…

Le majeur rejoignit l'index.

— … on fait monter la pression, et quiconque détient Rhys le tue et se débarrasse du corps.

— Ils vous ont dit ça ? fit Myron.

— Mot pour mot. Ils nous ont conseillé de leur laisser un peu de temps pour creuser discrètement de leur côté.

— Et j'imagine qu'ils n'ont rien trouvé.

— Rien. Rhys, semble-t-il, s'est volatilisé sans laisser de trace. Une fois de plus.

Une fois de plus.

Et, une fois de plus, ses yeux se fermèrent. Une fois de plus, Myron tendit la main vers elle. Une fois de plus, Win l'arrêta d'un signe de la tête. Il n'était pas insensible, non. Il ne voulait tout simplement pas qu'elle s'effondre. Myron reçut le message.

— Donc les enquêteurs, dit Win, ont changé leur fusil d'épaule ?

— Non, rétorqua Brooke, c'est moi. La décision vient de moi. On ébruite l'affaire. Est-ce que ça va nous aider à retrouver mon fils ou est-ce que ça va le tuer ? Je n'en sais rien. Sympa, non ?

— C'est la bonne solution, déclara Win. La seule solution valable.

— Tu crois ?

— J'en suis certain.

Myron vit Brooke serrer les poings. Elle se mit à rougir et, soudain, il fut frappé par sa ressemblance avec son cousin Win, ou du moins par leur air de famille.

— Comme ça, fit-elle sèchement, tu penses maintenant que j'ai mon mot à dire concernant le sort de mon fils ?

Win ne répondit pas.

— Tu as reçu un mail anonyme, reprit Brooke.

— Oui.

— Tu as débarqué et, résultat, tu as liquidé trois bonshommes.

— Plus fort, dit Win. Je crois que le gentleman là-bas, dans le coin, n'a pas bien entendu.

Mais Brooke ne se laissa pas désarmer.

— Pourquoi ne m'as-tu pas parlé de ce mail ?

— Il n'était pas signé. Je me suis dit que ça n'aboutirait pas.

— Foutaises. Tu l'as jugé suffisamment crédible pour aller vérifier sur place.

— C'est vrai.

— Alors pourquoi ne m'as-tu rien dit, Win ?

Pas de réponse.

— Tu avais peur que je craque ? Tu ne voulais pas me donner de faux espoirs ?

Silence.

— Win ?

Il se tourna vers elle.

— Oui, dit-il. C'est pour ça.

— Ce n'était pas à toi d'en décider.

Il écarta les mains.

— Et pourtant, je l'ai fait.

— Tu croyais m'épargner un supplément de douleur ?

— Quelque chose comme ça.

— Tu ne sais rien de ma douleur.

Brooke se pencha plus près.

— Comment oses-tu ? Comment oses-tu décider à ma place ?

Elle le fusillait du regard. Win ne dit rien.

— Win ?

— Tu as raison, j'aurais dû t'en parler.

— Ça ne suffit pas.

— Il faudra faire avec, Brooke.

— Non, désolée, tu ne t'en tireras pas comme ça. Si tu m'avais parlé de ce mail, j'aurais pu venir ici. J'aurais pu t'aider. Peut-être – non, sûrement – ça se serait passé autrement.

Win garda le silence.

— Au lieu de quoi, dit Brooke en désignant la fenêtre du pub, mon garçon est toujours là-bas. Seul. Tu t'es planté, Win. Tu t'es planté dans les grandes largeurs.

— Ne nous emballons pas, fit Myron. On ne sait pas si ça aurait changé…

Le regard noir de Brooke l'arrêta net.

— Est-ce que Rhys est à Londres, Myron ?

Ce fut au tour de Myron de se taire.

— La vraie question : est-ce qu'il est dans cette ville ?

Elle pivota vers son cousin.

— C'était notre première piste sérieuse en dix ans. Dix années de souffrance et d'horreur. Et maintenant…

— Brooke, je comprends, dit Win. Tu es en colère.

— Quelle perspicacité !

— Mais au-delà de ça, tu cherches à me motiver. Ce n'est pas utile. Et tu le sais.

Ils s'affrontèrent du regard. Si quelqu'un avait passé la main entre eux deux, elle aurait probablement été coupée net, comme par un rayon laser.

Le portable de Brooke sonna.

— Trouve-le, Win.

— Je te le promets.

Ils cillèrent l'un et l'autre. Brooke sortit son téléphone et le pressa contre son oreille.

— Allô ?

Elle raccrocha quelques secondes plus tard.
— C'était la police.
— Qu'est-ce qu'ils voulaient ?
— C'est Patrick. Il s'est réveillé.

10

Win ne les accompagna pas à l'hôpital. Pour le moment, il préférait ne pas se frotter de trop près aux représentants de la loi. Ils hésitèrent sur le fait que Myron y aille – les flics avaient été très moyennement convaincus par ses explications concernant le carnage à AdventureLand –, mais, au final, ils décidèrent qu'il devrait être dans les parages, juste au cas où.

Brooke resta au téléphone pendant tout le trajet en taxi. Elle appela son mari, Chick, pour lui donner rendez-vous à l'hôpital. Puis elle passa quelques autres coups de fil, et son agitation grandit.

— Un problème ? s'enquit Myron.

— Ils disent qu'on ne peut pas voir Patrick.

— Qui dit ça ?

— La police.

Myron réfléchit un instant.

— C'est leur décision ?

— Que voulez-vous dire ?

— Qui décide que vous ne pouvez pas le voir ? Est-ce le rôle de la police ? Les parents ne pourraient-ils pas passer outre ?

— Je ne sais toujours pas si Nancy et Hunter ont un statut légal.

— Vous avez leurs numéros, j'imagine ?

— Seulement celui de Nancy.

— Appelez-la.

Brooke composa le numéro. Pas de réponse. Elle envoya un texto. Toujours rien.

Lorsqu'ils s'arrêtèrent devant l'hôpital, Chick était en train de fumer en arpentant le pavé. Il jeta la cigarette d'un geste brusque et se mit à la piétiner rageusement. La mine renfrognée, il ouvrit la portière du taxi. Brooke descendit, suivie de Myron.

En voyant Myron, Chick se renfrogna de plus belle.

— Je vous connais. Vous êtes l'ami de Win. Le joueur de basket. Qu'est-ce que vous fabriquez ici ?

Win n'aimait pas Chick, et cela suffisait à Myron : il n'avait pas besoin d'en savoir davantage.

Chick regarda Brooke.

— Qu'est-ce qu'il fait là ?

— C'est lui qui a sauvé Patrick.

Chick considéra Myron d'un œil torve.

— Vous étiez là-bas ?

— Oui.

— Alors comment se fait-il que vous n'avez pas sauvé mon gamin ?

Mon gamin, nota Myron. Pas *notre*.

— Il a essayé, Chick, dit Brooke.

— Il n'est pas capable de répondre lui-même ?

— J'ai essayé, Chick.

Chick fit un pas vers lui. L'air toujours aussi peu amène. Myron se demanda s'il était vraiment mal embouché ou si c'était juste une expression par défaut.

— On veut faire le malin, hein ?

Myron ne recula pas. Il ne serra pas les poings, et pourtant ce n'était pas l'envie qui lui manquait. Malgré le coup de fil urgent de sa femme, Chick portait un costume en soie avec une cravate si impeccablement nouée qu'elle paraissait factice. Ses chaussures brillaient d'un éclat quasi surnaturel, comme si elles étaient plus que neuves, et ses cheveux bruns, longs et lissés en arrière, grisonnaient juste ce qu'il fallait. Son teint luisait comme après un soin du visage ou l'application d'une crème coûteuse, et en le voyant on ne pouvait s'empêcher de penser « épilation ».

— Ce n'est pas le moment, intervint Brooke.

Chick se livra à la pantomime qui consiste à regarder quelqu'un dans un œil, puis dans l'autre, et enfin à nouveau dans le premier. Myron ne broncha pas. On ne juge pas les gens à leur apparence. Win en était un exemple criant. Et ce type-là souffrait, ça se voyait. C'était peut-être un fanfaron, mais il avait perdu un enfant, et cela se lisait sur son visage, malgré tous ses efforts pour le cacher.

D'un côté, donc, Myron le plaignait.

Et, d'un autre, il se rappelait que Win ne l'aimait pas.

— J'ai fait tout mon possible, lui dit-il. Il s'est échappé. Je suis désolé.

Chick hésita et finit par hocher la tête.

— Moi aussi je suis désolé. Ç'a été...

— Ne vous inquiétez pas pour ça.

— Chick ? fit Brooke d'une voix douce.

Chick pressa brièvement le bras de Myron en manière d'excuse et se tourna vers sa femme.

— On y va ? dit-elle.

Il acquiesça et la rejoignit.

Brooke mit sa main droite en visière.

— Myron ?

Il regarda autour de lui et repéra un café Costa sur le trottoir d'en face.

— J'attendrai là-bas. Envoyez-moi un texto si vous avez besoin de moi.

Chick et Brooke entrèrent dans l'hôpital. Myron traversa la rue. Costa était une chaîne de cafés comme toutes les autres. Remplacez le décor rouge foncé par du vert, et vous aurez un Starbucks. Une telle comparaison offusquerait certainement les inconditionnels de l'une ou l'autre enseigne, mais Myron décida que ça ne l'empêcherait pas de dormir la nuit.

Il commanda un café et, comme son estomac gargouillait, examina la liste de ce qui était proposé en matière de nourriture. Là-dessus, Costa semblait damer le pion à son concurrent américain. Myron opta pour un toastie jambon-fromage. Toastie. C'était mignon comme mot. Même s'il le rencontrait pour la première fois, Myron en déduisit qu'il s'agissait d'un genre de croque-monsieur.

Myron Bolitar, l'as de la déduction.

Il reçut un texto de Brooke : On nous empêche de le voir. On nous dit d'attendre.

Il répondit : Vous voulez que je vienne ?

Brooke : Pas pour le moment. Vous tiendrai au courant.

Myron s'assit à une table et mangea le toastie. Pas mauvais. Il l'avait enfourné un peu trop vite et hésitait à aller en chercher un autre. Quand avait-il mangé pour la dernière fois ? Se rencognant dans son siège, il but son café et lut les articles enregistrés sur son smartphone. Le temps passait. Cet endroit était un peu trop calme. Myron contempla les visages aux traits tirés. C'était peut-être son imagination, mais il y avait du malheur dans l'air. Il se trouvait bien sûr en face de l'hôpital, ce qui pouvait expliquer pourquoi il voyait de la souffrance, de l'angoisse, des visages qui attendaient des nouvelles, des visages qui redoutaient les nouvelles, des visages venus se réfugier dans l'anonymat réconfortant d'une chaîne de cafés.

Son téléphone vibra. Encore un texto, de Terese cette fois : J'ai un entretien d'embauche à Jackson Hole. Pour présenter le journal en prime time.

C'était une excellente nouvelle. Myron répondit : Yess, super.

Terese : Demain je pars au ranch du patron dans son avion privé.

Myron : Super. Content pour toi.

Terese : Ce n'est pas encore fait.

Myron : Il te mangera dans la main.

Terese : Paraît qu'il a la main baladeuse.

Myron : Dans ce cas, c'est ma main qu'il va se manger.

Terese : Je t'aime, tu sais.

Myron : Je t'aime aussi. Mais, sérieux, je le défonce s'il te touche.

Terese : Tu as toujours le mot juste.

Myron souriait. Il allait répondre quand quelque chose – ou plutôt quelqu'un – attira son regard.

Nancy Moore, la mère de Patrick, venait d'entrer dans le café. Il tapa un rapide : Faut que je te laisse, et pressa la touche envoyer.

Alors que Brooke Baldwin était toute énergie et détermination, Nancy Moore paraissait frêle et épuisée.

Ses cheveux blonds striés de gris étaient noués à la hâte en queue-de-cheval. Elle portait un sweat avachi avec l'inscription LONDON, le L étant composé d'une cabine téléphonique rouge et d'un bus à impériale. Comme elle avait dû partir précipitamment, elle l'avait sans doute acheté dans un magasin pour touristes à son arrivée.

Nancy Moore parla tout bas au barista, qui porta la main à son oreille pour lui signifier qu'il ne l'entendait pas. Elle répéta sa commande et se mit à fourrager dans son sac à la recherche d'argent.

Myron se leva.

— Madame Moore ?

Prise au dépourvu, elle fit tomber les pièces de monnaie qui roulèrent sur le sol. Myron se baissa pour les ramasser. Nancy voulut l'aider, mais, apparemment, elle n'en avait pas la force. Myron se redressa et déposa les pièces dans sa main.

— Merci.

Nancy Moore le dévisagea d'un drôle d'air. L'avait-elle reconnu ? Était-elle surprise ? Ou les deux ?

— Vous êtes Myron Bolitar, dit-elle.

— Lui-même.

— Nous nous sommes déjà rencontrés, n'est-ce pas ?

— Oui, une fois.

— Chez…

Elle s'interrompit. C'était chez les Baldwin, un mois peut-être après l'enlèvement. Win et Myron avaient été sollicités un peu trop tard.

— Vous êtes un ami de Win.

— C'est ça.

— Et vous… vous êtes celui qui…

Elle cilla, baissa les yeux.

— Comment pourrai-je jamais vous remercier d'avoir sauvé mon garçon ?

Myron ne releva pas.

— Comment va Patrick ?

— Physiquement, ça va aller.

Le barista arriva avec deux cafés à emporter et les posa devant elle.

— Vous lui avez sauvé la vie.

Sa voix trahissait un respect mêlé d'admiration.

— Vous avez sauvé la vie de mon fils.

— Je suis content de savoir qu'il s'en remettra, dit Myron. Il vient de se réveiller, à ce qu'on m'a dit ?

Nancy Moore ne répondit pas tout de suite. Puis, lorsqu'elle parla, ce fut pour demander :

— Je peux vous poser une question ?

— Bien sûr, allez-y.

— Vous vous souvenez de votre vie avant l'âge de six ans ?

Il voyait bien où elle voulait en venir, mais il se prêta au jeu.

— Pas vraiment.

— Et entre six et seize ans ?

Cette fois, Myron garda le silence.

— Tout est là-dedans, non ? L'école primaire, le collège, les années lycée. C'est ce qui nous façonne. C'est ça qui fait de nous ce que nous sommes.

Le barista lui remit le ticket. Nancy lui tendit la monnaie. Il lui rendit quelques pièces et lui donna un sac à emporter.

— Je ne voudrais pas vous harceler, dit Myron. Mais Patrick a-t-il parlé de ce qu'il a vécu ou de l'endroit où pourrait se trouver Rhys ?

Nancy Moore remit l'argent dans son porte-monnaie avec des gestes un peu trop méticuleux.

— Il n'a rien dit qui puisse nous servir, fit-elle.

— Qu'entendez-vous par là ?

Elle se borna à secouer la tête.

— Qu'a-t-il dit ? insista Myron. Qu'a dit Patrick ? Qui les a enlevés ? Où étaient-ils pendant tout ce temps ?

— Vous voulez des réponses, dit-elle. Moi, je veux juste mon fils.

— Je veux des réponses parce que l'un des garçons manque toujours à l'appel.

Le regard de Nancy se durcit.

— Vous croyez que je ne m'intéresse pas à Rhys ?

— Bien sûr que non.

— Vous croyez que je ne sais pas ce qu'endurent Brooke et Chick ?

— Au contraire, dit Myron. Si quelqu'un le sait, c'est bien vous.

Elle ferma les yeux.

— Excusez-moi. En fait…

Myron ne pipait pas.

— Patrick est à peine capable de parler. Il… n'est pas bien. Mentalement. Il n'a pas dit grand-chose jusqu'ici.

— Sans vouloir vous offenser, dit Myron, vous êtes sûre que c'est Patrick ?

— Oui.

Sans hésitation. Sans l'ombre d'un doute.

— Allez-vous faire un test ADN ?

— On le fera si on nous le demande. Il nous reconnaît, je pense. Moi, en tout cas. C'est bien Patrick.

C'est mon fils. C'est peut-être bateau et tout ce que vous voudrez, mais une mère sait ces choses-là.

Peut-être bateau. Et peut-être pas. D'un autre côté, pour rester dans les clichés, on voit ce qu'on a envie de voir, surtout quand on est une mère en détresse qui espère mettre fin à dix ans de calvaire.

Ses yeux s'emplirent de larmes.

— Une espèce de sadique l'a poignardé. Mon garçon. Vous l'avez sauvé. Vous comprenez ça ? Les médecins ont dit qu'il se serait vidé de son sang. Vous...

— Nancy ?

Myron se retourna et aperçut Hunter Moore, l'ex-mari de Nancy et le père de Patrick.

— Viens, lança-t-il. Il faut qu'on y aille.

Il lâcha la porte et tourna à gauche dans la rue.

Si Hunter Moore avait compris qui était Myron, il n'en avait rien laissé paraître. En même temps, ils ne s'étaient jamais rencontrés – il n'était pas venu chez les Baldwin ce jour-là –, et puis il semblait pressé.

Nancy prit le sac et les cafés.

— C'est tellement inepte de vous remercier encore une fois. Quand je pense qu'après toutes ces années, alors qu'on venait tout juste de retrouver Patrick, il aurait pu mourir si vous n'aviez pas été là...

— Il n'y a pas de problème.

— Je vous serai éternellement redevable.

Elle sortit à la hâte et prit la même direction que son ex. Myron ne bougea pas. Le barista demanda :

— Vous désirez un autre café ?

— Non, merci.

Il ne bougeait toujours pas.

— Tout va bien ? s'enquit le barista.

— Oui, oui, ça va.

Myron ne quittait pas la porte des yeux. Une curieuse pensée lui traversa l'esprit. L'hôpital se trouvait à droite. Or Hunter et Nancy avaient tous deux tourné à gauche.

En soi, cela ne voulait rien dire. Ils voulaient peut-être passer à la pharmacie, ou prendre l'air, ou…

Il alla à la porte, l'ouvrit, regarda à gauche. Nancy Moore était en train de monter dans un fourgon noir.

— Attendez, cria Myron.

Mais elle était trop loin, et la rue était bruyante. La portière du fourgon se referma. Myron piqua un sprint.

— Une petite seconde !

Le fourgon démarra. Myron le vit s'éloigner dans la rue et disparaître au tournant. Il s'arrêta et sortit son smartphone. Ce n'était probablement rien. La police les emmenait pour les interroger. Ou alors, après vingt-quatre heures de veille au chevet de leur fils, ils avaient besoin de souffler.

Les deux en même temps ?

Hmm, ça ne collait pas. Nancy Moore n'était pas du genre à prendre une pause, alors qu'elle n'avait pas vu son enfant depuis dix ans. Elle était plutôt de celles qui auraient peur de le laisser ne serait-ce qu'un seul instant.

Myron cliqua sur le numéro. Il ne craignait pas d'être repéré : l'appel allait rebondir d'un numéro à un autre et atterrir sur quelque téléphone jetable impossible à localiser.

— Articule, fit Win.

— Je crois qu'on a un problème.

131

— Dis-moi.

Il lui parla de Nancy et Hunter Moore et du fourgon noir. Pendant ce temps, il traversa la rue et arriva à l'entrée de l'hôpital. Lorsqu'il eut raccroché, il appela Brooke sur son portable, mais n'obtint pas de réponse.

Un panneau – et pas qu'un, maintenant qu'il avait jeté un œil alentour – disait : ÉTEIGNEZ VOTRE MOBILE. Les gens le regardaient. Myron rangea son appareil avec un haussement d'épaules contrit et se dirigea vers l'accueil.

— Je viens voir un patient.

— Son nom ?

— Patrick Moore.

— Et vous êtes ?

— Myron Bolitar.

— Un moment, je vous prie.

Myron scruta le hall et aperçut Brooke et Chick, assis devant une fenêtre dans la salle d'attente. Brooke tourna la tête, croisa son regard et se leva. Il se hâta vers elle.

— Qu'est-ce qui se passe ? demanda Brooke.

— Que vous a dit la police ?

— Rien. On nous empêche de le voir.

— Connaissez-vous le numéro de sa chambre ?

— Oui, Nancy me l'a dit hier. C'est la chambre 322.

Myron pivota sur ses talons.

— Allons-y.

— Pourquoi, qu'y a-t-il ?

Il s'engagea dans un couloir. Et tomba sur un agent de sécurité.

— Votre badge, s'il vous plaît.

— Non, dit Myron.

L'homme parut déconcerté par sa réponse.

— Comment ?

Sur l'étiquette cousue sur son uniforme, on lisait son nom : LAMY.

Myron était quelqu'un d'imposant : un mètre quatre-vingt-dix, cent douze kilos. Et il savait se rendre plus imposant encore.

— Je dois monter au troisième étage, vérifier quelque chose auprès d'un patient.

— Dans ce cas, allez chercher un badge.

— De deux choses l'une… euh, Lamy. Je peux vous en coller une, ce qui serait gênant, sans parler des répercussions. Vous pourriez être plus coriace que vous n'en avez l'air, auquel cas je serais obligé de vous faire mal. Peut-être plus que je ne le voudrais. Ou alors vous m'accompagnez là-haut – comme ça, vous verrez que je jette un œil sur un patient pour m'assurer qu'il va bien –, et on redescend tous les deux.

— Monsieur, vous ne pouvez pas…

— Vous l'aurez voulu.

Myron ne lui laissa pas le temps de réagir. Il se précipita et gravit les marches quatre à quatre. L'agent de sécurité courut après lui, mais son pas manquait de ressort.

— Arrêtez-vous ! Poste deux appelle du renfort ! Intrus dans l'escalier.

Myron grimpa les étages. Son genou, celui qui avait marqué la fin de sa carrière, lui faisait un peu mal, mais sans le freiner pour autant. Il ignorait si Brooke ou Chick l'avaient suivi. Aucune importance. L'agent de sécurité avait réclamé des renforts. Ils arriveraient ou pas. On l'alpaguerait ou pas. Mais, de toute façon, ils ne l'intercepteraient pas avant qu'il ait vérifié ce qu'il voulait vérifier.

Il poussa la porte du troisième étage. Face à lui, il y avait la chambre 302. Il tourna à droite et passa en courant devant la chambre 304. Derrière lui, quelqu'un cria :

— Arrêtez-vous ! Arrêtez-vous tout de suite !

Il fit la sourde oreille.

Il atteignit la chambre 322, poussa la porte et pénétra à l'intérieur. Derrière lui, les pas se rapprochaient. Myron ne broncha pas. Il attendit tranquillement… il avait vu ce qu'il voulait voir.

Le lit – en fait la chambre tout entière – était vide.

11

Il y eut une échauffourée avec la sécurité de l'hôpital, mais rien de bien méchant.

Myron quitta la chambre à reculons et se dirigea vers la sortie, les mains en l'air. Les agents ne savaient trop que penser de cette intrusion. L'homme avait fait irruption dans une chambre vide. Était-ce une raison suffisante pour l'appréhender ?

Chick piqua une crise, et ce, d'autant plus que les flics firent preuve d'un calme olympien. Ils n'étaient pas en mesure de retenir Patrick : il était la victime, non un criminel, et il voulait rentrer chez lui avec ses parents.

— L'avez-vous interrogé à propos de mon fils ? hurla Chick.

Mais bien sûr, lui répondirent posément les représentants des forces de l'ordre. Patrick et ses parents affirmaient qu'il ne savait rien de pertinent et qu'il était trop choqué pour en parler.

— Et vous n'avez pas insisté ? leur demanda Chick.

Les flics soupirèrent poliment, avec un petit haussement d'épaules. Si, ils avaient insisté. Mais en tout état de cause, ils ne pouvaient pas forcer un adolescent blessé et traumatisé à leur parler. Patrick avait exprimé le souhait de rentrer aux États-Unis avec ses parents. Les médecins avaient conclu que c'était la meilleure solution. Rien ne les autorisait à le garder ici contre son gré.

Cela dura ainsi un certain temps, mais, désormais, toute discussion était devenue inutile.

Deux heures après avoir découvert que la famille Moore faisait route vers les États-Unis à bord d'un avion privé, Brooke et Chick Baldwin tinrent une conférence de presse dans la salle de bal du Grosvenor House dans Park Lane.

Myron et Win écoutaient, debout au fond de la salle.

— Elle n'a pas l'air d'une mère éplorée, observa Win.

Il parlait de Brooke.

— Ça ne veut pas dire qu'elle ne l'est pas.

— Oui, mais je lui ai conseillé de verser une larme devant les caméras.

— Ce serait bien, acquiesça Myron.

— Je ne sais pas si elle en est capable. Je lui ai dit que la douleur devait être visible. Sinon les gens pourraient croire qu'elle ne souffre pas.

— Je me souviens, au moment de la disparition, dit Myron. Tous ces commentaires des médias sur le…

Il esquissa des guillemets avec ses doigts.

— … « comportement » de ta cousine.

— Même à l'époque, elle ne s'était pas montrée suffisamment angoissée aux yeux du public.

— Du coup, un chroniqueur s'était posé la question de sa culpabilité. C'était sa maison, sa nounou…

et, plus grave encore, elle ne manifestait aucun signe extérieur de détresse.

— Lamentable, fit Win.

— Tout à fait. Si Brooke s'était écroulée en sanglots, le monde aurait sangloté avec elle. Au lieu de quoi, ils en ont fait quelqu'un d'insensible et d'égoïste.

— Je m'en souviens. Ça a relancé le débat sur les mères au foyer. Brooke était négligente, une de ces créatures riches et gâtées qui engagent une fille au pair pour ne pas s'occuper de leurs propres enfants.

— Personne n'a envie de croire que ça peut lui arriver, fit Myron.

— Donc on cherche un bouc émissaire. C'est inhérent à la condition humaine.

Là-haut sur l'estrade, les policiers s'étaient chargés de répondre à la plupart des questions. Brooke fixait un point invisible devant elle. En dépit des recommandations de Win, ses yeux demeuraient secs. Chick, dans son costume trop classe, n'avait rien non plus pour susciter la sympathie, mais au moins son visage trahissait son désespoir.

Myron se pencha vers son ami.

— C'est bon de te revoir, Win.

— Je ne te le fais pas dire.

La police donna une version édulcorée des faits, dans des termes on ne peut plus vagues. L'un des garçons disparus depuis dix ans aux États-Unis, Patrick Moore, avait été retrouvé à Londres. Les circonstances de son sauvetage furent passées sous silence. Le nom de Myron ne fut pas cité.

Ce qui l'arrangeait grandement.

La police pensait que l'autre adolescent disparu, Rhys Baldwin, dont les parents ici présents vivaient un cauchemar depuis dix ans, pourrait être dans les parages, lui aussi. Un reporter cria :

— Qu'en savez-vous ?

On ignora sa question.

Lorsqu'ils affichèrent la photo de Rhys à six ans, suivie de plusieurs portraits en morphing pour illustrer les transformations probables de son visage au cours des dix dernières années, Myron vit la façade de Brooke se craqueler.

Mais elle ne pleura pas.

— Ils reprennent l'avion dès que ce sera terminé, dit Win.

— Ils ne restent pas ?

Win secoua la tête.

— Ils veulent rentrer chez eux. Ils savent qu'ils ne peuvent rien faire à Londres. Pars avec eux. Trouve le moyen de faire parler Patrick. Commence au tout début et remonte jusqu'à moi.

— Le tout début, c'est la scène de crime ? Là où ils ont été enlevés ?

— Oui.

— Faut-il remonter aussi loin dans le temps ?

— L'histoire finit peut-être ici… mais tout a commencé chez eux, dans cette maison.

— Et que penses-tu des Moore filant à l'anglaise avec Patrick ?

— Rien de bon.

— Peut-être qu'il est simplement trop choqué pour parler.

— Peut-être.

— Que pourrait-il y avoir d'autre, hein ?

— Tu l'as dit toi-même, répondit Win. On n'a pas tous les éléments.

La police afficha ensuite une photo de Gros Gandhi sous son véritable nom, Chris Alan Weeks, le définissant comme un précieux témoin. L'homme sur la photo avait des cheveux et vingt-cinq kilos de moins que celui auquel Myron avait eu affaire.

— Est-ce à la police de le trouver, s'enquit Win, ou bien à moi ?

— Ça change quelque chose ?

Win regarda Myron.

— Que se passera-t-il si la police l'arrête ?

— S'il est avec Rhys, toute l'affaire sera réglée. Résolue.

— Peu de chances que ça arrive, dit Win. C'est un type prudent. Soit il tuera Rhys – inutile de nous attarder là-dessus car ça ne mène nulle part –, soit ton ami dodu le planquera dans un lieu sûr, un lieu sans aucun lien avec lui.

— OK.

— Donc, je répète ma question : que se passera-t-il si la police l'arrête ?

Myron comprit où Win voulait en venir.

— Il prendra un avocat. Ils n'ont rien contre lui. Il garde tout dans un nuage informatique verrouillé. Les jeunes ne témoigneront pas contre lui. Il ne laisse rien au hasard. Il y aura ma déposition, à propos du coup de couteau, mais il dira qu'il faisait noir et que je n'ai pas pu le voir poignarder Patrick, ce qui est vrai.

Win hocha la tête.

— Il parlera, tu crois ?

— Peu de chances que ça arrive, pour reprendre tes propres termes.

— Mais si je le retrouve, moi…, dit Win.

Myron se tourna vers l'estrade.

— Tu n'es pas d'accord, ajouta Win.

— Tu sais bien que non.

— Pourtant, tu me connais.

— C'était peut-être valable autrefois. Dans certaines circonstances.

— Mais pas dans le meilleur des mondes qui est le nôtre ?

— Tu soutiens, toi, un gouvernement qui torture les gens pour leur extorquer des informations ?

— Ciel, non.

— Rien que toi, alors ?

— Parfaitement. Je me fie à mon jugement et à mes mobiles. Mais pas à ceux du gouvernement.

— Deux poids, deux mesures ?

— Évidemment.

Win pencha la tête.

— Ça pose un problème ?

— Non. Mais encore une chose.

— Je t'écoute ?

— Tu as été absent longtemps.

Win ne dit rien.

— Si je rentre, reprit Myron, je ne tiens pas à te perdre à nouveau.

— Tu as entendu ce qu'a dit Brooke.

— Oui.

— Je me suis planté. Et, quel que soit le prix à payer, je dois retrouver son fils.

Une heure plus tard, alors qu'ils marchaient sur le tarmac en direction du jet privé de Win, Brooke reçut un texto. Elle le lut et s'immobilisa. Myron et Chick s'arrêtèrent un pas plus loin.

— Qu'est-ce que c'est ? demanda Chick.

— C'est Nancy.

Elle lui tendit le téléphone. Il lut à voix haute :

— « Je fais au mieux pour mon fils. Et le vôtre. Faites-moi confiance. Je vous recontacte très vite. »

Il ne s'était pas départi de son air hargneux.

— Ça veut dire quoi, ça ?

Brooke lui reprit le téléphone. Elle essaya de rappeler Nancy, sans résultat. Elle envoya alors un texto pour réclamer des explications, mais sans plus de succès.

— Elle ne nous a jamais aimés, déclara Chick. Pour elle, tout ça, c'est notre faute, même si notre gamin a disparu, lui aussi.

Il s'engouffra dans l'avion. Moa était là, moulée dans son uniforme d'hôtesse de l'air. Elle les gratifia d'un petit sourire de circonstance et prit leurs manteaux.

— Elle nous en veut, glissa Chick à sa femme. Je te l'ai déjà dit, rappelle-toi.

— Je sais, Chick. Plus d'une fois.

— Hunter est devenu alcoolique, mais ç'a toujours été un bon à rien. On lui a tout apporté sur un plateau. Un gars insipide. Aimable comme une porte de prison. Mais Nancy, qu'est-ce qu'elle mijote, hein ?

Ils n'avaient aucune réponse à lui fournir.

Chick se tourna vers Moa.

— Il n'y a personne dans la chambre ?

— Elle est à votre disposition, monsieur.

— Parfait. Je peux avoir un verre d'eau ?

— Tout de suite, monsieur.

Chick sortit une fiole de sa poche. Il fit tomber deux comprimés dans sa main, puis, après réflexion, un troisième. Moa lui tendit l'eau. Il avala les trois comprimés et fit un geste en direction de la chambre en queue de l'appareil.

— Vous permettez… ?

— Vas-y, lui répondit Brooke.

Quelques minutes plus tard, ils l'entendirent ronfler. Moa referma la porte de la chambre, et le bruit cessa. L'avion roula sur la piste, prit de la vitesse et décolla. Myron et Brooke s'assirent côte à côte.

— C'est quoi, le plan de Win ? questionna-t-elle.

— Il veut mettre la main sur Gros Gandhi avant que la police ne l'arrête.

Brooke hocha la tête.

— Bonne idée. Vous croyez qu'il y arrivera ?

— Si Win était là, il dirait : « Faisons comme si je n'avais pas entendu la question. »

Cela la fit sourire.

— Il nous aime.

— Je sais.

— Il n'aime pas grand monde, ajouta-t-elle. Mais quand il aime quelqu'un, c'est à la fois féroce et rassurant.

— Il m'a sauvé la vie un nombre incalculable de fois.

— Et vous en avez fait autant pour lui. Il m'a raconté. Vous vous êtes rencontrés à Duke, c'est bien ça ?

— Oui.

— En quelle année ?

— Première.

— Dites-moi, qu'avez-vous pensé en le voyant ?

Le regard perdu dans le lointain, Myron dissimula son sourire.

— C'est mon père qui m'a conduit là-bas. J'avais le trac… c'était ma première année de fac. Il plaisantait pour essayer de me détendre. Il m'a aidé à monter mes bagages. Les quatre étages à pied. Je n'arrêtais pas de lui dire que je pouvais le faire tout seul. Je m'inquiétais pour lui : il n'était pas au mieux de sa forme…

Myron secoua la tête pour tenter de rassembler ses idées.

— Bref, il y avait le trombinoscope des première année dans mon dortoir. Vous vous souvenez de ça ?

— Et comment, répondit Brooke avec un sourire triste. On feuilletait le nôtre et on notait les garçons de 1 à 10.

— Dieu que vous êtes frivole, Brooke.

— N'est-ce pas ?

— Donc, papa et moi, on fait une pause et on commence à étudier le bouquin en question. Je revois encore la photo de Win : cheveux blonds, yeux bleus, l'air de poser pour la couverture de *Petit Con friqué Magazine*. Avec sa mine hautaine, vous voyez de quoi je parle ?

Brooke l'imita à la perfection.

— Oui, c'est exactement ça.

— Comme s'il était le roi de la création.

— Ils citaient son école privée élitiste et son nom complet : Windsor Horne Lockwood III. Je lis ça et j'éclate de rire. Je le montre à papa et il rigole lui aussi.

Et je dis : « Celui-là, je ne risque pas de le croiser en quatre ans et encore moins de devenir son copain. »

Brooke sourit.

— J'imagine très bien.

— Je l'ai rencontré le soir même. Et depuis, il est mon meilleur ami.

— Vous comprenez donc ce que je veux dire.

— Bien sûr. En général, on le déteste au premier coup d'œil. Ce qu'on voit, c'est un aristo arrogant et maniéré, incapable de faire du mal à une mouche.

— Une proie facile, opina Brooke.

— Et Win entretenait l'illusion. Même si j'ai tout de suite perçu son côté sombre. Dès la première soirée d'orientation.

— C'est peut-être ce qui vous a séduit chez lui.

— Quoi, son côté sombre ?

— Oui, son yin face à votre yang.

— Peut-être, acquiesça Myron.

— Et alors, quand avez-vous su ? demanda-t-elle. Je veux parler de ses… talents.

— En première année, peut-être un mois après la rentrée, des joueurs de foot avaient décidé de lui raser le crâne. Ils trouvaient sa coiffure trop parfaite, avec la raie au milieu, le blond doré et tout ça.

— Je vois.

— Une nuit donc, ces footeux grands et baraqués ont fait irruption dans la chambre où Win était en train de dormir. Ils étaient cinq, je crois. Quatre pour lui immobiliser bras et jambes, et le cinquième pour lui raser la boule à zéro.

— Oh, Seigneur, fit Brooke.

— Comme vous dites.

— Et alors, comment ça s'est terminé pour eux ?

— Disons que la saison a été exécrable. Trop de joueurs blessés.

Brooke secoua la tête.

— Autant l'avoir de notre côté.

— Absolument.

— Et nous, quel est notre plan, Myron ?

— Win l'a dit, les garçons ont vécu cette terrible épreuve à Londres, mais elle a débuté chez vous. Lui est à un bout, nous prendrons l'autre. Retour à la case départ. On va essayer de comprendre comment les choses se sont passées.

Brooke avait l'air sceptique.

— Je ne vois pas l'intérêt. La scène de crime a été passée au crible des dizaines de fois.

— Oui, mais on va l'examiner d'un œil neuf. C'est comme un trajet en voiture quand on ne sait pas où on va. La semaine dernière, vous ne connaissiez que le point de départ. Aujourd'hui, nous savons où était la voiture il y a trois jours. Alors réessayons.

— Ça ne peut pas faire de mal, concéda-t-elle.

— Mieux que ça, il faut convaincre Patrick de parler.

— Oui.

— Le texto de Nancy avant notre embarquement… qu'en avez-vous pensé ?

— Rien de particulier.

— Chick semble se méfier d'elle. Et vous ?

Brooke était songeuse.

— C'est une mère.

— C'est-à-dire ?

— C'est-à-dire que, au final, elle agira dans l'intérêt de son fils, pas du mien.

Moa leur apporta des boissons et des cacahuètes avant de s'éclipser discrètement.

— Vous pensez qu'elle refusera de vous aider ?

— J'en ai bien peur. Si quelqu'un comprend la souffrance, c'est bien Nancy. Mais dans une situation comme celle-ci, c'est chacun pour soi. Elle le dit dans son texto : « Je fais au mieux pour mon fils. Et le vôtre. » Elle n'a pas écrit : « Je fais au mieux pour nos fils. » Vous voyez la différence ?

— Je vois, oui.

— Alors on fait quoi ?

— On fait au mieux pour votre fils, répondit Myron. Et le sien.

12

À l'atterrissage, il y avait un autre message de Nancy pour Brooke : Nous serons chez vous demain à 9 heures, OK ?

Brooke lut le message à Myron et Chick.

— Qui ça, « nous » ? s'enquit Chick.

— Aucune idée.

— Demande-le-lui.

— Attendons plutôt, dit Brooke. Je ne veux pas l'effaroucher.

— En quoi ça pourrait l'effaroucher ?

— Je ne sais pas. Myron ?

— Je suis d'accord avec vous : il vaut mieux attendre.

Elle tapa la réponse : OK, à demain.

Il y avait deux limousines sur le tarmac : une pour les Baldwin et l'autre pour Myron. Avant de monter, Brooke se tourna vers lui.

— Vous devriez venir demain. Vous avez sauvé leur fils. Ils ont une dette envers vous.

Myron n'en était pas convaincu, mais il répondit :

— Bien sûr.

Il attendit que Brooke et Chick soient partis pour se glisser à l'arrière de sa limousine. Le chauffeur lui dit :

— Tout est arrangé. Je reste avec vous jusqu'à la fin de la soirée.

— Parfait.

— Alors, au lycée ?

Myron consulta sa montre.

— Oui, ça devrait le faire.

Il se cala contre le dossier. Le monde allait peut-être sombrer demain, mais ce soir serait sinon réparateur, du moins proche de la normale. Il était dix-huit heures trente lorsqu'ils atteignirent la promenade en face du lycée. Cet ovale long de huit cents mètres, où les habitants aimaient à se balader, faire du jogging ou échanger des potins avait été baptisé « le Cercle » en raison de sa forme, disons, approximative. Le poste de police était de l'autre côté de la rue. La bibliothèque municipale se trouvait en bas à droite en entrant dans le Cercle. Le centre de loisirs était en haut à droite. L'église occupait une bonne partie du côté gauche, et, au sommet du Cercle, en position dominante, se dressait le monumental lycée de la ville.

Enfin, pour une petite ville.

Le chauffeur s'arrêta devant le gymnase. Myron poussa la lourde porte métallique et entra. Le gymnase était vide et sombre. Cela le surprit, puis il se rappela qu'ils avaient construit un nouveau bâtiment derrière le terrain de foot. Celui-ci, qui avait tant compté dans la vie de Myron, était devenu l'« ancien gymnase ». Et il en avait l'aspect. On aurait dit qu'il avait cent ans. On l'imaginait plus facilement avec des paniers en osier qu'avec des filets et des cerceaux.

Myron fit quelques pas. Ses chaussures claquaient sur le vieux plancher. Il s'arrêta au milieu de la salle. L'odeur familière de sueur flottait toujours dans l'air. Il devait y avoir encore quelques cours de gym ici, ou peut-être que l'odeur, mélangée à une sorte de détergent industriel, s'était incrustée à jamais dans le bois. D'aucuns la trouveraient infecte. Pour Myron, c'était un parfum paradisiaque.

Les odeurs vous replongent dans le passé. « Déjà-vu » était un euphémisme pour décrire ce qu'il ressentait. Il pivota lentement, balayant la salle du regard. Puis il leva les yeux sur le mur en brique et béton au-dessus de la porte. Le panneau était toujours là.

MEILLEURS MARQUEURS DE TOUS LES TEMPS

1. MYRON BOLITAR

Les souvenirs affluèrent en une vague déferlante qui manqua le faire chavirer. Les vieux gradins branlants avaient été repoussés contre les murs, or il les voyait déployés et remplis de monde. Il vit ses anciens entraîneurs et coéquipiers ; l'espace d'un instant, il tenta de calculer le nombre d'heures passées dans ce gymnase où tout marchait comme sur des roulettes, sur ce plancher, dans les limites du terrain de basket. Le sport est censé être un reflet de la réalité, une leçon de choses, une épreuve de force et d'endurance, une excellente façon de se préparer à affronter la vie. Sauf pour Myron.

Tout lui réussissait sur le parquet. Mais pas dans la vraie vie.

Il ressortit à la lumière du jour et remonta dans la limousine.

— On s'est trompé de gymnase. Je crois que le nouveau est derrière le terrain de foot.

149

Le chauffeur le conduisit vers l'autre bâtiment. En ouvrant la porte, Myron entendit le bruit réconfortant du ballon dribblé et le crissement familier des baskets sur la surface de jeu, comme une musique d'ambiance. Le nouveau gymnase bénéficiait d'aménagements dernier cri, quoi que cela veuille dire. Il y avait des lumières partout, des tableaux d'affichage design et des sièges confortables avec dossier. Tout étincelait. Mais l'odeur – mélange de sueur et de détergent – était la même. Myron sourit malgré lui.

Les joueurs de l'équipe étaient en plein entraînement, une moitié portait des chasubles vertes, l'autre moitié, des chasubles blanches. Myron s'assit au premier rang pour regarder, se retenant de sourire béatement. Ces gamins-là étaient forts, en meilleure forme et plus physiques qu'à son époque. Victorieux jusqu'ici, ils avaient une chance de battre le record établi voilà plus d'un quart de siècle, lorsque le dernier champion avait honoré ce campus de sa présence.

Devinez qui c'était.

Oui, ils étaient forts, mais il y en avait un qui sortait incontestablement du lot.

Un élève de seconde nommé Mickey Bolitar. Le neveu de Myron.

Il était pratiquement impossible de le quitter des yeux. Ce garçon, c'était de la poésie en mouvement. Myron observa attentivement son visage et reconnut l'expression de quelqu'un qui est « dans la zone », concentré et détendu en même temps, les nerfs à fleur de peau, mais aussi parfaitement à l'aise. Quel que soit le terme employé, tout cela pouvait se résumer en deux mots.

Chez soi.

Comme son oncle autrefois, sur le terrain de basket, Mickey était chez lui. La vie prenait tout son sens. On était en mesure de contrôler les événements. On avait des amis et des ennemis. On avait le ballon et les deux cerceaux. On avait des règles. Tout était cohérent. On était soi-même. On était en sécurité.

On était chez soi.

Le coach Grady aperçut Myron et vint le rejoindre. Il y a des choses qui ne changent pas. Le coach arborait toujours un polo avec un écusson brodé sur la poche et un short légèrement trop moulant. Il tendit la main à Myron et finit par le serrer dans ses bras.

— Ça fait un bail, lui dit Myron.

— Ouais.

Le coach Grady esquissa un geste circulaire.

— Que penses-tu du nouveau gymnase ?

Myron regarda pensivement autour de lui.

— Quelque part, l'ancien me manque, figure-toi.

— Je comprends.

— Ou alors nous sommes deux vieux croûtons.

— C'est une possibilité aussi.

— Je devrais peut-être rester sur mon perron et hurler sur les gosses qui marchent sur ma pelouse.

Tous deux se tournèrent vers le terrain. Mickey feinta un tir à trois points pour attirer le défenseur vers lui, puis passa le ballon à son coéquipier qui marqua sans difficulté.

— Il est exceptionnel, dit Grady.

— Tout à fait d'accord.

— Si ça se trouve, il sera meilleur que toi.

— La ferme.

Le coach Grady rit et donna un coup de sifflet.
Le jeu s'arrêta. Pour la première fois, Mickey relâcha
son attention et repéra son oncle. Il ne le salua pas.
Myron ne broncha pas non plus. Le coach réunit les
joueurs en cercle au centre du terrain, leur dit quelques
mots d'encouragement, puis lança :

— Vos mains !

Ils joignirent leurs mains et, après avoir crié « Tous
unis ! », coururent se doucher.

Mickey arriva au trot, une serviette autour du cou.
Myron se leva. À seize ans, Mickey était un peu plus
grand que lui, peut-être un mètre quatre-vingt-douze.
Il ne souriait pas beaucoup, du moins en présence de
son oncle, mais il faut dire que leur brève relation avait
été plutôt tendue jusqu'à récemment.

Cette fois, Mickey avait le sourire aux lèvres.

— Tu as les billets ? demanda-t-il.

— On doit les retirer sur place.

— Je me douche vite fait et je reviens.

Il s'éloigna, toujours au petit trot. Le gymnase se
vida. Myron ramassa un ballon oublié, descendit sur
le terrain et s'arrêta derrière la ligne médiane. Il fit
rebondir le ballon à trois reprises. Instinctivement, ses
doigts trouvèrent les sillons. Il expédia le ballon dans
le panier avec un parfait effet rétro. Swish. Il trottina
pour récupérer le ballon, retourna derrière la ligne
médiane et tira une deuxième fois. Il recommença et
recommença encore, jusqu'à perdre la notion du temps.

— Myron ?

C'était Mickey.

Ils sortirent sur le parking. En apercevant la limousine, Mickey marqua une pause.

— On y va avec ça ?

— Ouais. Ça te pose un problème ?

— Ça fait un peu m'as-tu-vu.

— Un peu beaucoup.

Mickey jeta un coup d'œil alentour pour s'assurer que personne ne le voyait. La voie étant libre, il se faufila à l'arrière, se pencha et tendit la main au chauffeur.

— Je m'appelle Mickey.

— Stan, répondit le chauffeur. Enchanté, Mickey.

— Moi aussi.

Mickey se rassit et boucla sa ceinture de sécurité. La voiture démarra.

— Je pensais que c'était râpé pour ce soir, dit-il à Myron.

— Je viens juste de rentrer.

— Tu étais où ?

— À Londres, répondit Myron. Grand-mère et grand-père, ça va ?

Grand-mère et grand-père, c'étaient Ellen et Alan Bolitar, les parents de Myron, venus passer quelques jours avec Mickey.

— Très bien.

— Ils reviennent quand, tes parents ?

Mickey haussa les épaules et regarda dehors.

— Normalement, c'est une retraite de trois jours.

— Et ensuite ?

— Ensuite, si tout va bien, maman ira à l'hôpital de jour.

Au ton de Mickey, Myron sentit qu'il valait mieux ne pas insister. Et pour une fois, il accepta de bonne grâce.

Il leur fallut une demi-heure pour se rendre au cœur de Newark. La salle omnisports du Prudential Center avait été surnommée le Rocher, par allusion au rocher de Gibraltar sur son logo. Les hockeyeurs des New Jersey Devils étaient la seule équipe professionnelle à jouer là. Les Nets avaient déménagé à Brooklyn, coupant avec leurs racines, mais Myron était déjà venu ici assister à des tournois universitaires de basket et aussi à deux concerts de Springsteen.

Il alla chercher leurs places et revint avec des pass backstage plastifiés en prime.

— On est bien placés ? s'enquit Mickey.

— Au premier rang.

— Cool.

— Tes tatas adoptives nous soignent aux petits oignons, tu le sais bien.

Au programme de la soirée : catch professionnel.

Autrefois, avant l'existence d'Internet et de ses myriades d'images de femmes dévêtues, les ados se rinçaient l'œil devant la télévision locale qui diffusait du catch féminin chaque dimanche matin. L'affiche de ce soir ressuscitait cette époque révolue, l'époque des FFL, les Fabuleuses Filles de la lutte (à l'origine, elles devaient s'appeler les Fabuleuses Odalisques de la lutte, mais les médias locaux butaient sur l'acronyme), et grandes favorites de la fédération.

Les FFL avaient mis la clé sous la porte depuis belle lurette, mais quelqu'un – essentiellement l'amie et ex-associée de Myron, Esperanza Diaz – avait insufflé une seconde vie à l'équipe. La mode était à la nostalgie, et Esperanza, connue du temps des FFL sous le nom de « Little Pocahontas, princesse indienne », comptait bien en tirer profit. Elle n'avait pas fait appel à de jeunes catcheuses sexy pour éblouir des adolescents. Ce marché-là était déjà saturé.

Place donc à la « tournée cougar » de catch professionnel.

Là, c'était la « tournée senior », et pourquoi pas ? Au golf, les tournées seniors attiraient les foules. Au tennis aussi. Les séances d'autographes avec de vieux acteurs des séries télé des années soixante-dix étaient tout aussi courues. Jetez donc un coup d'œil sur la programmation de vos festivals rock préférés – les Rolling Stones, les Who, Steely Dan, U2, Springsteen – et vous comprendrez que soit la jeunesse est hors jeu, soit elle manque de revenu disponible.

Alors comment ne pas en profiter ?

Ce soir, la rencontre de championnat dans la division cougar accueillait l'équipe composée de Little Pocahontas et Big Mama.

Alias Esperanza Diaz et Big Cyndi.

Lorsqu'elles entrèrent sur le ring – Esperanza toujours sublime dans son bikini en daim léopard avec un lasso en crin, et Big Cyndi, son mètre quatre-vingt-quinze et ses cent cinquante kilos engoncés dans une sorte de guêpière en cuir, une coiffe de plumes sur la tête –, le public les acclama bruyamment.

Mickey tourna la tête pour voir leurs adversaires émerger du tunnel.

— C'est quoi, ce… ?

La foule les accueillit par des huées.

Là-dessus, les FFL repoussaient réellement les limites. Alors qu'Esperanza et Big Cyndi entraient largement dans la catégorie de « ménagères de moins de cinquante ans », leurs méchantes adversaires

– « Mesdames et messieurs, des applaudissements pour l'Axe du Mal, Commie Connie et Irene Rideau de Fer » – pouvaient être appelées grand-mères.

Malgré cela, Commie Connie arborait toujours fièrement (ou par défi) le costume rouge ultramoulant parsemé d'étoiles et de portraits de Mao qui l'avait rendue célèbre, tandis qu'Irene se pavanait dans un maillot deux-pièces arborant la vieille faucille soviétique en travers de son décolleté.

Mickey se mit à tripatouiller son téléphone.

— Qu'est-ce que tu fais ? demanda Myron.

— Je regarde un truc.

— Quoi ?

— Attends.

Puis :

— Commie Connie a soixante-quatorze ans.

Myron sourit.

— Elle est au top, hein ?

— Euh… si tu le dis.

Mickey ne pouvait pas comprendre. Mais bon, il n'avait que seize ans. Myron avait regardé Connie quand il avait dix ans, alors peut-être la voyait-il avec ses yeux d'enfant, de même que nous écoutons nos groupes préférés avec nos oreilles d'enfant. Bref. Ils se rassirent et, tout en suivant le match, Myron se goinfra de pop-corn.

— Comme ça, Esperanza est censée être une Amérindienne ? demanda Mickey.

— Oui.

— Mais elle est latino, non ?

— Oui.

— Et Big Cyndi ?

— Dieu seul le sait.

— Mais elle n'est pas amérindienne.

— Ça, sûrement pas.

Myron lui lança un regard oblique.

— Il n'y a pas grand-chose de politiquement correct dans le catch pro.

— Dis plutôt que c'est carrément relou.

— Si tu veux. C'est un jeu. Laissons l'indignation pour demain.

Mickey attrapa une poignée de pop-corn.

— J'ai raconté aux gars de mon équipe que je connaissais Little Pocahontas.

— Ils ont été impressionnés, je parie.

— Grave. Le père de l'un d'eux a toujours son poster dans sa salle de muscu.

— Ça aussi, c'est politiquement incorrect, non ?

Sur le ring, Big Cyndi arborait un maquillage qui rendait ridiculement terne ceux des membres de Kiss. Sauf qu'elle se maquillait pareil dans la vraie vie. Big Cyndi pivota prestement devant le tendeur, fit une clé de cou à Commie Connie et, de sa main libre, envoya un baiser à Myron.

— Je vous aime, monsieur Bolitar, cria-t-elle.

Mickey était aux anges. Les autres spectateurs aussi. Dont Myron lui-même.

Cette « tournée senior » n'était au fond qu'une affaire de souvenirs, comme on attend de son groupe favori qu'il interprète ses vieux succès. C'était ça que les catcheuses offraient à leur public.

Little Pocahontas était très aimée de ses fans. Elle gagnait simplement parce qu'elle était la meilleure, belle, agile, délicate, dansant autour du ring, virevoltant ici et là sous les acclamations de la salle, quand ses méchantes adversaires lui tendaient un piège pour renverser la vapeur. Généralement, ça consistait à lui jeter du sable dans les yeux (Esperanza mimait à merveille « les yeux qui brûlent ») ou à utiliser le très redouté « objet étranger » pour la neutraliser.

Ce soir, Commie Connie et Irene Rideau de Fer firent les deux.

Pendant que l'attention de Big Mama était détournée par l'arbitre véreux à qui Commie Connie avait promis ses faveurs, Irene Rideau de Fer recourut au coup du sable dans l'œil, tandis que Commie Connie plantait l'objet étranger dans les reins d'Esperanza. Little Pocahontas était dans le pétrin ! Les deux méchantes s'étaient liguées contre elle – au mépris du règlement – et la pilonnaient de coups ; le public suppliait que quelqu'un vienne en aide à la pauvre enfant quand, finalement, Big Mama se rendait compte de la situation, poussait l'arbitre hors du ring, volait à la rescousse de la ravissante héroïne et, ensemble, Little Pocahontas et Big Mama faisaient reculer l'Axe du Mal.

Le spectacle était total.

La foule, y compris Myron et Mickey, se leva comme un seul homme et rugit.

— Et tu faisais quoi à Londres ? demanda Mickey.

— Je suis allé donner un coup de main à un vieil ami.

— Pour faire quoi ?

— Retrouver deux garçons portés disparus.

Mickey se tourna vers lui, la mine soudain grave.

— L'un d'eux est rentré aux États-Unis, non ?

— Tu es au courant ?

— C'est passé aux infos. Patrick quelque chose.

— Patrick Moore.

— Il a mon âge, hein ? Et il a disparu quand il avait six ans.

— C'est ça.

— Et l'autre gars ?

— Rhys Baldwin.

Myron secoua la tête.

— On continue à chercher.

Mickey déglutit, se retourna vers le match. Sur le ring, Little Pocahontas venait de balayer la jambe d'Irene Rideau de Fer, l'expédiant au tapis. Commie Connie était déjà au sol et – stupeur ! – Big Mama se tenait debout sur la corde.

— Le grand final, fit Myron en souriant.

Semblant défier la gravité, Big Mama fléchit les genoux et bondit en l'air. La salle retint son souffle quand, presque au ralenti, elle toucha terre, écrasant ses deux adversaires dans un bruit mat.

Aucune des deux ne bougea.

Lorsque Big Mama se releva, on s'attendait à les voir aplaties façon crêpe, comme dans un dessin animé. Big Mama roula par-dessus Connie. Pocahontas roula par-dessus Irene. Ensemble, elles les plaquèrent au sol ; la cloche sonna, et le présentateur cria :

— La victoire revient à notre équipe championne de la division cougar, sortie de la réserve pour vous aller droit au cœur... faites une ovation à Little Pocahontas et Big Mama !

Toute la salle était debout tandis que Big Cyndi hissait Esperanza sur ses épaules. Elles saluèrent et envoyèrent des baisers sous un tonnerre d'applaudissements.

Puis on appela les adversaires du match suivant.

13

Une heure plus tard, Myron et Mickey brandirent leurs passes pour accéder aux coulisses. Big Cyndi, toujours en guêpière de cuir et coiffée de plumes, se rua sur Myron.

— Oh, monsieur Bolitar !

Son maquillage commençait à couler, si bien que sa figure ressemblait à une boîte de pastels oubliée trop près de la cheminée.

— Salut, Big Cyndi.

Elle noua ses bras pareils à des troncs autour de Myron et l'attira contre elle, le soulevant légèrement du plancher. Big Cyndi était couverte de sueur et, quand elle vous étreignait, on avait l'impression d'être enveloppé dans un rouleau d'isolant thermique.

Myron sourit et profita pleinement de la situation. Lorsqu'elle eut fini par le reposer, il dit :

— Vous vous souvenez de mon neveu.

— Oh, monsieur Mickey !

Il eut droit à la même étreinte enveloppante. Mickey parut un peu déboussolé – c'était une expérience extrême pour un novice –, mais il joua le jeu.

— Je vous ai trouvée super, Cyndi.

Elle le regarda bizarrement.

— Cyndi ?

— Pardon. Big Cyndi.

Cela eut l'air de lui faire plaisir. Big Cyndi avait travaillé comme réceptionniste dans l'agence sportive de Myron et d'Esperanza. Comme elle était à cheval sur le protocole, pour elle il était M. Bolitar, et elle tenait à ce qu'on l'appelle Big Cyndi. Elle avait même modifié ses papiers d'identité, si bien qu'on y lisait maintenant : nom Cyndi, prénom Big.

— Où est Esperanza ? s'enquit Myron.

— Elle fait ses RP avec des VIP, répondit Big Cyndi. Elle est très demandée, vous savez.

— Je m'en doute.

— La plupart des VIP sont des hommes, monsieur Bolitar.

— Si vous le dites.

— Ils paient leur place cinq cents dollars. En échange d'une photo avec Little Pocahontas. Remarquez, moi aussi j'ai mon fan-club.

— Je sais bien.

— Mais moi, c'est mille dollars, monsieur Bolitar. Je suis plus sélective.

— C'est bon à savoir.

— Ça vous dit, un jus de légumes frais ? Vous avez une petite mine, monsieur Bolitar.

— Non, merci.

— Monsieur Mickey ?

Mickey leva la main.

— Non plus.

Deux minutes plus tard, Esperanza entra dans la loge, drapée dans un peignoir qui recouvrait son bikini en daim. Mickey bondit sur ses pieds. Il n'y avait pas photo : la beauté d'Esperanza ne laissait aucun homme indifférent. Elle avait le genre de physique qui fait penser aux couchers de soleil dans les Caraïbes ou à des promenades sur la plage au clair de lune.

— Oh, Mickey, comme c'est gentil à toi de te lever !

Esperanza fronça les sourcils à l'adresse de Myron qui restait assis, histoire d'enfoncer le clou. Elle embrassa Mickey sur la joue. Il la félicita pour sa performance. Myron attendait. Son amitié avec Esperanza ne datait pas d'hier. Elle avait travaillé pour lui dans son agence tout en étudiant le droit en cours du soir, et ils avaient fini par s'associer. Il savait tout d'elle. Elle savait tout de lui.

Après avoir bavardé quelques minutes avec Mickey, Esperanza lui prit la main.

— Tu permets que je dise deux mots à ton oncle en tête à tête ?

— Oui, bien sûr.

— Venez, monsieur Mickey, dit Big Cyndi en lui faisant signe de la suivre. Commie Connie vous a repéré au premier rang et elle aimerait faire votre connaissance.

— Euh… OK.

— Elle vous trouve – je la cite – « délicieux ».

Mickey blêmit, mais lui emboîta le pas.

— C'est un bon petit gars, fit Esperanza.

— Tout à fait.

— Il ne te hait plus ?

— Je ne crois pas.

— Et ses parents, ça va ?

Myron agita la main de gauche à droite.

— On verra.

Esperanza ferma la porte.

— Comme ça, tu étais à Londres.

— Ouais.

— Et tu ne m'as rien dit.

— Ça s'est décidé à la dernière minute.

— J'ai vu aux infos qu'un garçon porté disparu a été retrouvé à Londres.

— Ouais.

— Mais pas le cousin de Win.

— Non, dit Myron. C'est l'autre garçon, Patrick Moore.

— Ils ont parlé d'une explosion à l'endroit où il a été trouvé. Il paraît qu'un mur entier a été soufflé.

— Tu connais Win. Il n'est pas du genre à faire dans la dentelle.

Esperanza planta son regard dans le sien.

— C'est donc vrai ? Tu as réellement vu Win ?

— Oui. Il m'a appelé à la rescousse.

— Il va bien ?

— Pas plus mal que d'habitude.

— Tu sais bien de quoi je parle.

— Ça a l'air d'aller.

— Alors, toutes ces rumeurs comme quoi il aurait perdu la tête et vivrait en reclus…

— C'est lui qui les a lancées.

Myron lui raconta son séjour à Londres. À la voir assise en face de lui, il songea à l'époque bénie de leur agence : ils avaient passé des heures à parler contrats et sponsoring. Pendant de longues années, Esperanza avait fait partie de son quotidien. Et ça lui manquait.

Lorsqu'il eut terminé son récit, elle secoua la tête.

— Il y a un loup quelque part.

— Je sais.

— Et demain tu as rendez-vous avec le garçon que tu as sauvé ?

— C'est ce qu'on espère.

— Big Cyndi et moi, on pourrait t'aider.

— Je me débrouillerai. Vous avez assez de pain sur la planche comme ça.

— Ne fais pas ça, Myron.

— Ne pas faire quoi ? Tu as une entreprise à gérer.

— Justement, c'est moi qui gère. Big Mama et Little Pocahontas tournent par intermittence. On peut se libérer à n'importe quel moment.

Esperanza se pencha en avant.

— Il s'agit du cousin de Win. Je veux être de la partie. Big Cyndi aussi. Ne nous laisse pas à la porte.

Myron hocha la tête.

— OK.

Puis :

— À ce propos, où est Hector ?

Le visage d'Esperanza s'assombrit.

— Il est chez son père, siffla-t-elle.

— Ah… Si je comprends bien, la bataille pour sa garde ne se passe pas bien.

— Le juge est un pote de Tom. Un copain de golf, tu crois ça ?

— Tu ne peux pas demander à changer ?

— Mon avocat dit que non. Devine ce dont Tom m'accuse.

164

— Dis-moi.

— Je mène une vie de « débauche ».

Elle esquissa des guillemets avec ses doigts.

— Parce que tu es catcheuse ?

— Parce que je suis bisexuelle.

Myron fronça les sourcils.

— Sérieux ?

— Ouais.

— Mais la bisexualité est tellement banale de nos jours.

— Je sais.

— Presque un cliché.

— Ne m'en parle pas. Je me sens totalement has-been.

Elle détourna la tête.

— C'est à ce point-là ?

— Je risque de le perdre, Myron. Tu connais Tom. Il se prend pour le roi de la jungle. Peu importe si c'est bien ou mal, il se moque de ce qui est vrai ou faux. L'important est de gagner. De se battre coûte que coûte.

— Je peux faire quelque chose ?

— Répondre à une question.

— Oui ?

— Tu savais que c'était un sale con, non ?

Myron garda le silence.

— Alors comment as-tu pu me laisser épouser un type pareil ?

— Je pensais que ce n'était pas mon rôle de te dire quoi que ce soit à ce sujet.

— Et c'était le rôle de qui, alors ?

Et vlan. Prends-toi ça dans la figure. Esperanza le regarda fixement. Elle n'avait pas de famille. Elle n'avait que Myron, Win et Big Cyndi.

— Est-ce que tu m'aurais écouté ? demanda Myron.

— Pas plus que tu ne m'as écoutée quand je t'ai dit tout le mal que je pensais de Jessica.

— J'ai fini par y voir clair.

— Mais oui, juste après qu'elle t'a largué pour en épouser un autre.

Esperanza leva la main.

— Désolée, c'était stupide. C'est juste que je suis énervée.

— Ne t'inquiète pas pour ça.

— En plus, aujourd'hui tu as Terese.

— Qui trouve grâce à tes yeux.

— J'adore Terese. Si je pouvais lui faire virer sa cuti, je te la piquerais.

— Voilà qui est flatteur.

— Attends.

— Quoi ?

— Si Win est de retour, ça veut dire que je ne suis plus ton témoin ?

— Tu ne l'as jamais été, répondit Myron. Un témoin, c'est un nom masculin par définition.

— Macho, va.

— Mais, Terese et moi, on a quelque chose à te demander.

— Quoi ?

— On aimerait que ce soit toi qui célèbres notre mariage.

Il n'arrivait pas souvent à Esperanza de rester sans voix.

— Vraiment ?

— Oui. Il faut que tu te fasses ordonner en ligne, un truc comme ça, mais nous tenons à ce que ce soit toi qui nous maries.

— Bâtard, dit Esperanza.

— Hein ?

— J'ai encore des RP à faire, sauf que je vais me mettre à pleurer.

— Mais non. Tu es une dure à cuire.

— C'est vrai.

Elle se leva.

— Myron ?

— Oui.

— Combien de fois Win a demandé de l'aide ?

— Je crois que c'est la première fois.

— Il faut qu'on retrouve Rhys, déclara Esperanza.

Sur le chemin du retour, Mickey se montra peu loquace.

Les relations entre l'oncle et le neveu n'avaient pas toujours été au beau fixe. Mickey rendait Myron responsable de ce qui était arrivé à son père et sa mère. En un sens, il n'avait pas tort. Esperanza se demandait pourquoi Myron n'était pas intervenu pour la mettre en garde contre Tom. La raison avait pour nom Mickey. Des années plus tôt, Myron avait mis les pieds dans le plat quand son frère (le père de Mickey) Brad avait voulu partir avec une jeune prodige du tennis (la mère de Mickey), Kitty Hammer, atteinte de troubles du comportement.

Cette ingérence, dictée par les meilleures intentions du monde, s'était soldée par un désastre.

— Le garçon porté disparu, dit Myron. Il a ton âge.

Mickey regardait par la vitre. Il avait beaucoup enduré pour quelqu'un d'aussi jeune : une éducation précaire, une mère toxicomane, un père revenu d'outre-tombe dans des circonstances bizarres. Mickey semblait également avoir hérité le « complexe du héros » des Bolitar. Il avait aidé beaucoup de monde en très peu de temps. Myron était fier de lui, ce qui ne l'empêchait pas de se faire du mauvais sang.

— Je me disais que tu pourrais me filer des tuyaux sur sa façon de penser.

— Sérieux ? fit Mickey.

— Oui.

Mickey grimaça.

— Alors, si j'ai affaire à un type dans la quarantaine, il faut que je te demande des tuyaux pour savoir ce qu'il a dans le crâne ?

— Pas faux, acquiesça Myron.

— Il a été enlevé il y a dix ans ?

— Exact.

— Et tu sais où il a vécu pendant tout ce temps ?

Myron secoua la tête.

— Juste qu'on l'a trouvé en train de faire le trottoir.

Il y eut un silence.

— Myron ?

— Oui.

— Dis-moi tout, OK ?

Myron lui raconta toute l'histoire. Mickey l'écouta sans l'interrompre.

— Donc Patrick est chez lui maintenant, fit-il.

— Oui.

— Et tu es censé le voir demain.

— C'est le plan.

Mickey se frotta le menton.

— Si ça ne se passe pas bien, préviens-moi.

— Qu'est-ce qui te fait croire que ça ne se passera pas bien ?

— Rien.

— Et que feras-tu si ça ne se passe pas bien ?

Mickey ne répondit pas.

— Je ne veux pas te mêler à ça, Mickey.

— C'est un ado, Myron. Je pourrais te filer des tuyaux sur la manière dont on fonctionne, comme tu l'as suggéré toi-même, il n'y a pas cinq minutes.

14

La voiture de Myron grimpa la côte bordée de villas de luxe, aux proportions démesurées. Pas un brin d'herbe ne dépassait des pelouses. Les haies étaient taillées au cordeau. Le soleil brillait comme si on l'avait branché sur un variateur de lumière puissance maximum. Les briques idéalement patinées ajoutaient à l'effet carton-pâte genre Disney ou Las Vegas. Personne n'avait d'allée goudronnée. Elles étaient toutes dans une pierre calcaire qu'on avait peur d'abîmer en roulant dessus. Ça sentait l'argent à plein nez. Myron baissa la vitre, pensant entendre une bande-son adaptée à ce décor de rêve, du Bach ou du Mozart peut-être, mais tout n'était que silence, ce qui, à la réflexion, constituait la meilleure des bandes-son.

Ces demeures, belles et pittoresques, avaient le charme d'une chaîne de motels.

Il y avait plusieurs camions régie stationnés dans la rue, mais moins qu'on aurait pu l'imaginer. Le portail était ouvert. Myron s'engagea dans l'allée. Il était huit heures trente, une demi-heure avant le rendez-vous avec les Moore. Il descendit de voiture. L'herbe était si verte qu'il faillit se baisser pour s'assurer qu'elle n'avait pas été fraîchement peinte.

Un labrador chocolat accourut à sa rencontre. Sa queue remuait si frénétiquement que son postérieur avait du mal à suivre. Il glissa pratiquement sur les derniers mètres. Myron mit un genou à terre et le gratta derrière les oreilles.

Un jeune homme – il devait avoir une vingtaine d'années – le suivait, la laisse à la main. Il avait les cheveux longs et ondulés, le genre de cheveux qu'on repousse constamment en arrière pour qu'ils ne vous tombent pas dans les yeux. Il portait un jogging en lycra noir avec des manches bleu marine assorties au bleu marine de ses baskets. Myron eut l'impression de reconnaître un peu de ses deux parents dans ses traits.

— Comment s'appelle ton chien ?

— C'est une chienne. Chloe.

Myron se redressa.

— Tu dois être Clark.

— Et vous, Myron Bolitar.

Le jeune homme lui tendit la main.

— Enchanté, dit-il.

— Moi aussi.

Myron fit un rapide calcul. Clark était le frère aîné de Rhys. Il avait onze ans au moment des faits, ce qui lui faisait vingt et un ans aujourd'hui.

Ils restaient gauchement l'un à côté de l'autre. Clark regarda autour de lui et se força à sourire.

— Tu es étudiant ? s'enquit Myron pour meubler le silence.

— Oui, en troisième année.

— Où ça ?

171

— Columbia.

— Excellent, approuva Myron, toujours histoire de dire quelque chose. Tu as déjà choisi ta spécialité, ou c'est le genre de question casse-pieds que les adultes ne peuvent pas s'empêcher de poser ?

— Sciences politiques.

— Tiens, fit Myron. C'est ce que j'avais pris moi aussi.

— Super.

Nouveau silence gêné.

— Et tu as une idée de ce que tu veux faire plus tard ? lança Myron, n'ayant rien trouvé de plus tarte à demander à un garçon de vingt et un ans.

— Pour l'instant, aucune.

— Rien ne presse.

— Merci.

Était-ce de l'ironie ? En tout cas, la gêne ne fit que croître.

— Il faut peut-être que j'y aille, dit Myron en désignant la porte d'entrée, au cas où Clark aurait eu un doute sur sa destination.

Clark hocha la tête. Puis :

— C'est vous qui avez sauvé Patrick.

— On m'a aidé.

C'était idiot, encore une fois. L'humilité devait être le cadet des soucis de Clark.

— Maman dit que vous avez failli sauver Rhys aussi.

Ne sachant que répondre, Myron jeta un coup d'œil autour de lui quand soudain une pensée lui traversa l'esprit.

Ceci était la scène de crime.

172

Nancy Moore avait emprunté cette même allée quand elle était venue chercher Patrick.

— Tu avais onze ans, dit Myron.

— Oui, acquiesça Clark.

— Et tu ne te souviens de rien ?

— De quoi, par exemple ?

— N'importe quoi. Où étais-tu quand c'est arrivé ?

— Pourquoi ?

— J'essaie de réexaminer la situation, voilà tout.

— Et qu'est-ce que j'ai à voir là-dedans ?

— Rien, répondit Myron. Mais c'est ma façon de procéder. D'enquêter, je veux dire. J'avance à tâtons. Je pose des tas de questions ineptes. La plupart ne débouchent sur rien. Mais, quelquefois, même une question stupide peut provoquer une étincelle.

— J'étais à l'école, dit Clark. Dans la classe de M. Dixon. En CM2.

Myron réfléchit.

— Et Rhys et Patrick, pourquoi n'étaient-ils pas à l'école ?

— Ils étaient en maternelle.

— Et alors ?

— Ici, l'école maternelle, c'est juste le matin.

Myron restait songeur.

— De quoi te souviens-tu ?

— De pas grand-chose. Quand je suis rentré de l'école, la police était là.

Clark haussa les épaules.

— Tu vois ? fit Myron.

— Quoi ?

— Tu m'as aidé.

— Comment ?

La porte d'entrée s'ouvrit. Brooke appela :

— Myron ?

— Oui, désolé, j'étais en train de parler avec Clark.

Sans un mot, Clark mit la laisse à la chienne et partit au petit trot vers la rue. Myron s'approcha de Brooke, ne sachant s'il devait l'embrasser ou lui tendre la main. Elle le serra dans ses bras, mettant fin à son dilemme. Elle sentait bon. Elle portait un jean et un chemisier blanc. Une tenue qui lui allait bien.

— Vous êtes en avance, dit Brooke.

— Ça vous ennuie de me montrer la cuisine ? demanda Myron.

— Droit au but, hein ?

— Vous auriez préféré que je tourne autour du pot ?

— Sûrement pas. Venez.

Le sol était en marbre, et leurs pas résonnaient dans le hall ouvert sur deux étages. Il y avait un escalier d'apparat, comme on en voit rarement dans la vraie vie. Les murs couleur parme étaient ornés de tapisseries. Il y avait des marches entre le séjour et la cuisine, grande comme un court de tennis. Tout était blanc ou chromé, et Myron pensa au travail que cela devait représenter de nettoyer une pièce comme celle-ci. Les immenses baies vitrées offraient une vue spectaculaire sur le jardin avec piscine et belvédère. Au-delà, c'étaient les bois.

— Si je me souviens bien du rapport de police, dit-il, votre nounou était près de l'évier.

— C'est ça.

Myron pivota vers la gauche.

— Et les enfants étaient assis à la table de cuisine.

— Exact. Ils étaient rentrés après avoir joué dans le jardin.

Myron désigna les baies vitrées.

— Le jardin qui est là ?

— Oui.

— Donc ils jouent dehors, puis la nounou les fait rentrer pour le goûter.

S'approchant du panneau vitré, Myron voulut le faire coulisser. Mais il était bloqué.

— Ils seraient entrés par là ?

— Oui.

— Et elle a laissé la baie vitrée déverrouillée.

— On ne la verrouillait jamais, dit Brooke. On se sentait en sécurité ici.

En cet instant, on aurait entendu une mouche voler. Myron rompit le silence :

— D'après la nounou, les ravisseurs étaient cagoulés et vêtus de noir.

— Oui.

— Et vous n'avez aucun dispositif de surveillance ici ?

— Maintenant, si. Mais à l'époque, non. On avait une caméra à l'entrée pour voir qui sonnait à la porte.

— La police a dû examiner les enregistrements, j'imagine.

— Il n'y avait rien à examiner. Elle n'enregistrait pas. On s'en servait juste pour vérifier l'identité de nos visiteurs.

La table de cuisine était ronde, avec quatre chaises. Les Baldwin n'avaient que deux enfants, Clark et Rhys, et Myron se demanda s'il en avait toujours été ainsi. Après ce qui était arrivé à Rhys, personne n'avait eu le cœur de retirer la quatrième chaise. Dînaient-ils ici depuis dix ans, autour de cette table, face à une chaise vide ?

Il regarda Brooke. Elle savait à quoi il pensait. Cela se voyait sur son visage.

— On mange aussi sur l'îlot, dit-elle.

Au centre de la cuisine trônait un grand îlot en marbre, surplombé par toute une batterie de casseroles en cuivre. D'un côté, il y avait des rangements. De l'autre, six tabourets de bar.

— Une chose, dit Myron.

— Quoi ?

— Tout fait face aux baies vitrées. Enfin, tout sauf une chaise. L'évier. La cuisinière. Les tabourets de bar. Même la table.

Il s'approcha du panneau coulissant, regarda à droite et à gauche.

— Trois hommes cagoulés ont pu arriver jusqu'ici sans que personne ne les remarque ?

— Vada était occupée, dit Brooke. Elle préparait le goûter. Les enfants ne regardaient probablement pas par la fenêtre. Ils devaient jouer à la Game Boy ou chahuter ensemble.

Myron contempla le vaste jardin, les baies vitrées.

— Possible.

— Vous voyez une autre explication ?

Il était trop tôt pour répondre à cela.

— Clark m'a dit qu'il était à l'école au moment du kidnapping.

— Exact.

— Normalement, l'école se termine vers trois heures de l'après-midi. Mais chez vous, on va à la maternelle seulement le matin, c'est bien ça ?

— Oui, ils sont sortis à onze heures et demie.

— Et ça, les ravisseurs le savaient aussi.

— Et alors ?

— Et alors rien. Ça suppose une certaine organisation de leur part, c'est tout.

— La police a conclu qu'ils avaient suivi Vada ou Rhys et qu'ils connaissaient leur emploi du temps.

Myron réfléchit à cela.

— Mais Rhys ne rentrait pas forcément tous les jours après l'école, n'est-ce pas ? Je suppose qu'il lui arrivait d'aller chez l'un ou l'autre de ses petits camarades. Chez Patrick, par exemple.

— C'est vrai.

— Donc, d'un côté, ça a l'air d'avoir été soigneusement planifié. Trois hommes. Connaissant l'emploi du temps. Mais, d'un autre côté, ils misent sur le fait que votre fille au pair n'aura pas verrouillé la baie vitrée et que personne ne les verra approcher.

— Ils pouvaient savoir qu'elle ne la verrouillait jamais.

— En l'espionnant tandis qu'elle rentrait du jardin dans la cuisine ? C'est peu plausible.

— Ils auraient pu briser la vitre, dit Brooke.

— Comment ça ? Je ne comprends pas.

— Admettons que Vada les ait repérés. Croyez-vous qu'elle aurait eu le temps de bloquer l'ouverture ? Et même dans ce cas, ils auraient pu casser la vitre et s'emparer des enfants.

Tout était envisageable, pensait Myron. Mais pourquoi attendre ? Pourquoi ne pas kidnapper les garçons pendant qu'ils jouaient dehors ? Pour que personne ne puisse surprendre la scène ?

Il était prématuré de se livrer à des spéculations. Il lui manquait trop d'éléments pour cela.

— Ainsi les ravisseurs pénètrent dans la cuisine, là où nous sommes actuellement.

Brooke se raidit.

— Oui.

— C'était un peu abrupt, désolé.

— Je n'ai pas besoin qu'on me surprotège.

— Je n'ai aucune intention de vous surprotéger. Mais ça ne veut pas dire que je dois manquer de tact.

— On va régler ça une bonne fois pour toutes, déclara Brooke. Vous vous demandez sans doute comment je fais pour tenir le coup. Pour entrer jour après jour dans cette cuisine et passer devant l'endroit où Rhys a été enlevé. Est-ce que je bloque ? Est-ce que je pleure ? Un peu des deux, je pense. Mais, surtout, je me souviens. Je viens ici, et le passé me tient compagnie. J'en ai besoin. Personne ne comprend pourquoi on n'a pas déménagé. Pourquoi nous cultivons cette souffrance. Alors je vais vous le dire : mieux vaut souffrir qu'abandonner. Une mère n'abandonne jamais son enfant. Je peux vivre avec la souffrance. Je ne peux pas vivre avec l'abandon.

Myron repensa à ce que Win lui avait raconté, le deuil impossible de Brooke. Tôt ou tard, on est obligé de découvrir la vérité. On peut éventuellement vivre avec la souffrance, mais l'incertitude, le purgatoire, les limbes, ça vous ronge jusqu'à la moelle.

— Vous comprenez maintenant ? fit Brooke.

— Oui, je comprends.

— OK, question suivante.

Myron se jeta à l'eau.

— Pourquoi le sous-sol ?

Il pointa le doigt sur la vitre coulissante.

— Vous entrez par effraction dans la maison. Vous vous emparez des enfants. Reste la nounou. Vous décidez de la laisser en vie. Vous la ligotez. Mais pourquoi ne pas la laisser ici ? Pourquoi l'emmener au sous-sol ?

— Pour la raison que vous venez d'évoquer.

— C'est-à-dire ?

— S'ils l'avaient ligotée ici, on aurait pu la voir depuis le jardin.

— Mais si le jardin est si exposé, pourquoi passer par là ?

Myron entendit des pas lourds dans l'escalier. Il consulta sa montre. Huit heures quarante-cinq.

— Brooke ?

C'était Chick. Il hâta le pas, mais, en apercevant Myron, s'arrêta net. Il portait un costume cravate et une sorte d'élégant fourre-tout en cuir, équivalent moderne de l'attaché-case. Comme s'il comptait aller au bureau après l'entretien avec Patrick.

Sans autre forme de cérémonie, Chick brandit son téléphone.

— Tu ne lis pas tes textos ? demanda-t-il à sa femme.

— J'ai laissé mon portable dans l'entrée. Pourquoi ?

— Nancy nous a envoyé un texto groupé. À toi et à moi. Elle veut qu'on se retrouve chez eux plutôt qu'ici.

15

Ils prirent la voiture de Myron. Il fit le chauffeur, et Chick et Brooke étaient assis à l'arrière. Ils se tenaient par la main, un geste surprenant pour ces deux-là.

— Au bout de la rue à gauche, dit Chick.

Myron redescendit la côte. Ici, les maisons étaient un peu moins cossues, mais on restait toujours chez les nantis. Chick lui indiqua le chemin. Le trajet fut court, moins de deux kilomètres.

Lorsqu'ils s'engagèrent dans la rue des Moore, Chick jeta un coup d'œil par le pare-brise et marmonna :

— Saloperie !

Des camions régie étaient garés des deux côtés de la chaussée. Pas étonnant. Après dix ans d'absence, Patrick Moore était de retour. Les médias voulaient des images du garçon kidnappé, des heureux parents, de la famille au grand complet. Jusqu'à présent, ils ne disposaient que d'une seule photo de Patrick. Un aide-soignant à l'hôpital de Londres avait pris un cliché passablement flou de l'ado endormi et l'avait vendu à un tabloïd anglais.

Manifestement, ils en voulaient davantage.

Les reporters encerclèrent la voiture, mais Myron ne s'arrêta pas, si bien que la voie fut dégagée. Il y avait un policier municipal à l'entrée de l'allée. Il fit signe à Myron d'avancer et barra le passage à ses poursuivants. Les reporters se rabattirent sur leurs téléobjectifs. Myron remarqua un panneau À VENDRE sur la pelouse. La porte du garage s'ouvrit devant lui. Il s'engouffra à l'intérieur, et la porte commença à se refermer automatiquement derrière eux. Myron coupa le moteur, et ils attendirent la fermeture complète de la porte avant d'ouvrir les portières.

C'était un garage pour deux voitures. À côté d'eux, il y avait une Lexus. Le garage n'était pas encombré de bric-à-brac, pas parce que les propriétaires étaient particulièrement ordonnés, mais parce qu'il n'y avait pas grand-chose. Rien ici n'évoquait la vie de famille suburbaine, mais c'était somme toute logique. Patrick avait une sœur aînée, Francesca, qui devait avoir à peu près l'âge de Clark, et c'était tout. Hunter et Nancy étaient divorcés. Jusqu'à récemment, donc, Nancy avait été une femme seule, et sa fille étudiait à l'université. Elle se préparait visiblement à déménager pour refaire sa vie ailleurs.

La porte entre la maison et le garage s'ouvrit. Hunter Moore passa la tête dans l'entrebâillement. Il parut surpris de voir Myron, mais se ressaisit aussitôt.

— Allez, venez, tout le monde.

Ils gravirent deux marches en béton avant de poser le pied sur le carrelage. La cuisine était aménagée dans un style rustique, avec parements en pierre et meubles de rangement en bois massif. Nancy se tenait devant la table avec un homme que Myron ne connaissait pas.

L'homme sourit, et Myron se crispa légèrement. Maigre, la cinquantaine, il avait le crâne dégarni et des lunettes qu'en d'autres temps on aurait qualifiées de bésicles. Chemise en jean rentrée dans un jean délavé, il ressemblait à un animateur de festival folk en plein air.

Il y eut un moment de flottement comme si les deux couples se préparaient à se battre par champions inter-posés. Myron tenta de percer l'état d'esprit de Nancy et Hunter. Tout ce qu'il ressentit, ce fut leur anxiété. M. Festivalfolk, en revanche, semblait dans son élé-ment. Il parla le premier.

— Si on s'asseyait ?

— Vous êtes qui, vous ? demanda Chick.

L'inconnu le considéra avec son sourire dégoulinant de bienveillance.

— Je suis Lionel.

Chick contempla Myron, puis sa femme et enfin les Moore.

— Où est Patrick ?

— Il est en haut, répondit Lionel.

— Et quand pourrons-nous le voir ?

— Bientôt, dit Lionel. Si on allait s'installer au salon ? On y sera plus à l'aise.

— Lionel, fit Chick.

— Oui ?

— Est-ce qu'on a une tête à vouloir se mettre à l'aise ?

Lionel acquiesça d'un air si compréhensif et com-patissant que c'en devenait ridicule.

— Vous avez raison, Chick. Je peux vous appeler Chick ?

Chick regarda Myron et Brooke comme pour dire :
« Qui c'est, ce bouffon ? »

Brooke fit un pas vers Nancy.

— Que se passe-t-il, Nancy ? Qui est ce type ?

Nancy semblait perdue, mais Lionel se présenta lui-même.

— Mon nom est Lionel Stanton. Je suis le médecin de Patrick.

— Quel genre de médecin ? demanda Chick.

— Psychiatre.

Mmm. Myron n'aimait pas la tournure que prenaient les événements.

Nancy Moore saisit la main de Brooke.

— Nous voulons vous aider.

— Évidemment, ajouta Hunter.

Il chancela légèrement, et Myron se demanda s'il était à jeun.

— Pourquoi j'ai l'impression d'entendre un « mais » ? fit Chick.

— Il n'y a pas de « mais », dit Lionel. Il faut juste que vous compreniez. Patrick vient de vivre une terrible épreuve.

— Pas possible, rétorqua Chick, la voix lourde d'ironie. Vous m'en direz tant.

— Chick !

Brooke secoua la tête pour lui intimer d'arrêter.

— Poursuivez, docteur.

— Je pourrais noyer le poisson, reprit Lionel, mais je vais être franc avec vous. Pas d'atermoiements. Pas de faux-semblants. Pas d'excuses. Rien que la vérité nue.

Nom d'un chien, pensa Myron.

— À ce stade, Patrick ne peut pas vous aider.

Chick ouvrit la bouche, mais Brooke le réduisit au silence d'un geste de la main.

— Qu'entendez-vous par là ?

— Si j'ai bien compris, hier soir, Mme Moore a suggéré que vous vous rencontriez chez vous.

— C'est ça.

— Je me suis opposé à cette décision. C'est pour ça que vous êtes ici. Ramener Patrick sur les lieux où tout a commencé – la scène de crime, si vous préférez – pourrait avoir des conséquences désastreuses sur son psychisme déjà fragile. Patrick est quasiment catatonique. Quand il ouvre la bouche, c'est pour dire qu'il a faim ou soif, et même ça, seulement si on le lui souffle.

Pour la première fois, Myron sortit de son silence.

— Vous lui avez parlé de Rhys ?

— Bien sûr, dit Lionel.

— Et ? demanda Brooke.

Il reprit son air compatissant à deux balles.

— Patrick ne peut rien nous dire au sujet de votre fils. Je regrette.

— Foutaises, lâcha Chick.

Nancy fit un pas vers Brooke.

— Nous faisons de notre mieux.

— Vous avez récupéré votre fils, répondit Brooke. Pas nous. Vous ne comprenez pas ? Nous ne sommes pas plus avancés qu'avant toute cette histoire.

— À mon avis, il n'aura pas grand-chose à nous apprendre de toute façon, intervint Lionel.

Mais Chick ne l'entendait pas de cette oreille.

— Je vous demande pardon ?

— Ne vous méprenez pas. Je suis avec lui en permanence. Nous faisons notre possible pour qu'il se confie à nous. Mais, à l'heure qu'il est, ses souvenirs restent vagues. Il se souvient avoir été enfant ici, et c'est à peu près tout. Même s'il vous racontait l'enlèvement, je doute que ça nous aiderait. On sait seulement que votre fils et Patrick étaient détenus par le même homme.

— Patrick l'a confirmé ? interrogea Myron.

— Pas de façon explicite. Notre priorité, c'est qu'il retrouve ses marques. Patrick passe beaucoup de temps en compagnie de sa sœur, Francesca. Je pense que sa présence le réconforte. Nous voulons qu'il ait des fréquentations de son âge, qu'il commence à sortir, mais il faut y aller doucement.

— C'est quoi, ce cirque ? hurla Chick.

— Calme-toi, Chick, lui conseilla Hunter.

— Tu parles que je vais me calmer. Ton gamin sait ce qui est arrivé au mien. Il doit tout nous dire.

— Malheureusement, ce ne sera pas possible, fit Lionel.

— Vous êtes sérieux, là ? Ceci est une enquête sur un kidnapping. Je vais appeler les flics.

— Ça ne servira à rien, dit Lionel.

— Et pourquoi ça ?

— En tant que médecin de Patrick, j'ai déconseillé à la famille de laisser leur fils répondre aux questions de la police. Je me dois de protéger mon patient et, à la vérité, c'est mieux pour tout le monde. Encore une fois, je vous assure que nous faisons notre possible pour offrir à Patrick un espace où il se sentira suffisamment à l'aise pour se confier.

— Et ce sera dans combien de temps ? s'enquit Chick.

— Chick, dit Nancy, on fait tous de notre mieux.

— Et on fait quoi maintenant ? demanda Brooke d'un ton tranchant. On rentre chez nous et on attend que vous nous appeliez ?

— Je sais combien c'est dur, dit Nancy.

— Oui, Nancy, tu es bien placée pour le savoir.

— Mais il faut que je pense à mon fils.

— Ton fils…

Brooke serra les poings.

— … est à la maison. Tu comprends ça ? À la maison. Tu peux le prendre dans tes bras. Tu peux le nourrir et veiller à ce qu'il n'ait pas froid la nuit. Mon fils…

Pour la première fois, Myron vit la fêlure dans la carapace de Brooke. Chick s'en rendit compte aussi.

— Allez vous faire voir !

Et il sortit en trombe de la pièce.

— Où allez-vous comme ça ? l'interpella Lionel.

Chick l'ignora et se dirigea vers l'escalier.

— Patrick ?

— Attends, dit Hunter. Tu ne peux pas monter.

— Arrêtez-vous, renchérit Lionel. Vous allez le traumatiser.

Sans un regard en arrière, Chick entreprit de gravir les marches. Hunter se précipita pour le rattraper. Myron hésita, puis se déplaça légèrement, juste assez pour obliger Hunter à le contourner.

Chick appela :

— Patrick ?

Myron entendit une porte s'ouvrir et se refermer. Hunter et Lionel se ruèrent dans l'escalier. Myron leur emboîta le pas, prêt à s'interposer en cas de besoin. Brooke et Nancy suivirent. Tout le monde criait, sauf Myron. Lorsqu'ils arrivèrent à l'étage, Chick se tenait devant la porte du fond.

— Non ! cria Hunter.

Trop tard.

Chick poussa la porte et se figea.

Myron était beaucoup plus grand et plus fort que Lionel. Il n'eut aucune peine à lui barrer le passage pour parvenir à la porte de la chambre avant lui.

Il jeta un coup d'œil à l'intérieur. Patrick était blotti dans un coin comme s'il cherchait à s'incruster dans le bois.

Rien n'avait changé dans cette chambre depuis la dernière décennie. C'était la chambre d'un enfant de six ans. Le lit avait la forme d'une voiture de course. L'affiche d'un vieux film de super-héros ornait un pan de mur. Trois trophées sportifs de taille modeste trônaient sur une étagère. Son prénom s'étalait en grosses lettres de bois au-dessus du placard. Le papier peint était d'un bleu vif. Les motifs de la moquette représentaient un terrain de basket.

Patrick était vêtu d'un pyjama de flanelle. Il y avait un casque par terre devant lui, mais, en cet instant, il se bouchait les oreilles avec les deux mains. Les yeux fermés, les genoux sous le menton, il se balançait d'avant en arrière.

— Ne me faites pas de mal, ne me faites pas de mal, marmonnait-il comme si c'était un mantra.

Nancy Moore bouscula Myron et, se laissant tomber à genoux, serra son fils dans ses bras. Il enfouit son visage dans son épaule. Nancy darda un regard noir sur la porte. Hunter entra dans la chambre derrière elle. Suivi de Lionel. Tous les trois formèrent une ligne pour protéger l'adolescent en pleurs.

— On a essayé de vous l'expliquer gentiment, déclara Hunter. Allez, maintenant sortez d'ici.

16

J'adore Rome.

Je descends toujours à l'Excelsior où je loue la suite Villa La Cupola, qui occupe les deux derniers étages de cet ancien palais. J'aime la terrasse qui surplombe la Via Veneto. J'aime les fresques de la coupole peintes de façon à prolonger l'horizon qu'on voit par la fenêtre. J'aime le théâtre privé, le sauna, le hammam, le jacuzzi.

Qui n'aimerait pas cela ?

Dans le temps, Vincenzo, le concierge, connaissait et gérait mes exigences en matière de… divertissement. Il s'arrangeait pour qu'une « invitée de charme » ou une « courtisane » m'attende à mon arrivée. Quelquefois, il y en avait deux. Plus rarement trois. La Villa La Cupola possède six chambres à coucher. Comme ça, la demoiselle en question pouvait, si elle le souhaitait, passer la nuit sur place, mais pas avec moi. Je suis ainsi. On ne me changera pas.

Oui, j'ai maintes fois fait appel à des prostituées. Je vais marquer une pause pendant que vous clamez votre indignation et affirmez haut et fort votre supériorité morale.

Ça y est ? Parfait.

Je pourrais faire remarquer que ces escorts étaient toutes « haut de gamme » ou « triées sur le volet », mais, sur le fond, ça ne change pas grand-chose, et il serait hypocrite de ma part de prétendre le contraire. Pour moi, c'était une transaction comme une autre. J'aime le sexe. Alertez les médias. J'aime beaucoup le sexe... et par « sexe », j'entends les plaisirs de la chair, point barre. J'aime le sexe réduit à sa plus simple expression, sans les liens d'attachement et autres distractions courantes. Myron croit que ce qu'il nomme « amour » ou « sentiments » embellit la chose. Pas moi. Je pense que ces notions contribuent à la diluer.

N'allez pas chercher midi à quatorze heures. Je n'ai pas peur de m'engager. C'est juste que ça ne m'intéresse pas.

Je n'ai jamais fait semblant. Jamais menti aux femmes avec lesquelles j'ai entretenu des relations, tarifées ou classées dans ce qu'on appelle communément aventures d'un soir (parfois deux, voire trois). Elles comprennent la situation. Je leur en explique les limites et, j'espère, les délices qu'elles peuvent en retirer. Bon nombre d'entre elles ont cru pouvoir me conquérir, persuadées qu'après une démonstration de leurs talents au lit j'allais succomber à leur charme irrésistible et vouloir aller plus loin qu'une vulgaire partie de jambes en l'air.

Quelque part, ça peut se comprendre. « Allez, donne-toi à fond, ma belle. Ce n'est pas moi qui vais te freiner. »

Mon plus cher ami, Myron Bolitar, même si le mot « ami » est trop faible pour décrire le lien qui nous unit, s'inquiète de cet aspect de ma personnalité. Il a l'impression qu'il me « manque » quelque chose. Il l'attribue à ce qui s'est passé entre ma mère et mon père. Mais peu importe la cause. Je suis ce que je suis. Il affirme que je ne m'en rends pas compte. C'est faux. Je comprends le besoin de partager. Mes moments préférés, c'est quand on se retrouve, lui et moi, pour parler de la vie, regarder la télé ou disséquer un événement sportif… et, une fois qu'on a fini, je vais au lit avec une femme au corps de déesse et je me régale.

À votre avis, il me manque quelque chose ?

Je n'ai pas l'intention de me justifier devant quiconque serait tenté de me juger, mais juste pour votre gouverne : je suis pour l'égalité des salaires, des opportunités. Le féminisme, d'après la définition du dictionnaire, est la « théorie de l'égalité politique, économique et sociale des sexes ». Selon cette définition, et toutes les autres que je connais, je suis féministe.

Je ne mens pas aux femmes. Je ne les trompe pas. Je traite chaque invitée, chaque employée avec respect et considération. Et elles me le rendent bien. Sauf, bien sûr, durant ces moments torrides où aucun de nous deux n'a envie d'être traité avec respect et considération, si vous voyez de quoi je parle.

Vous vous demandez peut-être pourquoi j'ai cessé de recourir aux services des professionnelles qui m'avaient tant réussi jusqu'ici. La vérité, c'est que j'en ai terminé avec l'illusion du consentement, de la transaction commerciale équitable, du contrat sans contrainte. Mon expérience m'a appris que ce n'est pas toujours le cas. Les événements récents, surtout quand on considère le calvaire de Patrick et Rhys, n'ont fait que le confirmer. Certains estiment que j'aurais dû en prendre conscience plus tôt, que je me suis voilé la face pour satisfaire mes propres lubies.

Une fois de plus, ça peut se comprendre.

Je quitte mes appartements et prends l'ascenseur pour descendre dans le hall rococo de l'Excelsior. Vincenzo me voit et m'interroge du regard. Discrètement, je fais non de la tête. Il craint de ne plus toucher de pourboires, mais pourquoi lui ferais-je payer les soubresauts de mon improbable code moral ?

Je connais bien Rome. Pas aussi bien que ses habitants, mais j'y ai longuement séjourné dans le passé. Je descends la Via Veneto jusqu'à l'ambassade américaine, puis tourne dans la Via Liguria et suis les méandres de la rue jusqu'aux Marches espagnoles. C'est une magnifique promenade. Je dévale les cent trente-cinq marches et me dirige vers la célèbre fontaine de Trevi. L'endroit grouille de touristes. Cela ne me dérange pas. Je me joins à eux, sors une pièce de monnaie et, avec la main droite, la lance par-dessus mon épaule gauche.

Un geste saugrenu pour un homme de ma classe, direz-vous. Assurément. Mais si certaines traditions rencontrent autant de succès, c'est sans doute pour une bonne raison, non ?

Mon portable sonne. Je réponds :

— Articule.

— Ils sont là, dit une voix dans le téléphone.

Je remercie et raccroche. Il me faut cinq minutes pour me rendre à la boutique de la Piazza Colonna. Ça, c'est Rome. Tout est vieux. On n'a pas cherché à mettre les choses au goût du jour et, pour une fois, j'en suis heureux. La colonne de marbre au milieu de la place, érigée en l'honneur de Marc Aurèle, se dresse là depuis l'an 193 de notre ère. Au seizième siècle, presque mille quatre cents ans plus tard, le pape de l'époque a fait placer une statue en bronze de saint Paul sur le sommet de la colonne.

L'histoire en deux mots : « Bye-bye, votre dieu. Hello, le mien. »

Il y a un palais à l'extrémité nord de la place. Et une « galleria » plutôt chic à l'est. « Galleria », soit dit en passant, est une appellation snob pour un centre commercial. Le magasin de sport que je cherche, avec sa petite vitrine tape-à-l'œil, jouxte une minuscule église blanche du dix-huitième siècle. Dans la vitrine, un mannequin enfant arbore le maillot de l'AS Roma. Tout autour, il y a des ballons de foot, des crampons de foot, des chaussettes de foot, des écharpes de foot, des casquettes de foot et des sweat-shirts de foot.

Bref, le royaume du foot.

J'entre. L'homme derrière le comptoir est en train de téléphoner à un client. Il fait mine de ne pas me voir. Je me dirige vers le fond du magasin et monte l'escalier. Je ne suis encore jamais venu ici, mais on m'a donné des instructions très précises. Je frappe à la porte du fond. La porte s'ouvre.

— Entrez, dit l'homme.

Je pénètre dans la pièce, et il referme la porte derrière moi. Puis il me tend la main.

— Giuseppe.

Giuseppe porte une tenue d'arbitre de foot. Tout est là : maillot, short noir, chaussettes montantes, sifflet autour du cou. Sa grosse montre doit aussi servir de chronomètre.

Je jette un œil derrière lui. La pièce est aménagée comme un mini-terrain de football. La moquette est vert gazon avec un marquage blanc : ligne médiane, lignes de touche, surfaces de réparation. Deux bureaux représentent les cages de but. Ils sont placés face au mur, si bien que leurs deux occupants se tournent le dos. Tous deux pianotent frénétiquement sur leurs claviers.

— Voici Carlo, dit Giuseppe en désignant l'homme à sa droite.

Carlo arbore la tenue de l'équipe romaine, pourpre impériale gansée d'or. Son mur est décoré de toutes les reliques de son club, y compris le logo, la louve allaitant Romulus et Remus, ce qui est historiquement intéressant et visuellement déroutant. Les portraits des joueurs de l'équipe actuelle s'alignent sous le plafond.

Carlo continue à taper sans même prendre la peine de me saluer, ne serait-ce que d'un signe de la tête.

— Et voici Renato.

Renato au moins hoche la tête. Lui aussi est en tenue de joueur de foot, bleu ciel et blanc. Son bureau-cage de but est entièrement dédié à la Lazio. Tout ici est bleu ciel. Chez lui aussi, les portraits sont affichés sous le plafond. Le logo de la Lazio est plus simple que celui de l'AS Roma : un aigle tenant un bouclier dans ses serres.

— Messieurs, dit Giuseppe dans un anglais teinté d'un fort accent, je vous présente notre nouveau sponsor.

En un sens, c'est Myron qui m'a envoyé ici. Il a une mémoire extraordinaire. Je lui ai demandé un maximum de précisions sur le peu de temps passé avec Gros Gandhi. Il m'a parlé de la partie en cours au moment de son arrivée. Je ne connais pas grand-chose aux jeux en ligne, mais il se rappelait que Gros Gandhi tenait à tout prix à battre ses principaux concurrents, « ces fichus Ritals » dont l'équipe avait pour nom ROMAVSLAZIO.

Roma vs Lazio.

Pour ceux qui n'ont pas une culture footballistique suffisante, la Roma et la Lazio sont deux équipes rivales qui se détestent cordialement. Toutes deux partagent le même stade. Sans entrer dans le détail, chaque année elles s'affrontent lors des Derbys della Capitale – inutile de traduire, je pense –, qui sont les matchs les plus chauds de l'histoire du sport urbain.

Se penchant, Giuseppe chuchote :

— Ils ne s'aiment pas beaucoup.

— C'est plutôt la haine, marmonne Carlo tout en continuant à taper.

— Crétin, va, riposte Renato, histoire de lui mettre la semelle comme on dit en langage footeux.

— Arrêtez, tous les deux, ordonne Giuseppe.

Et il ajoute à mon intention :

— Carlo et Renato se sont connus au cours d'une bagarre à la sortie du Stadio Olimpico.

— La Roma avait gagné, précise Carlo.

— En trichant, rectifie Renato.

— Tu n'es qu'un mauvais perdant.

— L'arbitre avait touché de l'argent.

— N'importe quoi.

— Ton gars était hors jeu de trois mètres !

— Ça suffit, intervient Giuseppe. Vous comprenez donc pourquoi il y a eu bagarre.

— Ce fou furieux a voulu me tuer, dit Carlo.

— Tu n'exagères pas un peu ?

— Il m'a poignardé avec un couteau.

— C'était un stylo !

— Ça m'a fait un trou dans la peau.

— Ce n'est pas vrai.

— Une écorchure, en tout cas. J'avais une trace bleue sur le bras !

— La Roma a peur du noir.

— Les joueurs de la Lazio portent des jupes.

— Tu me retires ça tout de suite.

Carlo porte une main à son oreille.

— C'est quelle équipe, déjà, qui a remporté le plus de derbys ?

— C'est bon.

Le visage de Renato vire à l'écarlate.

— Allons-y !

Il se lève et lance un trombone à travers la pièce. Celui-ci heurte le dossier de la chaise de Carlo, qui s'écroule comme s'il avait été touché par une balle.

— Mon œil ! Mon œil !

Il plaque sa main sur son œil et se roule par terre comme s'il souffrait le martyre. Giuseppe donne un coup de sifflet et se précipite vers Renato, tirant un carton jaune de sa poche.

— Retourne à ta place !

— C'est du pipeau ! crie Renato.

Carlo, tout sourire, écarte sa main et lui adresse un clin d'œil. Giuseppe se tourne vers lui, et il se remet à grimacer de douleur, la main sur l'œil.

— C'est du pipeau ! insiste Renato.

— Va t'asseoir, je te dis. Ne m'oblige pas à sortir le carton rouge.

Renato obéit en fulminant. Carlo se rassoit avec précaution sur sa chaise.

Giuseppe revient vers moi.

— Ils sont cinglés, tous les deux. Mais très forts dans leur domaine.

— Le jeu en ligne ?

— Oui, mais, plus généralement, tout ce qui touche à l'informatique.

— Mais ils ont perdu contre Gros Gandhi.

Carlo et Renato pivotent sur leurs sièges comme un seul homme :

— Il triche.

— Comment le savez-vous ?

— Personne ne peut nous battre en utilisant des moyens honnêtes, répond Carlo.

— L'équipe de Gros Gandhi est forcément composée de plus de deux joueurs, renchérit Renato.

Je repense à ce que Myron m'a raconté de leur entrevue.

— En effet.

Tous deux s'arrêtent de taper.

— Vous en êtes sûr ?

— Absolument.

— Comment le savez-vous ?

— Ce n'est pas important.

— Ça l'est pour nous, dit Carlo.

— Il nous a volé notre titre, ajoute Renato.

— Vous allez pouvoir prendre votre revanche, leur dis-je. Avez-vous mis mon plan à exécution ?

— Cent mille euros ?

— Oui.

Carlo se remet à taper, le sourire aux lèvres. Renato aussi.

Giuseppe dit :

— Nous sommes prêts.

17

Esperanza rejoignit Myron chez Baumgart, tout au fond de la salle.

Ce restaurant, anciennement traiteur spécialisé dans la cuisine juive d'Europe centrale, avait été racheté par un immigré chinois du nom de Peter Chin. Désireux de se démarquer dans les limites du raisonnable, Peter avait gardé les spécialités d'antan auxquelles il avait adjoint une carte fusion asiatique (ne me demandez pas ce que ça veut dire), quelques néons et une déco 2.0. Désormais, on pouvait y commander du poulet kung bao, du pastrami Reuben, des aubergines sautées à la chinoise ou un club sandwich à la dinde.

Peter arriva et s'inclina devant elle.

— Votre présence est un grand honneur pour mon restaurant, mademoiselle Diaz.

— Hmm hmm, fit Myron.

— Et vous-même ne jetez pas vraiment l'opprobre sur sa réputation.

— Elle est bonne, celle-là, dit Myron.

— Vous avez vu ? demanda Peter.

— Vu quoi ?

Rayonnant, Peter pointa le doigt.

— Regardez mon mur d'honneur !

Comme beaucoup de restaurants, Baumgart affichait les photos encadrées et signées des célébrités venues dîner ici. On y trouvait pêle-mêle toutes les stars du New Jersey. Brooke Shields. Dizzy Gillespie. Grand-père (Al Lewis) Munster voisinait avec plusieurs acteurs des *Soprano*, des joueurs des New York Giants, des présentateurs de chaînes locales, un mannequin maillots de bain de *Sports Illustrated* et un auteur que Myron avait lu autrefois.

Là, en plein milieu, entre un rappeur et un méchant de la vieille série télé *Batman*, trônait une photo d'Esperanza en Little Pocahontas, avec son bikini en daim. L'une des bretelles lui avait glissé sur l'épaule. Esperanza posait sur le ring, fière et en sueur, le menton en l'air.

Myron se tourna vers elle.

— Tu as piqué cette pose à Raquel Welch dans *Un million d'années avant J.-C.*

— J'avoue.

— J'avais le poster dans ma chambre quand j'étais gamin.

— Moi aussi, dit Esperanza.

Peter était ravi.

— Magnifique, hein ?

— Vous savez, dit Myron, j'ai été basketteur professionnel.

— Pendant trois minutes.

— Vous êtes d'une amabilité avec vos clients !

— C'est ce qui fait mon charme. Votre commande ne va pas tarder.

Peter s'éloigna, les laissant seuls. Esperanza était sublime avec son chemisier bleu-vert. Elle portait des créoles en or et un gros bracelet. Son portable bourdonna. Elle jeta un coup d'œil et ferma les paupières.

— Quoi ? fit Myron.

— C'est Tom.

— Il t'envoie des textos ?

— Non, c'est mon avocat. Tom a annulé tous les rendez-vous de médiation.

— Donc, il cherche la bagarre.

— C'est ça.

— J'aimerais t'aider.

Elle secoua la tête.

— On n'est pas là pour parler de Tom.

— Mais rien ne nous empêche de le faire.

Nicole, la serveuse, arriva avec des nouilles froides au sésame et une crêpe au canard grésillante en guise d'amuse-bouches. Miam. Ils se turent un instant pour les déguster. Dans le temps, Myron avait créé une agence sportive finement baptisée MBSportsReps. M comme Myron, B comme Bolitar, SportsReps parce qu'il représentait des sportifs. Le marketing, ça ne s'improvise pas.

Esperanza était sa réceptionniste-assistante-confidente sans parler de toutes ses autres casquettes. Elle s'était inscrite à des cours du soir pour étudier le droit. Au bout du compte, il en avait fait son associée à part entière, mais sans pour autant changer le nom de l'agence en MBED, car cela aurait pu prêter à confusion. Ils avaient laissé tomber « Sports » pour représenter acteurs, musiciens et tutti quanti, si bien que l'agence avait fini par s'appeler MBReps.

Big Cyndi avait repris le flambeau comme réceptionniste et, ma foi, garde du corps. Tout avait marché comme sur des roulettes jusqu'à la déconfiture générale. Quand, il y a un an, Tom avait lancé la procédure pour obtenir la garde exclusive de leur fils, il avait commencé par accuser Esperanza d'être une mère indigne parce qu'elle travaillait trop. Effrayée par ses menaces, Esperanza avait demandé à Myron de lui racheter ses parts. Myron avait hésité, mais avec la disparition de Win l'idée de continuer sans eux s'était révélée par trop déprimante. Ils avaient donc revendu MBReps à une grosse agence qui avait récupéré leur clientèle et s'était débarrassée du nom dans la foulée.

— Je suis passée au poste de police d'Alpine, dit Esperanza, pour voir où ils en étaient de l'affaire Moore-Baldwin.

— Et ?

— Ils ont refusé de m'en parler.

Myron s'arrêta de manger.

— Attends, ils ont *vraiment* refusé de te parler à toi ?

— Oui.

— Tu leur as montré ton décolleté ?

— Deux boutons, pas moins.

— Et ça n'a pas marché ?

— Le nouveau chef de police est une femme, répondit Esperanza. Et elle est hétéro.

— Tout de même, fit Myron.

— C'est vexant, hein ?

— Je devrais peut-être tenter ma chance, dit Myron. Il paraît que j'ai un beau cul.

Esperanza fronça les sourcils.

— Je lui ferais mon grand numéro de charme.

Esperanza fit mine de lever les yeux au ciel.

— Je doute qu'elle puisse nous aider, de toute façon. Il y a eu un gros turnover dans la police locale depuis l'enlèvement de Patrick et Rhys.

— Ça m'étonnerait qu'on leur confie le dossier, cette fois.

— Oui, on le fera remonter au niveau de l'État ou fédéral, mais Big Cyndi a mené sa petite enquête. Le type qui a été chargé de l'affaire il y a dix ans a pris sa retraite. Il s'appelait Neil Huber.

— Attends, ça me dit quelque chose.

— Il est sénateur d'État à Trenton.

— Non, ce n'est pas ça…

— Il a été entraîneur de basket dans le secondaire.

Myron fit claquer ses doigts.

— Ça y est. On a joué contre Alpine quand j'étais au lycée.

— Alors c'est peut-être à toi de lui parler, dit Esperanza. Fais jouer l'esprit confraternel entre sportifs.

— C'est une idée, acquiesça Myron.

— Sauf si tu préfères tortiller du croupion. Ou ce qu'il en reste.

— Je ferai ce qu'il faut, dit Myron.

Puis :

— Pourquoi « ce qu'il en reste » ?

Myron attendit à la sortie du night-club.

Le Meatpacking District, ancien quartier des abattoirs new-yorkais, se situe entre la 14e Rue Ouest et Gansevoort, à l'extrémité ouest de l'île. Avec l'apparition des supermarchés et des camions frigo-rifiques, il est progressivement tombé en désuétude. Dans les années quatre-vingt et quatre-vingt-dix, la principale activité s'y résumait à la drogue et la pros-titution. Transsexuels et adeptes du SM y côtoyaient au grand jour la mafia et les flics ripoux. Et les premiers night-clubs représentatifs de ce qu'on appelait alors la « sous-culture » y ouvrirent leurs portes.

Puis, comme tout le reste de Manhattan, le Meatpacking District a subi une nouvelle transforma-tion. Cela s'expliquait en partie par l'attrait de l'inter-dit ; d'un autre côté, les nantis en quête de sensations fortes aimaient l'idée de flirter avec le danger, à condi-tion que ce soit en toute sécurité. Ce fut le début de la boboïsation. Des boutiques de luxe exposèrent leurs articles sur des briques. Les boîtes de nuit mal famées se remplirent de hipsters. Les restaurants se firent une clientèle parmi ceux qu'on appelait les yuppies. Les rails rouillés du vieux chemin de fer firent place à une promenade plantée de végétaux connue sous le nom de la High Line.

Aujourd'hui, le Meatpacking District était propre et bien fréquenté – on pouvait y venir avec ses enfants –, mais où donc était passée la faune qui avait jadis peuplé ses bas-fonds ?

Myron consulta sa montre. Il était minuit quand l'homme finit par émerger en titubant du très chic Subrosa. Il était ivre. Il s'était laissé pousser une barbe, il était vêtu de flanelle et, ô Seigneur, était-ce bien un chignon ? Son bras pendait mollement autour des épaules d'une jeune – très jeune – femme. C'est tout juste s'il n'avait pas inscrit sur son front « crise de la quarantaine ».

Ils firent quelques pas chancelants sur la chaussée. L'homme sortit les clés de sa voiture et pressa le bouton de la commande à distance. Sa BMW bipa en réponse. Myron traversa la rue.

— Salut, Tom.

L'ex d'Esperanza pivota vers lui.

— Myron ? C'est toi ?

Tom se redressa. Il semblait avoir dessoûlé d'un seul coup.

— Monte dans la voiture, Jenny, dit-il.

— C'est Geri.

— Oui, bon, désolé. Monte dans la voiture. J'arrive dans une seconde.

La fille vacilla sur ses talons. Au bout de trois tentatives, elle parvint à ouvrir la portière côté passager et se laissa tomber sur le siège.

— Qu'est-ce que tu veux ? demanda Tom.

Myron montra du doigt l'arrière de son crâne.

— C'est un vrai chignon que tu as là ?

— Tu es venu te payer ma tête ?

— Pas du tout.

— C'est Esperanza qui t'envoie ?

— Non plus. Elle ne sait pas que je suis ici. Et je te serais reconnaissant de ne pas lui en parler.

La portière côté passager s'ouvrit. Geri dit :

— Je ne me sens pas bien.

— Ne t'avise pas de vomir dans ma voiture.

Tom se tourna vers Myron.

— Alors, qu'est-ce que tu veux ?

— T'encourager à faire la paix avec Esperanza. Pour son bien, et pour celui de votre fils.

— Tu sais qu'elle m'a quitté, non ?

— Je sais que votre couple battait de l'aile.

— Et tu penses que c'était ma faute ?

— Aucune idée. Ça ne m'intéresse pas.

Des jeunes gens sortirent du night-club complètement ivres, riant et débitant des propos orduriers.

— Tu ne crois pas que tu es trop vieux pour tout ça, Tom ?

— Ben, j'étais marié et rangé des voitures.

— Lâche l'affaire, dit Myron. Arrête de mentir à son sujet.

— Sinon quoi ?

Myron ne répondit pas.

— Tu imagines que tu me fais peur ?

— Je crois que je vais être malade, annonça Geri.

— Pas dans la voiture, OK, chérie ?

Tom regarda Myron.

— Je suis sur un coup.

— Oui, je vois ça.

— Elle est canon, hein ?

— Très canon, acquiesça Myron. Et à deux doigts de gerber. J'en suis tout émoustillé.

— Écoute, Myron, sans vouloir te vexer, tu es un brave type. L'intimidation, ce n'est pas trop ton truc. Alors dégage, OK ?

— Esperanza est une bonne mère, Tom. Tu le sais aussi bien que moi.

— Il ne s'agit pas de ça, Myron.

— Si, justement, il s'agit de ça.

— Je ne voudrais pas me vanter, dit Tom, mais sais-tu pourquoi je réussis tout ce que j'entreprends ?

— Parce que ton papa est riche et qu'il t'a filé plein de thunes ?

— Non, c'est parce que je vais directement à la jugulaire. C'est parce que je frappe pour gagner en un coup.

Ça ne rate jamais. Un type qui parle sans cesse de ses succès, qui affirme s'être fait « tout seul » et avoir réussi à la force du poignet, grattez un peu et en dessous vous trouverez un petit garçon à qui tout a été offert sur un plateau. C'est comme s'il avait besoin d'un angle mort pour justifier son incroyable chance. Genre : « Ça ne peut pas être le destin ni le hasard… c'est parce que je le mérite. »

— Je te demande d'être raisonnable, Tom.

— C'est ton message pour moi ?

— Oui.

— Je transmettrai, merci. Je suis sur le point de gagner. Toi…

Il pointa le doigt sur Myron.

— … tu en es la preuve vivante. Elle est en train de péter les plombs. Dis-lui de ma part d'aller se faire foutre.

— Je te l'ai déjà expliqué, Esperanza ne sait pas que je suis là. Je pense seulement que tu devrais changer de comportement.

— Dans son intérêt à elle ?

— Dans son intérêt. Dans l'intérêt d'Hector. Et dans le tien.

— Le mien ?

— Ça vaudrait mieux, oui.

— Pense ce que tu veux, je m'en tape. Allez, rentre chez toi, Myron.

Myron hocha la tête.

— Pas de problème.

Il tourna les talons, puis s'arrêta et fit volte-face en une parfaite imitation de Columbo.

— Oh, une dernière chose.

— Quoi ?

Myron réprima un sourire.

— J'ai revu Win.

La rue redevint silencieuse. Même la musique qui se déversait du night-club semblait avoir baissé de volume.

— Tu mens.

— Non, Tom, je ne mens pas. Il ne va pas tarder à rentrer. Et je suis sûr qu'il viendra te rendre visite.

Tom s'était figé sur place. Geri, toujours dans la voiture, n'y tint plus et vomit bruyamment. Les vitres tremblèrent. Tom ne bougeait toujours pas.

Myron sourit enfin et lui adressa un petit signe de la main.

— Je te souhaite une excellente fin de soirée.

18

C'était une belle matinée ensoleillée dans le New Jersey.

Du côté sud du pont de Trenton, d'immenses lettres lumineuses proclamaient : TRENTON MAKES, THE WORLD TAKES[1]. Ces lettres avaient été installées en 1935 : à l'époque, les usines de linoléum, de céramique et autres produits manufacturés tournaient à plein régime, justifiant tant soit peu cette devise. Mais ce temps-là était révolu. Trenton, capitale du New Jersey et siège du gouvernement de l'État, hébergeait tout un tas de politiciens et leurs casseroles ; la ville tout entière était donc aussi authentique que le slogan sur le pont qu'on traversait pour s'y rendre.

Ce qui n'empêchait pas Myron d'aimer le New Jersey. Il ne fallait pas être un expert en politique pour savoir que cet État n'avait pas le monopole de la corruption. Les affaires y étaient peut-être plus folkloriques qu'ailleurs, mais tout le pays était à l'avenant. Le New Jersey était difficile à cerner car on y

---

1. « Trenton fabrique, le monde prend. » *(N.d.T.)*

trouvait un peu de tout. Au nord, c'était la banlieue de New York. Au sud-ouest, celle de Philadelphie. Ces deux mégapoles détournaient les ressources et l'attention des centres urbains du New Jersey, laissant Newark, Camden et les autres suffoquer comme des retraités sous oxygène dans un casino d'Atlantic City. Les zones résidentielles étaient vertes et aérées. Les villes étaient grises et délabrées. C'était comme ça.

Chose curieuse, quiconque habitait à trois quarts d'heure de voiture de Chicago, Los Angeles ou Houston se disait citoyen de cette ville. Mais on pouvait vivre à trois kilomètres de New York et se considérer comme un ressortissant du New Jersey. Myron avait grandi à une demi-heure de New York et peut-être à huit kilomètres de Newark. Il ne se disait jamais originaire de l'un ou l'autre. Enfin, sauf une fois, quand il s'était fait passer pour un résident de Newark, mais c'était pour toucher des allocations.

Additionnez tout cela – la beauté, la décrépitude, les villes flamboyantes, le complexe d'infériorité, le luxe, la crasse – et vous obtiendrez la couleur et la texture indéfinissables du grand État du New Jersey. La définition du New Jersey se cache dans la voix de Sinatra, dans le trajet en voiture de Tony Soprano, dans une chanson de Springsteen. Écoutez bien, et vous comprendrez.

Au grand dam de Myron, Neil Huber ressemblait à une caricature de politicien local. Il avait les doigts boudinés et portait une chevalière en or à la main droite, un costume rayé ; sa cravate luisait comme si on l'avait enduite d'huile bronzante. Le col de sa chemise était trop serré et, quand il souriait, Neil Huber faisait penser à un barracuda.

— Myron Bolitar, s'exclama-t-il, le gratifiant d'une énergique poignée de main et lui indiquant un siège.

Le décor anonyme de son bureau rappelait celui d'un proviseur de lycée.

— J'entraînais une équipe rivale quand vous étiez lycéen.

— Je m'en souviens.

— Sûrement pas.

— Pardon ?

— Vous avez fait des recherches, n'est-ce pas, avant de prendre rendez-vous ?

Myron lui tendit les deux poignets.

— Pris en flag.

Neil Huber agita la main avec bonhomie.

— Pas de problème. Vous savez donc que vous nous aviez battus.

— Oui.

— Vous aviez marqué quarante-deux points.

— C'était il y a longtemps, dit Myron.

— J'ai entraîné l'équipe de basket pendant dix-huit ans.

Il pointa un doigt en forme de saucisse sur Myron.

— Je n'ai rencontré personne, mon ami, qui vous arrive à la cheville.

— Merci.

— Votre neveu joue aussi, paraît-il.

— C'est exact.

— Est-il aussi doué qu'on le dit ?

— Je pense que oui.

— Formidable.

Neil Huber se renversa dans son fauteuil.

— C'est bon, Myron, la glace est rompue ?

— Il me semble, oui.

Huber écarta les mains.

— Alors, que puis-je pour vous ?

Il avait les incontournables photos de famille sur son bureau : l'épouse à la crinière blonde, les enfants grands et mariés, la ribambelle de petits-enfants. Dans son dos se déployait le drapeau du New Jersey avec ses trois charrues sur un bouclier surmonté d'une tête de cheval. Oui, une tête de cheval. Vous pouvez y aller de votre petite blague style *Parrain*, mais ce serait trop téléphoné et indigne de vous. Deux déesses, la Liberté (d'accord) et l'Agriculture (encore une fois trop facile) se tenaient de part et d'autre du bouclier. Un drapeau chargé et extravagant, mais bon, chargé et extravagant, cela reflétait bien l'esprit du New Jersey.

— C'est au sujet d'une affaire que vous aviez suivie quand vous étiez flic à Alpine, dit Myron.

— Le kidnapping Moore-Baldwin.

— Comment le savez-vous ?

— J'ai été enquêteur.

— Je vois.

— Indice numéro un…

Il leva l'index.

— … j'ai eu peu de gros dossiers à traiter. Indice numéro deux…

Il forma le signe *peace* avec deux doigts.

— … je n'ai eu qu'une seule affaire non résolue pendant toute ma carrière. Indice numéro trois…

Côté doigts, vous avez compris le principe.

— … l'un des garçons vient d'être retrouvé au bout de dix ans.

Sa main retomba.

— Oui, monsieur, j'ai dû faire appel à toutes mes facultés de déduction pour arriver à ce résultat. Myron, savez-vous que les Moore vont passer sur CNN d'ici quelques heures ?

— Non, je l'ignorais.

— Ils sont invités au talk-show d'Anderson Cooper.

Huber se pencha en avant.

— S'il vous plaît, dites-moi que vous ne travaillez pas pour un journal.

— Je ne travaille pas pour un journal.

— Alors quel est votre intérêt là-dedans ?

Myron hésita.

— Puis-je me contenter de vous répondre que c'est une longue histoire ?

— Vous pouvez. Ça ne vous avancera guère. Mais vous pouvez.

Qui ne tente rien… Et puis, tout politicard qu'il était, Neil Huber lui était sympathique. Myron opta donc pour la franchise.

— C'est moi qui ai sauvé Patrick.

— Redites-moi ça ?

— À Londres. Je vous l'ai dit, c'est une longue histoire. Mon meilleur ami est un cousin de Rhys Baldwin. Il a reçu un tuyau sur l'endroit où se trouvait Patrick. Nous l'avons localisé.

— Nom d'un chien.

— Oui.

— Une longue histoire, dites-vous ?

— Exact.

— Racontez-moi.

Myron lui relata les faits du mieux qu'il put sans incriminer Win ni même citer son nom. Sauf que Neil Huber n'était pas un imbécile. Il n'aurait aucun mal à découvrir qui était le cousin de Rhys Baldwin.

Quand Myron eut terminé, Neil lâcha :

— Bon sang de bonsoir !

— Comme vous dites.

— Mais je ne comprends toujours pas ce que vous faites ici.

— Je reprends l'enquête à zéro.

— Je croyais que vous étiez devenu agent sportif.

— C'est compliqué.

— J'imagine, acquiesça Neil.

— Je veux seulement réexaminer l'affaire d'un œil neuf.

Neil Huber hocha la tête.

— Vous pensez que j'ai commis une erreur et que vous trouverez peut-être ce qui a pu m'échapper ?

— C'était il y a dix ans, dit Myron. Nous disposons de nouveaux éléments aujourd'hui.

Il reprit la métaphore qu'il avait servie à Brooke.

— C'est un peu comme un trajet en voiture. Vous partez sans savoir où vous allez. La semaine dernière, nous ne connaissions que le point de départ. Maintenant, nous savons où était la voiture il y a quelques jours.

— Vous savez, je ne suis pas resté longtemps sur l'affaire. Le FBI m'a vite dessaisi de l'enquête.

Se calant dans son fauteuil, il posa les mains sur son ventre.

— Allez-y, je vous écoute.

— Hier, je me suis rendu sur la scène de crime.

— Chez les Baldwin.

— Oui. J'ai essayé de comprendre comment cela avait pu arriver. Le jardin est bien visible de l'intérieur, surtout avec ces grandes baies vitrées.

— En plus, ajouta Neil, la propriété est clôturée, et il y a un portail à l'entrée.

— Il y a aussi le timing.

— Le timing ?

— Ils ont été kidnappés vers deux heures de l'après-midi. La plupart des enfants sont encore à l'école à cette heure-ci. Comment les ravisseurs savaient-ils qu'ils seraient à la maison ?

— Ah, fit Neil.

— Ah ?

— Vous avez relevé les lacunes. Vous pensez que la version officielle ne tient pas la route.

— Quelque chose comme ça.

— Et vous croyez qu'on n'a pas noté tout ça ? Nous avons soulevé toutes les questions que vous venez d'évoquer, et bien plus encore. Je vais vous dire une chose. Bon nombre de crimes ne suivent aucune espèce de logique. Des lacunes, il y en a partout. Tenez, prenez le portail. Il n'était jamais verrouillé. Le terrain ? Les Baldwin avaient du mobilier de jardin qui pouvait servir de cachette. Ou alors il n'y avait qu'à se plaquer contre le mur, et personne ne vous aurait vu approcher.

— Je vois que vous avez réponse à tout, fit Myron.

— Houlà, je n'ai pas dit ça.

Neil Huber desserra sa cravate et défit le premier bouton de sa chemise. Son visage avait perdu un peu de sa couleur. Et Myron revit l'homme plus jeune, le coach de l'équipe adverse, à moins que ce ne fût un faux souvenir qu'il se fabriquait pour l'occasion.

— J'ai eu des doutes, reprit l'ancien policier un ton plus bas. Comme tout le monde. Mais au final, les deux garçons avaient disparu. On a examiné la situation sous toutes les coutures. Les enlèvements comme celui-ci – entrer par effraction chez quelqu'un, exiger une rançon – sont extrêmement rares. Alors on s'est intéressés de près aux parents. Aux proches, aux voisins, aux instituteurs.

— Et à la nounou ?

— La fille au pair, rectifia Huber.

— Pardon ?

— Ce n'était pas une nounou. C'était une fille au pair. Rien à voir.

— De quel point de vue ?

— Une fille au pair, c'est comme un programme d'échange. Elles viennent toutes de l'étranger. En l'occurrence, Vada Linna – je me souviens même de son nom – était finlandaise. Généralement, elles sont jeunes. Vada avait dix-huit ans. Son anglais était tout juste correct. En principe, elles viennent pour s'immerger dans la culture du pays, mais les gens les prennent surtout parce que c'est de la main-d'œuvre bon marché.

— Vous pensez que c'était le cas ici ?

Neil Huber réfléchit.

— Non, je ne crois pas. Les Baldwin croulent sous l'argent. À mon avis, ils ont été séduits par l'idée de l'échange culturel et le fait que ce soit une étrangère qui s'occupe de leurs gamins. D'après ce que j'ai compris, Vada était bien traitée chez eux. C'est pour ça que j'ai une dent contre la presse.

— Comment ça ?

— Quand l'affaire a éclaté, les médias ont fait leurs choux gras de cette histoire de fille au pair assimilée à de l'esclavage moderne. Vous savez, la riche et privilégiée Brooke Baldwin engage une pauvre fille qu'elle paie des clopinettes pour pouvoir aller chez le coiffeur ou déjeuner avec ses copines. Comme si elle n'avait pas été assez punie. Comme si elle était responsable de la disparition de son fils.

Myron se rappela cette polémique entretenue par les journaux.

— Et l'effraction racontée par Vada, dit-il, vous y avez cru ?

Huber prit son temps pour répondre. Il se frotta le visage.

— Je ne sais pas. La gamine était clairement traumatisée. Elle avait peut-être inventé certains détails pour se faire mousser, allez savoir. Comme nous l'avons relevé tous les deux, il y a des éléments qui ne collent pas. Mais bon, il y avait la barrière de la langue. Ou la barrière culturelle, si on veut. J'aurais aimé passer plus de temps avec elle.

— Et qu'est-ce qui vous en a empêché ?

— Le père de Vada a débarqué dans les vingt-quatre heures. En avion depuis Helsinki. Il a fait appel à un ténor du barreau pour la rapatrier dare-dare. L'épreuve était trop dure pour elle, disait-il. Il voulait la faire soigner en Finlande. Nous avons essayé de la retenir, mais nous ne pouvions pas l'obliger à rester ici. Du coup, il l'a ramenée chez eux.

Neil Huber leva les yeux.

— J'aurais voulu qu'on insiste un peu avec Vada.

— Vous croyez qu'elle était dans le coup ?

Une fois de plus, l'ancien policier prit son temps. Myron lui savait gré de réfléchir avant de répondre.

— Nous l'avons longuement cuisinée. Nous avons examiné l'historique de ses recherches sur ordinateur. Nous n'avons rien trouvé. Nous avons consulté ses textos. Vada n'était qu'une ado, seule dans un pays étranger. Elle avait une amie, une autre fille au pair, et c'est tout. Nous avons envisagé toutes les possibilités d'une implication éventuelle de sa part dans le double kidnapping. Peut-être qu'elle avait remis les gosses à un complice. Lequel complice l'avait ensuite ligotée. Ils avaient monté un bateau à propos de l'effraction… Mais ça ne tenait pas debout. Nous avons même exploré l'hypothèse d'une personnalité psychotique : elle aurait craqué, tué les garçons et caché les corps. Mais ça n'a rien donné non plus.

Leurs regards se croisèrent.

— Alors, selon vous, Neil, que s'est-il passé ?

Il prit un stylo sur son bureau et le fit tourner entre ses doigts.

— Ma foi, les derniers éléments sont intéressants.

— Dans quel sens ?

— Dans le sens qu'ils invalident ma théorie.

— Qui était ?

Il haussa les épaules.

— J'ai toujours pensé que Patrick et Rhys étaient morts. Qu'il y ait eu effraction, enlèvement ou que sais-je, j'étais sûr qu'ils avaient été tués dans la maison. Les assassins avaient ensuite monté le scénario de la remise de rançon pour brouiller les pistes. Ou alors ils avaient cru que ce serait de l'argent facile, et puis ils avaient eu peur de se faire prendre. Quelque chose comme ça.

— Mais qui aurait voulu tuer deux enfants ?

— Le mobile, oui. C'est la question la moins évidente. Mais, pour moi, la réponse se trouve sur la scène de crime.

— C'est-à-dire ?

— Le domicile des Baldwin.

— Vous pensez que c'est Rhys qui était visé ?

— Forcément. C'était sa maison. L'invitation avait été lancée deux jours plus tôt ; personne ne pouvait savoir que Patrick Moore serait là. Ces types-là avaient peut-être reçu l'ordre de choper un gamin de six ans. Mais quand ils se sont pointés, ils en ont vu deux. Ils n'ont pas su qui était qui, ou bien leurs instructions n'étaient pas suffisamment détaillées, alors, pour plus de sécurité, ils ont enlevé les deux garçons.

— Et le mobile ?

— Rien de concret. Juste des spéculations, des coups d'épée dans l'eau.

— Genre ?

— Le seul parent à nous avoir mis la puce à l'oreille, c'est Chick Baldwin. Ce gars-là est un escroc, et à l'époque, quand sa pyramide de Ponzi s'est écroulée, il s'est fait pas mal d'ennemis. Une partie de son argent venait de Russes peu recommandables, si vous voyez ce que je veux dire. Chick s'en est tiré à bon compte. Pas de peine de prison, une amende négligeable. Il avait de bons avocats. Ça a contrarié beaucoup de monde. Tous ses biens étaient au nom de ses enfants, de sorte qu'on ne pouvait pas y toucher. Vous le connaissez suffisamment, vous ?

— Chick ? À peine.

— Ce n'est pas quelqu'un de bien, Myron.

Presque mot pour mot ce que lui avait dit Win.

— Bref, reprit Neil, je les croyais morts tous les deux. Mais puisque Patrick est en vie…

Il laissa sa phrase en suspens. Les deux hommes se regardèrent longuement.

— Pourquoi ai-je l'impression que vous ne me dites pas tout, monsieur le sénateur ? s'enquit Myron.

— Parce que c'est le cas.

— Et pourquoi donc ?

— Parce que je ne suis pas sûr que ça vous regarde.

— Vous pouvez me faire confiance, dit Myron.

— Si je ne vous faisais pas confiance, je vous aurais mis à la porte depuis belle lurette.

Myron ouvrit les bras.

— Alors ?

— Alors ce n'est pas joli, joli. Nous avons plus ou moins enterré cet aspect-là de l'affaire il y a dix ans parce que ce n'était pas très reluisant.

— Quand vous dites « plus ou moins enterré »…

— On y a jeté un coup d'œil. Ça n'a rien donné. On m'a dit de faire machine arrière. Je l'ai fait à mon corps défendant. Au final, je crois que ça n'avait rien à voir. J'ai donc besoin d'une ou de deux secondes pour réfléchir aux conséquences avant de vous en parler.

— Si ça peut vous aider, dit Myron, je vous promets d'être discret.

— Ça ne m'aide pas.

Neil Huber se leva et s'approcha de la fenêtre. Il tourna la manivelle qui commandait la fermeture

220

des stores, les ferma, puis les rouvrit et contempla le chantier en bas.

— Il y a eu des échanges de textos, fit-il, entre Chick Baldwin et Nancy Moore.

Myron attendit les explications, mais comme elles ne venaient pas, il demanda :

— Savez-vous ce qu'il y avait dedans ?

— Non. Ils ont été effacés des deux téléphones. L'opérateur de téléphonie mobile n'archive pas les contenus.

— Je suppose que vous avez interrogé Chick et Nancy à ce sujet.

— Bien sûr.

— Et ?

— Tous deux ont prétendu qu'il s'agissait de banalités. Que c'était à propos de leurs enfants. Et d'un éventuel investissement que les Moore comptaient confier à Chick.

— L'ont-ils fait ?

— Non. Et ces textos ont été échangés à n'importe quelle heure du jour. Et de la nuit.

— Je vois, dit Myron. En avez-vous parlé à leurs conjoints ?

— Non. Le FBI avait déjà pris les choses en main. Rappelez-vous l'atmosphère de cette époque-là. La pression, la peur, l'incertitude. Les familles ne tenaient déjà plus que par la peinture. Nos investigations n'ont rien donné. Nous n'avons pas jugé utile d'ajouter à leur douleur.

— Et maintenant ?

Neil se retourna et regarda Myron assis dans son fauteuil.

221

— Et maintenant, je ne juge toujours pas utile d'ajouter à leur douleur. D'où ma réticence à vous en parler.

On frappa à la porte. Un jeune homme passa la tête dans la pièce.

— Vous avez rendez-vous avec le gouverneur dans dix minutes.

— Merci. On se retrouve dans le hall.

Le jeune homme referma la porte. Neil Huber s'approcha de son bureau, prit son téléphone mobile et son portefeuille, les fourra dans ses poches.

— C'est une vieille rengaine, mais une affaire comme celle-ci, ça vous hante toute votre vie. Quelque part, je m'en veux. Je sais, je sais, mais c'est plus fort que moi. Peut-être que si j'avais été meilleur investigateur…

Myron se leva.

— Faites ce que vous avez à faire, ajouta Neil Huber en se dirigeant vers la sortie, mais tenez-moi au parfum.

19

— Il est déjà midi ? demanda Chick.

Myron consulta sa montre.

— Moins cinq.

— Bon, alors j'allume le portable.

Ils étaient installés devant l'immense bar en marbre à La Sirena, le restaurant italien du célèbre hôtel Maritime de Chelsea. Le décor était chaleureux et raffiné, moderne mais avec une indéniable touche sixties. La frontière entre salle et terrasse était quasi inexistante. Myron se dit qu'il devrait emmener Terese ici pronto.

Il n'y avait pas d'écrans télé aux murs – ce n'était pas le genre de la maison –, du coup Chick avait apporté son PC pour leur permettre de suivre le talk-show sur CNN.

— Je ne pouvais pas rester chez moi, dit-il.

Sa peau luisait, comme s'il sortait d'une séance d'épilation à la cire chaude. Ce qui était peut-être le cas.

— Brooke et moi, on se regarde et on attend. On a l'impression de revivre la même chose qu'il y a dix ans, vous comprenez ?

Myron hocha la tête.

— C'est dur à plusieurs niveaux. Ces dix dernières années, on a vécu au purgatoire. Alors on est obligés de se trouver des occupations, sinon on déraille. Je suis allé au bureau ce matin. Puis j'ai parlé à mes avocats pour voir ce qu'on pouvait faire.

— À propos de quoi ? s'enquit Myron.

— À propos de Patrick et de son silence. Je suis en train de chercher un recours juridique. Pour le pousser à coopérer.

Chick leva les yeux de son ordinateur.

— Pourquoi vouliez-vous me voir, au fait ?

Myron hésita. Comment aborder l'histoire des textos avec Nancy Moore ? De façon détournée ou en y allant franco ?

— Minute, fit Chick. Ça va commencer.

Les temps avaient changé. La clientèle de La Sirena se composait d'artistes, de hipsters du Village et de jeunes loups de Wall Street. La salle s'animait à l'approche de l'heure du déjeuner, et là, au bar, deux hommes regardaient une émission sur un ordinateur portable. Personne ne prêtait attention à eux.

— Ils sont où, là ? dit Chick.

Myron reconnut la pièce.

— Chez les Moore, dans leur salon.

— Ils ne filment pas dans un studio ?

— Il faut croire que non.

À l'écran, Anderson Cooper trônait dans un confortable fauteuil en cuir. Nancy et Hunter étaient assis sur le canapé en face de lui. Hunter portait un costume sombre et une cravate noire. Nancy avait mis une robe bleu ciel, classique et élégante à la fois.

224

— Où est Patrick ? s'exclama Chick. Myron ?

— Je ne sais pas. Attendons de voir, OK ?

L'interview débuta sans Patrick. Anderson commença par brosser le tableau de la situation : l'enlèvement, la remise de rançon, l'incertitude, la longue attente jusqu'à ce jour. Il évoqua le divorce du couple, laissant clairement entendre qu'il était la conséquence du drame qui les avait frappés. Mais ni Nancy ni Hunter ne tombèrent dans le panneau.

— Nous partageons la garde de notre adorable fille, déclara Nancy en guise d'explication.

— Nous l'avons élevée ensemble, ajouta Hunter.

Au bout de quelques minutes, Chick secoua la tête.

— Incroyable. Ça parle pour ne rien dire.

Il n'avait pas tort. Anderson n'insistait pas trop, et c'était normal. Il ne s'agissait pas de candidats en pleine campagne électorale. Ces deux-là étaient des parents grandement éprouvés qui cherchaient à comprendre leur soudain et inexplicable... pouvait-on appeler ça un coup de chance ?

C'est Nancy qui répondait aux questions. Elle confia à Anderson à quel point ils étaient reconnaissants d'avoir retrouvé Patrick.

— Notre fils a traversé une terrible épreuve, dit-elle en se mordant la lèvre.

Quand Anderson tenta d'obtenir quelques précisions, elle éluda en prétextant que Patrick avait besoin de son espace privé et d'un « sas de transition et de guérison ».

C'était leur message, répété sur tous les tons : respectez la vie privée de la famille Moore, laissez-lui le temps de se remettre de cette terrible épreuve. L'expression « terrible épreuve » revenait si souvent que Myron se demanda s'ils n'avaient pas été coachés pour l'employer.

Anderson les interrogea sur le kidnapping. Y avait-il une chance pour que les ravisseurs soient arrêtés ? Les Moore ne répondirent pas directement, laissant la question d'une « possible interpellation » aux « autorités ».

Quand Anderson évoqua la « journée fatale », Nancy répliqua :

— C'était il y a longtemps. N'oubliez pas, il n'avait que six ans à l'époque.

— De quoi se souvient-il ?

— De pas grand-chose. Patrick a été pas mal ballotté à droite et à gauche pendant toutes ces années.

— Qu'entendez-vous par « ballotté » ?

Ses yeux s'emplirent de larmes. Myron crut que Hunter allait lui prendre la main. Mais il n'en fit rien.

— Notre fils a failli être poignardé à mort.

— C'était pendant l'opération de sauvetage à Londres, n'est-ce pas ?

— Oui.

— Depuis quand était-il à Londres ?

— On n'en sait rien. Il a traversé…

Myron articula silencieusement les mots en même temps qu'elle.

— … une terrible épreuve.

Myron regardait Nancy et Hunter à l'écran, guettant un indice ou un comportement corporel qui trahirait… quoi au juste ? Une mise en scène ? Pensait-il qu'ils mentaient ? Et si oui, pourquoi ? Qu'avaient-ils à cacher ? De temps à autre, il risquait un coup d'œil en direction de Chick. Percevait-on chez lui comme un relent de… quoi, encore une fois ? Nostalgie, regret, culpabilité ?

Conclusion : on surestimait les messages transmis par le corps.

Myron avait souvent entendu parler de gens condamnés (ou acquittés) à tort parce que les jurés croyaient pouvoir « lire » en eux, qu'ils ne manifestaient pas assez (ou manifestaient trop) de remords, que leurs réactions n'entraient pas dans ce que le jury considérait comme la norme. Comme si tous les êtres humains étaient taillés sur le même modèle. Comme si on réagissait tous de la même façon à la même situation de crise.

Chacun de nous croit pouvoir décrypter les autres, mais, curieusement, personne ne peut nous décrypter, nous.

Anderson finit par poser la question qui tue :

— Et l'autre garçon, celui qui a été enlevé en même temps que Patrick ?

Chick se redressa.

— Que vous a dit votre fils au sujet de Rhys Baldwin, toujours porté disparu à ce jour ?

— Retrouver Rhys est notre priorité numéro un, répondit Nancy.

Chick marmonna quelque chose dans sa barbe.

— Ce ne sera terminé, continua-t-elle, que quand on connaîtra la vérité au sujet de Rhys.

Hunter acquiesça vigoureusement.

— Nous coopérons de notre mieux avec les forces de police…

Chick s'affaissa sur sa chaise.

— Non, mais vous y croyez, à ces conneries ?

— … mais, malheureusement, Patrick ne sait pas grand-chose qui puisse nous aider.

— Ils coopèrent ? C'est ce qu'ils racontent, hein ?

Chick était au bord de l'apoplexie.

— Je devrais tenir ma propre conférence de presse. Comme si ça pouvait changer quelque chose.

À la fin de l'entretien, Nancy et Hunter se levèrent et se tournèrent vers la droite. Chick prit le temps de se calmer tandis que la caméra pivotait. Une jeune femme d'une vingtaine d'années apparut à l'écran.

— Voici notre fille, Francesca, dit Nancy.

Francesca salua gauchement les spectateurs. Puis elle détourna les yeux de la caméra et mima les mots : « C'est bon. »

Trois secondes passèrent.

Quand Patrick parut dans le champ, il tenait la main de sa sœur.

— Et notre fils, Patrick.

C'était bien le garçon que Myron avait secouru, le garçon qu'il avait vu blotti dans un coin de sa chambre. Il portait une casquette de base-ball avec le logo des Yankees, un sweat à capuche bleu et un jean. La caméra zooma sur son visage. Il gardait les yeux baissés. Nancy et Hunter vinrent se placer aux côtés de leurs enfants. On aurait dit qu'ils posaient, maladroitement, pour une photo de famille. Les deux parents s'efforçaient de paraître forts et combatifs. Francesca, subjuguée par l'émotion, pleurait. Patrick fixait obstinément le plancher.

Anderson les remercia de lui avoir ouvert leur porte avant de rendre l'antenne.

Chick contempla l'écran pendant quelques secondes.

— Non, mais c'est quoi, ça ?

Myron se taisait.

— Que se passe-t-il, Myron ? Pourquoi refusent-ils de nous aider ?

— Peut-être ne le peuvent-ils pas ?

— Vous aussi, vous avez gobé ça ?

— Je ne sais même pas ce qu'ils cherchent à nous faire gober, Chick.

— Je vous ai dit que j'ai parlé à mes avocats ce matin ?

— Oui.

— Je leur ai demandé ce qu'on pouvait faire. Pour que le gamin se mette à table.

— Et que suggèrent-ils ?

— Rien ! Ils disent qu'il n'y a rien à faire. Vous imaginez ? Patrick n'est pas obligé de parler. On ne peut pas l'y forcer. Même s'il détient des informations cruciales. Bon sang, même s'il sait où est Rhys en ce moment. C'est totalement absurde.

Chick fit signe au barman qui lui servit un Johnnie Walker Black. Le barman regarda Myron qui secoua la tête. Il était trop tôt pour cela.

Chick se recroquevilla sur son verre comme s'il se chauffait à un feu.

— Je vous remercie pour votre aide, dit-il plus calmement. Win… je sais que Win ne m'aime pas. Pas étonnant. Nous venons de deux mondes différents. Et il met Brooke sur un piédestal. Personne n'est assez bien pour elle, vous comprenez ?

Myron acquiesça, histoire de le faire parler.

— Brooke et moi, on forme un couple solide. On a nos problèmes, comme tout le monde. Mais nous nous aimons.

229

— Ces problèmes…, demanda Myron en saisissant la balle au bond.

Pourquoi attendre plus longtemps ?

— … Nancy Moore en fait-elle partie ?

Chick était en train de porter le whisky à ses lèvres. Il hésita, ne sachant s'il devait répondre ou boire une gorgée d'abord. Il opta pour la gorgée. Puis il reposa le verre sur le bar et se tourna vers Myron.

— Ça veut dire quoi, ça ?

Myron se borna à le dévisager.

— Eh bien ? fit Chick.

— Je suis au courant pour les textos.

— Ah…

Chick se leva et ôta son veston. Il l'accrocha soigneusement sur le dossier de sa chaise de bar. Puis il se rassit et tripota le bouton de manchette en or sur son poignet gauche.

— Et vous êtes au courant comment ?

— Est-ce important ?

— Pas vraiment, répondit Chick, haussant les épaules d'un air un peu trop nonchalant. Ça n'a aucun intérêt.

Myron ne le quittait pas des yeux.

Chick feignait la décontraction, mais sans grand succès.

— Win le sait ?

— Pas encore.

— Vous allez le lui dire ?

— Oui.

— Même si je vous demande de ne pas le faire ?

— Même si vous me demandez de ne pas le faire.

Chick secoua la tête.

— Vous ne savez rien de ma vie.

Myron garda le silence.

— Les autres, ils ont tout eu sur un plateau. Moi, j'ai bossé. J'ai trimé dur. Rien n'a été simple. J'ai un scoop pour vous, Myron : les règles du jeu ont été faites pour les riches. Je peux vous affirmer qu'elles ne sont pas les mêmes pour tout le monde. Moi, je suis parti de rien. Mon père était coiffeur dans le Bronx. Celui qui veut arriver en haut de l'échelle doit tricher un peu.

— Attendez, je note.

Myron fit mine de griffonner sur un papier.

— Tricher. Un peu.

Il leva les yeux.

— Merci pour le tuyau. Allez-vous me dire aussi que derrière chaque grande fortune il y a un grand criminel ?

— Vous vous moquez de moi ?

— Peut-être un peu, Chick.

— Vous croyez que nous vivons dans une méritocratie ? Que le point de départ est le même pour tous, que les chances sont également réparties pour chacun de nous ? Des conneries, tout ça. J'étais dans l'équipe de foot à la fac. J'étais demi offensif et plutôt bon joueur. Un jour, je me suis rendu compte que tous les gars qui essayaient de me tacler étaient sous stéroïdes. Et ceux qui voulaient me piquer ma place ? Sous stéroïdes. J'avais donc le choix. Je prenais des stéroïdes moi aussi ou j'abandonnais la compétition.

— Curieux argument pour quelqu'un qui trompe sa femme.

— Je ne l'ai pas trompée.

Il se pencha vers Myron.

— Mais, d'une manière ou d'une autre, vous allez lâcher l'affaire.

— C'est une menace, Chick ?

— Ces textos n'ont rien à voir avec mon gamin. Et je vois bien ce qui vous motive, là.

— Ma motivation, c'est de retrouver votre fils.

— Mais oui, c'est ça. Vous voulez savoir ce qui me ronge encore aujourd'hui ? Brooke allait appeler Win dès qu'on a appris la disparition de Rhys. Dès le premier jour. Je l'en ai dissuadée. Je pensais que les flics se débrouilleraient pour le retrouver. J'avais envie – c'est drôle, hein, après ce que je viens de vous raconter – de la jouer réglo. De respecter la loi. Depuis, je vis avec ça.

— Vous divaguez, Chick.

Il se rapprocha encore. Son haleine empestait le whisky.

— Quoi qu'il y ait eu entre Nancy et moi, fit-il entre ses dents, ça n'a rien à voir avec mon fils. Vous m'entendez ? Laissez tomber avant que ça tourne mal.

Le portable de Myron sonna. L'écran affichait le nom de Brooke Baldwin. Il le montra à Chick avant de coller le téléphone à son oreille.

— Allô ?

— Chick m'a dit que vous deviez vous voir. Il est toujours avec vous ?

Myron regarda Chick. Ce dernier hocha la tête et se pencha sur le téléphone.

— Je suis là, chérie.

— Vous avez regardé CNN ?

— Oui, dit Myron.

232

— J'ai enregistré l'interview, déclara Brooke. Je suis en train de la repasser en faisant des arrêts sur image.

— Et alors ? demanda Chick.

— Je ne suis pas convaincue que ce garçon soit Patrick Moore.

20

Rien qu'en voyant le nom de Terese s'afficher sur l'écran de son smartphone, Myron sentit ses trapèzes se détendre. Il appuya sur la touche tout en se dirigeant vers sa voiture et déclara sans préambule :

— Je t'aime infiniment.

— Sans vouloir vexer Win, répliqua Terese, je trouve ça bien plus cool que son « Articule ».

— Ah, mais je ne dis pas ça à tout le monde.

— Et pourquoi pas ? Il y en a à qui ça ferait plaisir.

— Où es-tu ?

— Dans ma chambre d'hôtel, répondit Terese. Eh, tu te souviens de la dernière fois où nous nous sommes retrouvés tous les deux dans une chambre d'hôtel ?

Myron ne put s'empêcher de sourire.

— Ils étaient combien à nous appeler pour se plaindre du bruit ?

— Tu as été très exubérant, Myron.

Il changea le téléphone d'oreille.

— J'ai eu les orteils engourdis pendant une semaine.

— Je ne vois pas à quoi tu fais allusion.

— Moi non plus, mais ça m'a semblé à propos.

— C'est vrai, acquiesça-t-elle. Tu me manques.

— Tu me manques aussi.

— Ce poste.

— Oui ?

— Si je l'ai – et rien n'est moins sûr –, je serai peut-être obligée de m'expatrier à Atlanta ou à Washington DC.

— OK, dit Myron.

— Tu me suivrais ?

— Bien sûr.

— Aussi simple que ça ?

— Aussi simple que ça.

— Au début, je pourrais faire la navette.

— Pas question. On déménagera.

— Tu es sexy en homme autoritaire.

— Je suis sexy tout court.

— N'en fais pas trop.

Et elle ajouta :

— Tu en es vraiment sûr ? Je peux encore refuser. Il y aura bien d'autres propositions.

Myron avait vécu toute sa vie dans la région. Il était né ici, avait grandi ici et, après quatre années d'études en Caroline du Nord, était revenu ici. Il était tellement attaché à ses racines qu'il avait même racheté la maison de son enfance pour ne pas avoir à couper le cordon.

— Sûr et certain, affirma-t-il. Ta carrière d'abord.

— Oh, je t'en prie, ne sois pas aussi bien-pensant.

— En plus, je rêve d'être un homme entretenu.

— Ça sous-entend accorder ses faveurs sexuelles à la demande, fit remarquer Terese.

Myron soupira.

— Je donne sans compter.

Terese rit. Cela ne lui arrivait pas souvent. Myron adorait son rire.

— Il faut que j'aille me préparer. Le second entretien est dans une heure.

— Bonne chance.

— Et toi, tu fais quoi ? demanda Terese.

— Après ton coup de fil ? Je vais prendre une douche glacée. Après quoi, j'irai voir mes parents et Mickey.

— J'ai vu l'interview à la télé.

— Et tu en penses quoi ?

— La même chose que toi.

— C'est-à-dire ?

— Il y a quelque chose qui cloche.

Ils se quittèrent avec un minimum d'effusions, et Myron prit le chemin de sa ville natale. Serait-il vraiment prêt à faire ça ? À aller vivre ailleurs que dans ce décor familier ?

La réponse, pour la première fois de sa vie, était un oui ferme et définitif.

Win l'appela pendant le trajet.

— Allô ?

— Raconte-moi tout.

— Tu as vu l'interview de la famille Moore ? fit Myron.

— Oui.

À l'arrière-plan, on entendait des hommes crier dans une langue étrangère.

— Où es-tu exactement ?

— À Rome.

— En Italie ?

— Non, Rome dans le Wyoming.

— Très drôle ! Brooke a des doutes sur l'identité de Patrick, dit Myron.

— Oui, elle m'a envoyé un texto.

— J'ai appelé PT à Quantico. Il a une amie qui pourrait nous aider. Elle s'occupe de reconstruction faciale dans le secteur de l'anthropologie médico-légale, quelque chose de ce genre-là.

— J'ai vérifié vite fait de mon côté, dit Win. J'ai comparé un plan fixe de ce qu'on a vu aujourd'hui avec Patrick à six ans et le simulateur de vieillissement.

— Et ?

— Rien, répondit Win. Mais je me pose deux questions. Si ce n'est pas Patrick, alors qui est-ce ? Si ce n'est pas Patrick, pour quelle raison Nancy et Hunter nous mentiraient-ils ?

Myron réfléchit brièvement.

— Je ne vois pas.

— Un test ADN, voilà ce qu'il nous faut.

— Sûrement, opina Myron. Mais imagine que ce ne soit pas Patrick. Quelle conclusion en tirer ? Tu as une seconde ?

— Oui.

— On doit envisager toutes les hypothèses, même les plus folles.

— Lesquelles par exemple ? s'enquit Win.

— Admettons que Nancy et Hunter aient tué les deux enfants et caché les corps. Je sais, ça semble aberrant, mais ça reste une hypothèse qu'il nous faut examiner.

— OK.

— Du coup, pour détourner les soupçons, ils se sont arrangés pour ramener un faux Patrick à la maison.

Ils ont dégotté un ado qui a l'âge et le physique de l'emploi. Ils t'ont envoyé le mail pour te mettre sur la piste. Tu es allé là-bas, à King's Cross. Tu me suis ?

— Pas trop, répondit Win.

— Personne ne les a soupçonnés, eux, à l'époque. S'ils avaient tué les garçons – encore une fois, c'est juste histoire de parler ; je ne pense pas que ce soit le cas –, ils n'auraient rien à gagner en faisant semblant de retrouver Patrick.

— C'est vrai, dit Win, puis : Évidemment, il pourrait s'agir d'une arnaque d'un autre genre.

— À savoir ?

— Admettons que ce garçon ne soit pas Patrick.

— OK.

— Admettons, poursuivit Win, que quelqu'un mène Nancy et Hunter en bateau. Il fait en sorte qu'on localise le faux Patrick. Sachant les Moore tellement désespérés qu'ils seraient prêts à croire n'importe quoi.

— Tout plutôt que l'incertitude, dit Myron.

— Justement. Et ça peut aveugler.

— Mais enfin, quel serait le mobile ? Ce faux Patrick est-il censé leur voler de l'argent ou quoi ?

Win réfléchit à la question.

— Non, je ne pense pas que ce soit ça.

— Et les blessures du garçon étaient réelles. Il a été poignardé. On a eu de la chance qu'il ne soit pas mort.

— Entre les mains de Gros Gandhi, dit Win. Mais, Myron, on oublie encore une fois l'axiome de Sherlock : il nous faut plus de données.

Win avait raison. Ils citaient souvent le détective chéri de sir Arthur Conan Doyle : « C'est une erreur capitale de théoriser avant d'avoir des données. On en

238

vient toujours à triturer des faits pour qu'ils entrent dans la théorie, au lieu d'accorder la théorie aux faits. »

— Myron, il y a autre chose qui ne va pas ?

Myron exhala un long soupir.

— Ça ne va pas te plaire.

— Oh, eh bien, mets des gants, s'il te plaît, et prends des pincettes.

Myron raconta à Win son entrevue avec Neil Huber et l'histoire des textos entre Chick Baldwin et Nancy Moore. Win resta silencieux un moment. Derrière lui, on entendait toujours des hommes crier… en italien, supposa Myron.

— Que fais-tu à Rome ? demanda-t-il.

— Je me rapproche de Gros Gandhi.

— Il est en Italie ?

— Ça m'étonnerait.

— Tu crois Chick quand il jure que cet échange de textos était parfaitement innocent ?

— Non. Mais ça ne signifie pas qu'ils soient liés au kidnapping.

— Exact.

— Tu veux que je tente le coup auprès de Nancy ?

— Je veux bien, oui.

— Et Brooke ?

— Quoi, Brooke ?

— Je lui en parle ? fit Myron.

— Pas pour le moment.

Myron se rappela la réaction de Win quand il avait reçu le mail de Brooke à Londres.

— Elle sera furieuse quand elle apprendra que tu lui as encore caché des choses.

— J'y survivrai, dit Win.

Il y eut une pause.

— On a fini, Myron ?

— Oui, je crois.

— Parfait. Je dois te laisser maintenant.

21

Le nom de l'équipe s'affiche juste au moment où Myron me parle de la réaction de ma cousine, si elle apprenait que je lui cachais quelque chose.

SHARKCRYPT-I.

— J'y survivrai, lui dis-je, l'esprit complètement ailleurs.

Il est temps de raccrocher.

— On a fini, Myron ?

— Oui, je crois.

— Parfait. Je dois te laisser maintenant.

Et je coupe la communication avant qu'il ne puisse me répondre. Je me trouve à nouveau dans l'arrière-boutique avec Giuseppe, Carlo et Renato. Ils sont toujours au taquet, mais l'ambiance est plus grave, plus sombre tandis que le challenge Salves de Fureur vient de débuter. Mon plan est simple : faire sortir Gros Gandhi du bois.

D'après ce que j'en sais, Gros Gandhi est féru de compétition dans cet univers vidéo-techno-machin. Son principal rival est ROMAVSLAZIO qui, grâce à ma générosité de donateur anonyme, organise ce nouveau et prestigieux événement. La question qui nous préoccupe est la suivante : même si Gros Gandhi se planque, s'il est temporairement en cavale, relèvera-t-il le défi d'un tournoi de tir à la première personne, un affrontement quasi militaire, largement sponsorisé, aux enjeux mirobolants ?

La réponse, à ce que je vois, est oui.

Je montre le nouveau nom, SHARKCRYPT-I, sur le tableau des scores.

— C'est Gros Gandhi, dis-je.

— Vous n'en savez rien, glapit Carlo en tapant sur son clavier. Il n'a même pas commencé à jouer.

— On saura au bout de quelques minutes, ajoute Renato. Une demi-heure maxi. Il a un style bien à lui. Il n'utilise ni les mitraillettes ni les armes automatiques… rien qu'un fusil de précision, et il ne rate jamais sa cible.

— C'est une méthode particulière, dit Carlo.

— Comme dans n'importe quel sport, on n'a pas besoin de voir leur visage pour reconnaître les joueurs, acquiesce Renato.

— N'attendez pas, leur dis-je. C'est notre homme.

— Comment pouvez-vous en être si sûr ?

C'est très simple. « Shark Crypt I » est une anagramme de « Patrick Rhys ».

Mon plan est clair. Le défi de ROMAVSLAZIO ce n'est pas de gagner la compétition Salves de Fureur, mais de faire croire à un match pour découvrir, par des moyens peu orthodoxes que je n'ai pas envie de connaître, le lieu de résidence actuel de Gros Gandhi.

L'arbitre Giuseppe lance :

— Allez-y, les gars. Trouvez-le.

Ma voiture et mon jet privé sont fin prêts. Les pilotes et un partenaire de choix attendent mon signal. Dès qu'ils auront localisé Gros Gandhi, pendant que le tournoi Salves de Fureur poursuivra son cours, nous foncerons là-bas pour l'éliminer.

C'est ça le plan.

— Je ne sais toujours pas si on a raison de faire ça, dit Carlo.

À nouveau, il tourne le dos à Renato.

— Moi non plus, renchérit Renato.

— On n'est pas des flics.

— Vous avez entendu M. Lockwood, dit Giuseppe. Ce type dirige un réseau de prostitution de mineurs.

— Comment savoir s'il dit la vérité ? demande Carlo.

— Oui, dit Renato en se tournant vers moi, peut-être que c'est vous, le pervers ?

Je réponds :

— Vous connaissez la vérité à mon sujet parce que vous avez déjà fait les recherches nécessaires.

Silence.

Puis Carlo dit :

— On s'est également renseignés sur vous.

— Je n'en doute pas.

— Vous êtes riche.

— En effet.

— On dit aussi que vous êtes fêlé. Une sorte d'ermite bizarre.

J'écarte les bras.

— Ai-je l'air d'un ermite ?

— Alors pourquoi on raconte ça sur vous ?

— C'est moi qui ai lancé cette rumeur.

— Pourquoi ?

— Parce que, dis-je, des individus peu recommandables ont essayé de me tuer.

— Vous vous cachez ?

— En quelque sorte.

— Alors pourquoi vous êtes là ?

— Nous avons sauvé l'un des garçons, leur dis-je. J'ai besoin de votre aide pour sauver l'autre.

Ma réponse semble les satisfaire.

— Ça ne devrait pas poser de problème, déclare Carlo. Pour participer au jeu, il faut se connecter à notre serveur.

— Et comme ça, on connaîtra son adresse IP.

— Zut, reprend Carlo, il passe par un VPN.

— Évidemment, répond Renato, mais on peut contourner ça en…

Ils repassent à l'italien, ce qui ne me dérange guère : je n'entends rien au jargon informatique. Le ton monte. Bientôt, les insultes pleuvent. Je reconnais les noms de joueurs de la Roma et de la Lazio : à tous les coups, ils en sont revenus à leur rivalité de *tifosi*. C'est comme ça qu'ils travaillent, m'a prévenu Giuseppe.

« Plus ils s'énervent, m'a-t-il assuré, plus ils s'approchent de la solution. »

Je patiente donc. Ils essaient, semble-t-il, de suivre la partie sur leurs écrans et en même temps de localiser SHARKCRYPT-I.

— Vous avez raison, me dit Carlo tout en tapant furieusement. C'est Gros Gandhi.

— Il se planque, ajoute Renato.

— Il dissimule son identité maintenant que nous connaissons ses mouvements.

Ils recommencent à hurler en italien. Dix minutes plus tard, j'entends un cri de triomphe. Giuseppe hoche la tête tandis que l'imprimante se met à ronronner. Il va chercher le papier et me le tend.

— Voici l'adresse.

Je jette un coup d'œil. Gros Gandhi est aux Pays-Bas.

— J'ai combien de temps devant moi ?

— Si on met le paquet, on aura fini d'ici deux heures, répond Carlo.

Je me dirige vers la porte.

— Alors ne mettez pas le paquet.

Myron s'arrêta devant la maison qui avait connu des jours meilleurs.

C'est là qu'il avait grandi. Plus que grandi, d'ailleurs. Il avait vécu ici avec ses parents jusqu'à une période récente. En fait, quand Ellen et Al Bolitar (« On nous appelle El Al, expliquait maman, vous savez, comme la compagnie israélienne ») s'étaient résolus à vendre la maison pour aller s'installer en Floride, Myron l'avait rachetée.

Autrefois, quand il rentrait, sa mère sortait en courant et le serrait dans ses bras comme s'il avait été un otage fraîchement libéré. Elle était comme ça.

C'était gênant, bien sûr. Et en même temps, il était ravi. Quand on est jeune, on ne mesure pas le privilège qu'on a d'être aimé inconditionnellement.

La porte s'ouvrit. À présent, maman se déplaçait à petits pas traînants. Papa la tenait par le coude. Maman, toujours la même féministe indécrottable, tremblait sous les assauts de la maladie de Parkinson. Myron attendit dans la voiture pour lui laisser le temps d'approcher.

Elle finit par repousser la main de papa, pour cacher à son fils à quel point elle était vieille et fragile.

Myron descendit de voiture. Maman le serra dans ses bras, de la même manière que lorsqu'il était enfant. Il l'étreignit à son tour. Papa arriva par-derrière. Myron l'embrassa sur la joue. C'est ainsi qu'il saluait son père. D'un baiser. Depuis qu'il était tout petit.

— Tu as l'air fatigué, dit maman.

— Ça va.

— Tu ne trouves pas qu'il a l'air fatigué, Al ?

— Laisse-le tranquille, El. Il a l'air bien. En bonne santé.

— En bonne santé.

Elle se tourna vers son mari.

— Tu es médecin ?

— C'est juste une façon de parler.

— Il ne mange pas assez. Allez, viens. Je vais commander plus de nourriture.

Ellen Bolitar ne cuisinait pas. Il y avait bien eu une tentative de pain de viande à la sauce tomate quand Myron était au lycée. Ils avaient dû repeindre la cuisine pour se débarrasser de l'odeur.

Myron lui offrit son bras. Sa mère lui décocha un regard noir.

— Toi aussi ? Je n'ai pas besoin d'aide.

Et elle reprit clopin-clopant le chemin de la maison. Myron regarda son père secouer imperceptiblement la tête. Ils lui emboîtèrent le pas.

— Je leur dirai, chez Nero, d'ajouter une autre part de veau parmesan. Il faut qu'il mange. Et ton neveu, il dévore comme un ogre qui aurait un ver solitaire.

Elle les congédia d'un geste de la main.

— Allez, les garçons, allez au salon discuter entre hommes.

Se tenant à la rampe, elle se dirigea vers la cuisine. Papa fit signe à Myron de le suivre. Myron marqua une pause, submergé par une bouffée d'émotion.

Il aimait ses parents.

Comme tout le monde, certes, mais leur relation était particulièrement paisible. Pas de confusion, pas de remords, pas de rancœur, pas de colère cachée, pas de reproches. Il les aimait. Sans restriction ni conditions. Ils n'avaient aucun tort à ses yeux. D'aucuns prétendaient que Myron les voyait à travers des lunettes roses, qu'il était sujet à la fois à des crises de nostalgie et à une forme de révisionnisme familial.

Ils se trompaient.

Papa et Myron reprirent chacun sa place attitrée devant la télé. Du temps de la jeunesse de Myron, on parlait du danger de trop regarder la télévision. C'était peut-être vrai, mais, en l'occurrence, le lien entre père et fils s'était tissé dans cette même pièce, devant leurs programmes préférés. Avant le streaming et la VOD, ils s'installaient ici et riaient devant des sitcoms ineptes ou répertoriaient les clichés dans les séries policières. Aujourd'hui, chacun se retire dans sa chambre pour regarder ce qu'il veut sur un ordinateur portable, une tablette ou un smartphone. C'est devenu une activité foncièrement solitaire, et Myron ne pouvait s'empêcher de le déplorer.

Papa attrapa la télécommande, mais sans allumer la télé.

— Mickey est là ? demanda Myron.

Ellen et Al étaient venus s'occuper de Mickey pendant que ses propres parents faisaient leur retraite.

— Il ne devrait pas tarder. Il vient avec Ema. Tu la connais ?

— Ema ? Ouais.

— Elle est toujours en noir, dit papa.

Maman, d'à côté :

— Comme beaucoup de femmes, Al.

— Mais pas à ce point-là.

Maman :

— Le noir, ça amincit.

— Je ne la juge pas.

Maman :

— Mais si, justement.

— Pas du tout !

— Tu la trouves grosse.

— C'est toi qui parles du noir qui amincit, pas moi.

Papa se tourna vers Myron.

— Ema porte du vernis à ongles noir. Du rouge à lèvres noir. Du mascara noir. Ses cheveux sont noirs. Ce n'est pas leur couleur naturelle. Un noir de jais. J'ai du mal à comprendre.

Maman :

— Et qui te demande de comprendre ?

— C'est une façon de parler.

— Regardez-moi M. Haute Couture. Tu es qui, toi… Yves Saint Laurent, pour pontifier sur la mode ?

— Je croyais que tu étais au téléphone pour modifier la commande !

— Ça sonne occupé.

— Eh bien, rappelle.

— Oui, maître. Tout de suite.

Papa soupira et haussa les épaules. C'était toujours comme ça entre eux. Lové dans le canapé, Myron profitait du sketch.

Se penchant vers lui, papa questionna à voix basse :

— Alors, où est Terese ?

— À Jackson Hole. Pour un entretien de boulot.

— Comme présentatrice ?

— Je crois, oui.

— Je me souviens de l'avoir vue à l'antenne. Avant que vous deux…

Il fit le geste de rapprocher ses paumes.

— Ta mère et moi aimerions la connaître mieux.

— Ça va venir.

Papa se pencha plus près.

— Ta mère se fait du souci.

— À quel sujet ?

Al Bolitar n'était pas du genre à mâcher ses mots.

— Elle sent de la tristesse là-dessous.

— Du côté de Terese ?

Myron hocha la tête.

— Et toi, ça te pose problème ?

— Je ne m'en mêle pas.

— Mais sinon ?

— Je sens la tristesse aussi, répondit papa. Mais la force également. Elle a été très éprouvée, n'est-ce pas ?

— Oui.

— Elle a perdu un enfant ?

— Il y a longtemps, quand elle vivait à l'étranger.

Papa secoua la tête.

— Désolé de remettre ça sur le tapis.

— Pas grave.

— Et tu ne veux toujours pas me dire pourquoi elle est restée tout ce temps en Afrique ?

— Je ne peux pas, fit Myron. Ce n'est pas à moi d'en parler.

— Je respecte ta position.

Papa souriait à présent.

— Terese devait être en mission secrète.

— En quelque sorte.

— Mission secrète, répéta-t-il, comme toi à Londres ?

Myron ne répondit pas.

— Tu t'imagines qu'on n'était pas au courant, hein ? Tu vas me raconter ce que tu faisais là-bas ?

Maman, d'à côté :

— C'est au sujet du petit Moore qu'on vient de retrouver.

Papa se tourna en direction de la cuisine :

— Ça fait longtemps que tu laisses traîner ton oreille ?

— Deux secondes à peine. J'ai totalement loupé la partie où vous avez discuté derrière mon dos de la fiancée dépressive.

La porte d'entrée s'ouvrit à la volée, signalant l'arrivée d'un ado. Mickey entra en trombe, suivi d'Ema. Il regarda Myron.

— Tiens, qu'est-ce que tu fais là ?

Mickey était un piètre comédien.

— Moi aussi, je suis content de te voir, dit Myron. Salut, Ema.

— Bonjour, Myron, fit Ema.

Ema, la fille en noir, était ce qu'on avait appelé une gothique à une certaine époque, puis une emo (d'où son surnom), et Myron n'était pas assez branché pour connaître le nom qu'on leur donnait aujourd'hui. Tout chez elle était noir en effet, contrastant avec la blancheur laiteuse de sa peau. Mickey et elle avaient d'abord été amis, des amis très proches, et Myron se demandait à quel moment de leur relation la frontière de l'amitié avait été franchie.

Mickey embrassa son grand-père sur la joue. Puis se tourna vers sa grand-mère.

— Tu es très en beauté, grand-mère.

— Ne m'appelle pas comme ça.

— Comment ?

— Grand-mère. Je te l'ai déjà dit. Je suis trop jeune pour être ta grand-mère. Appelle-moi Ellen. Et si on te le demande, réponds que je suis la seconde épouse de ton grand-père, la femme-trophée bien plus jeune que lui.

— Compris, répondit Mickey.

— Allez, viens embrasser ton Ellen.

Il sauta par-dessus la marche menant à la cuisine. Dès que Mickey bougeait, la maison tout entière se mettait à trembler. Il déposa un baiser sur sa joue et la serra dans ses bras. Myron, qui les observait, déglutit avec effort. Mickey jeta un coup d'œil par-dessus son épaule.

— Tu pleures ? s'enquit-il.

— Non.

— Pourquoi est-ce qu'il pleure ?

Mickey pivota vers sa grand-mère.

— Il pleure tout le temps, pourquoi ?

— Ne fais pas attention, il a toujours été émotif, ce garçon.

— Je ne pleure pas, protesta Myron.

Il regarda autour de lui, mais ne rencontra aucun soutien.

— J'ai juste une poussière dans l'œil.

— J'ai besoin d'aide pour mettre la table, dit maman.

— J'arrive, lança Mickey.

— Non, je veux que ce soit Ema qui m'aide.

— Avec plaisir, madame Bolitar, répondit Ema.

— Ellen, rectifia maman. Alors comme ça, vous êtes ensemble, Mickey et toi ? Comment on dit chez les jeunes ? Tu sors avec lui ? Vous êtes à la colle ?

— Grand-mère !

Mickey était mortifié.

— Ne t'inquiète pas, Ema, sa réaction en dit suffisamment. C'est mignon, hein, quand ils piquent un fard ?

Ema, tout aussi mortifiée, s'engouffra dans la cuisine en traînant les pieds.

— Je reste avec elles. Juste au cas où, dit papa.

Il laissa Mickey et Myron seuls au salon.

— J'ai eu ton texto, dit Mickey.

— Je m'en suis douté. Tu crois que tu peux m'aider ?

— Oui. Et Ema aussi.

— Comment ?

— On a un plan, déclara Mickey.

22

Il n'y avait plus de reporters devant la maison des Moore.

Était-ce par respect de leur vie privée, ou parce que les médias n'attendaient plus rien de nouveau ni d'intéressant de leur part ? Myron n'aurait su le dire. D'une manière ou d'une autre, c'était un soulagement. Il était huit heures du soir quand il se gara dans l'allée et frappa à la porte.

Nancy Moore lui ouvrit avec un verre de vin blanc à la main.

— Il est tard, dit-elle.

— Désolé, répondit Myron. J'aurais bien téléphoné.

— La journée a été longue.

— Je sais.

— Je n'aurais pas ouvert, mais comme c'était vous…

Elle se sentait toujours redevable.

— Écoutez, il faut que je vous parle. Je n'en ai pas pour longtemps.

Myron risqua un coup d'œil à l'intérieur.

— Hunter est là ?

— Non. Il est reparti pour la Pennsylvanie.

— C'est là-bas qu'il habite ?

Elle hocha la tête.

— Depuis notre divorce.

Myron regarda le panneau À VENDRE.

— Vous allez déménager, vous aussi ?

— Oui.

— Où ça ?

— Pareil.

— En Pennsylvanie ?

— Je ne veux pas être impolie, Myron…

Il leva la main.

— Je peux entrer juste un moment ?

Elle s'écarta à contrecœur. Myron pénétra dans la maison et s'arrêta en voyant la jeune femme au pied de l'escalier.

— Ma fille Francesca, dit Nancy.

Il faillit faire le coup du « Vous voulez dire votre sœur ? », mais se retint. Il n'avait pas prêté attention à leur ressemblance physique durant l'interview, mais il faut dire que, à ce moment-là, il avait autre chose en tête. Si un prétendant potentiel voulait savoir à quoi ressemblerait Francesca dans un quart de siècle, il n'aurait pas à chercher bien loin.

— Francesca, je te présente M. Bolitar.

— Appelez-moi Myron. Bonsoir, Francesca.

Elle cilla pour chasser ses larmes. Étaient-elles déjà là avant qu'il arrive ?

— Merci, dit-elle avec une sincérité qui lui fit presque baisser les yeux.

Elle se hâta vers Myron et l'étreignit brièvement, mais avec ferveur.

— Merci, répéta-t-elle.

— Je t'en prie, répondit Myron.

Nancy caressa l'épaule de sa fille et lui sourit avec douceur.

— Tu veux bien monter voir ton frère ? M. Bolitar et moi avons à parler.

— OK.

Francesca prit la main de Myron dans les siennes.

— J'ai été vraiment heureuse de vous rencontrer.

— Moi aussi, Francesca.

Nancy la regarda gravir les marches. Elle attendit qu'ils soient seuls pour glisser à Myron :

— J'ai une fille adorable.

— Elle en a l'air.

— Elle est très sensible. Un rien la fait pleurer.

— Pour moi, c'est une qualité, dit Myron.

— Peut-être. Mais quand son frère a disparu…

Nancy secoua la tête et ferma les yeux.

— Si Patrick était mort dans ce tunnel, si vous n'étiez pas arrivé à temps…

Une fois de plus, elle n'eut pas besoin de finir sa phrase.

— Je peux vous poser une question directe ? s'enquit Myron.

— Bien sûr.

— Vous êtes certaine que ce garçon, là-haut, est bien Patrick ?

Elle fit la moue.

— Vous me l'avez déjà demandé.

— Je sais.

— Alors pourquoi revenir là-dessus ? Je vous ai déjà répondu. J'en suis sûre et certaine.

— Comment pouvez-vous en être si sûre ?

— Pardon ?

— Ça fait dix ans. Il n'était qu'un enfant au moment du kidnapping.

Elle posa son verre et mit ses mains sur ses hanches. Une note d'impatience perça dans sa voix.

— C'est pour ça que vous êtes ici ?

— Non.

— Alors venez-en au fait. Il commence à se faire tard.

— Parlez-moi de votre échange de textos avec Chick Baldwin.

Comme ça, de but en blanc. Sans préambule. Il voulait voir sa réaction, mais Nancy se borna à croiser les bras.

— Vous êtes sérieux ?

— Parfaitement.

— Mais enfin, pourquoi… ?

Elle s'interrompit.

— Je crois que vous feriez mieux de partir.

— J'en ai touché deux mots à Chick.

— Alors vous êtes déjà au courant.

— Au courant de quoi ?

— Ça n'a aucun intérêt.

Tiens, tiens. Le même argument. Myron décida de tenter un coup de bluff.

— Ce n'est pas ce qu'il m'a dit.

— Pardon ?

— Chick a reconnu avoir eu une relation avec vous.

Un petit sourire joua sur les lèvres de Nancy.

— C'est du grand n'importe quoi, Myron.

Ça l'était, en effet.

— On était amis, reprit-elle. On discutait beaucoup entre nous.

— Sans vouloir vous vexer, Nancy, je ne vous crois pas.

— Et pourquoi ça ?

— Déjà, je ne trouve pas que Chick soit particulièrement bavard.

— Mais vous le trouvez particulièrement séduisant ? Touché.

Nancy fit un pas vers lui. Elle le regardait avec des yeux de biche. Une attitude qu'elle devait adopter pour obtenir ce qu'elle voulait des hommes. Une attitude qui lui avait sûrement réussi dans le passé.

— Me faites-vous confiance si je vous dis que ça n'a rien à voir avec ce qui est arrivé aux garçons ?

— Non, répliqua Myron.

— Non, point final ?

— Non, point final.

— Vous pensez que je mens ?

— Peut-être, dit Myron. Ou peut-être que vous ne vous en rendez pas compte.

— Comment ça ?

— Un événement d'une telle gravité, ça crée des vagues. Des trépidations sous la surface. On ne les voit pas toujours, surtout quand on est au cœur de l'action comme vous l'avez été. Vous connaissez l'effet papillon. Le battement d'ailes insignifiant d'un papillon peut…

— … provoquer de grands bouleversements, acheva Nancy. Oui, je connais. Ce sont des bêtises. Et, de toute façon…

En entendant des pas sonores dans l'escalier, ils se retournèrent tous les deux. Là, sur la troisième marche en partant du bas, se tenait Patrick Moore. Enfin, le présumé Patrick Moore. Bref, le garçon que Gros Gandhi avait poignardé dans le tunnel.

Subrepticement, Myron appuya sur une touche de son smartphone.

Un instant, personne ne parla. Puis Nancy rompit le silence.

— Tout va bien, Patrick ? Tu as besoin de quelque chose ?

Patrick avait les yeux rivés sur Myron.

— Salut, Patrick, dit Myron.

— Vous êtes le mec qui m'a sauvé, fit-il.

— Oui, si on veut.

— Francesca m'a dit que vous étiez là.

Il déglutit péniblement.

— Le gros, il a essayé de me tuer.

Myron coula un regard en direction de Nancy.

— C'est fini maintenant, dit-elle, rassurante comme toute mère authentiquement inquiète. Tu es à la maison. Tu n'as plus rien à craindre.

Patrick continuait à fixer Myron.

— Pourquoi ? interrogea-t-il. Pourquoi il m'a poignardé ?

C'était une question somme toute logique après une agression aussi violente. Myron connaissait ce besoin de savoir. Ce « Pourquoi moi ? » dénué de tout narcissisme. Les victimes de viol se demandent souvent pourquoi c'est tombé sur elles. Comme les victimes de n'importe quel crime, du reste.

— Je pense, répondit Myron, que c'était pour sauver sa peau.

— Hein ?

— Il s'est dit que, s'il te poignardait, je le laisserais filer. J'aurais le choix entre le pourchasser et te porter secours.

Patrick hocha la tête.

— Ah oui, je vois. Je comprends mieux.

Myron esquissa un pas vers lui.

— Patrick, fit-il d'un ton égal et aussi neutre que possible. Peux-tu me dire où tu étais ?

Les yeux agrandis, Patrick regarda sa mère, paniqué.

Au même instant, on sonna à la porte.

Nancy pivota sur elle-même.

— Qui ça pourrait… ?

— J'y vais, lança Myron. Ne bouge pas, Patrick. J'aimerais te présenter quelqu'un.

Il alla ouvrir. Mickey et Ema, qui avaient attendu le signal dans une autre voiture, entrèrent dans la maison sans la moindre hésitation. Mickey affichait un large sourire. Ema avait une boîte de pizza dans les bras. L'arôme emplit tout le rez-de-chaussée.

Myron n'était guère convaincu par le plan de Mickey, mais Ema s'était montrée plus optimiste.

— C'est un ado tout seul enfermé chez lui, avait-elle expliqué. Et puis, les pizzas à Londres ne tiennent pas la comparaison.

C'était donc leur idée à tous les deux. Et Myron les avait laissés la mettre à exécution.

Mickey s'avança vers l'escalier.

— Salut, je suis Mickey. Et elle, c'est Ema. On s'est dit que ça te brancherait peut-être de voir des gens de ton âge.

Patrick le dévisagea.

— Hmm.

Ema demanda :

— Tu as déjà goûté la pizza aux ailes de poulet Buffalo ?

— Non, répondit Patrick d'une voix hésitante.

Ema hocha la tête.

— Et aux tranches de bacon.

— Sérieux ?

— On ne plaisante pas avec le bacon.

— Whaou !

— On gardait la croûte fourrée au fromage pour la fin, ajouta Mickey, mais certaines choses sont trop bonnes pour rester cachées.

Patrick sourit.

— Je ne veux pas insister, dit Ema en ouvrant la boîte, mais je crois qu'on n'a rien vu de mieux.

— Je doute que ce soit une bonne idée…, commença Nancy.

Myron se posta entre elle et son fils.

— Vous avez dit qu'il avait besoin de fréquenter des jeunes de son âge, lui rappela-t-il.

— Oui, mais la journée a été longue…

— Maman, l'interrompit Patrick, c'est bon.

— Si ça se trouve, c'est sans gluten, hasarda Ema.

Son visage se fendit d'un grand sourire niais et attendrissant à souhait.

Patrick rit alors – de bon cœur – et, à en juger par l'expression de Nancy, c'était la première fois qu'elle voyait son enfant rire depuis ses six ans. Ema avait vu juste. Était-ce la pizza copieusement garnie ou le besoin de compagnie propre à tout être humain – les deux probablement –, cela ne pouvait que lui faire du bien. Il en avait été privé depuis trop longtemps.

Francesca parut en haut des marches.

— On allait regarder un film, dit-elle. C'est bon, maman, si on en loue un en VOD ?

Tous les regards se tournèrent vers Nancy Moore.

— Bien sûr, bredouilla-t-elle d'une voix étranglée. Allez, amusez-vous.

Myron ne s'attarda pas.

Il avait reçu des instructions explicites de la part de Mickey et Ema. Les laisser faire. Ne pas traîner en bas. Ne pas polluer l'atmosphère de sa présence d'adulte. Ne pas éveiller la méfiance. S'il avait des questions pour la maman de Patrick, les poser avant leur arrivée. Puis partir.

C'est ce qu'il fit.

Son portable sonna au moment où il montait dans la voiture. Un numéro inconnu.

— Allô ?

— Ici Alyse Mervosh, annonça une voix féminine. Le contact de PT.

— Le médecin légiste ?

— L'anthropologue médico-légale spécialisée dans la reconstitution faciale, oui.

Le ton était aussi monocorde que celui d'un répondeur automatique.

— Vous voulez savoir si le Patrick Moore qui est apparu aujourd'hui sur CNN est le même que celui qui a disparu il y a dix ans. C'est bien ça ?

— Oui.

— Je viens juste de recevoir la vidéo de l'interview. Et je suis allée sur Google pour rechercher des photos de Patrick à six ans. Enfin, j'ai trouvé une simulation de vieillissement réalisée par nos services. Où êtes-vous, là ?

— Maintenant ?

— Oui.

— À Alpine, dans le New Jersey.

— Vous connaissez l'adresse de nos bureaux à Manhattan ? demanda-t-elle.

— Oui.

— Vous en avez à peu près pour une heure. D'ici là, j'aurai mes résultats.

Alyse Mervosh raccrocha sans attendre sa réponse. Myron regarda l'heure. Vingt heures trente. Puisque le Dr Mervosh ne voyait pas d'inconvénient à travailler tard, alors lui non plus. Le principal laboratoire du FBI était situé en Virginie, mais ce genre de travail nécessitait des ordinateurs et probablement des logiciels spécifiques. À Manhattan, le siège du FBI se trouvait au vingt-deuxième étage du 26 Federal Plaza.

Myron se gara sur un parking dans Reade Street et continua à pied.

Alyse Mervosh l'accueillit d'une ferme poignée de main.

— Juste une chose, et après on n'en parle plus, OK ?

— Quoi donc ?

— J'ai adoré, mais alors adoré le documentaire sur votre accident. Là-dessus, je suis une vraie groupie.

— Euh… merci.

— Sérieusement, être aussi près du sommet pour tout perdre, se retrouver plus bas que terre…

Sa voix se perdit dans un murmure.

Myron ouvrit les bras et sourit.

— Et pourtant, je suis là.

— Vous vous en êtes complètement remis ? questionna-t-elle.

— Je peux faire dix pompes sur une main, si vous voulez.

— Sérieux ?

— Non. Une seule, à la rigueur.

Elle secoua la tête.

— Désolée, ce n'est pas très professionnel, mais ce film… ça m'a fait vraiment pitié, vous savez.

— Exactement ce que j'espérais.

Elle rougit légèrement.

— Pardonnez ma tenue. J'étais en pleine leçon de tennis quand PT a appelé.

Le Dr Mervosh portait un survêtement si vieillot que Myron le scruta à la recherche de l'étiquette Fila. Ses cheveux blonds étaient retenus par un bandeau. L'ensemble faisait très Björn Borg début années quatre-vingt.

— Pas de problème, répondit Myron. Merci d'avoir accepté de vous en occuper.

— Vous préférez une explication longue ou ma conclusion ?

— La conclusion, s'il vous plaît.

— C'est peu concluant.

— Ah, fit Myron. Votre conclusion, c'est donc que vous ne savez pas ?

— En termes de réponse à la question : « L'adolescent interviewé aujourd'hui sur CNN est-il le Patrick Moore qui a été kidnappé il y a dix ans ? », je ne peux rien affirmer avec certitude. Je m'explique ?

— Je vous écoute.

— Ma principale activité – reconstitution faciale médico-légale – consiste à identifier les restes. Vous comprenez ?

— Oui.

— Il ne s'agit pas d'une science exacte. Notre travail consiste à mettre les enquêteurs sur une piste, mais il y a plein de facteurs susceptibles de fausser nos résultats.

Alyse Mervosh esquissa une grimace.

— Il fait chaud ou c'est moi ?

— Il fait un peu chaud, oui.

— Vous permettez que je retire ma veste ?

— Bien sûr.

— Je ne voudrais pas donner l'impression de flirter avec vous.

— Ne vous inquiétez pas pour ça.

— Je suis en couple.

— Et moi, je suis fiancé.

— C'est vrai ?

Son visage s'illumina.

— Oh, je suis si heureuse pour vous ! Après tout ce que vous avez enduré !

— Docteur Mervosh ?

— Appelez-moi Alyse.

— Alyse, dit Myron. Ce n'était qu'un genou abîmé. J'apprécie votre…

Il chercha le mot juste.

— … sollicitude, mais je vous assure que je vais bien.

— Et vous voulez en savoir plus sur Patrick Moore.

— C'est ça.

— Je ne suis pas douée pour les rapports humains, dit-elle. Je me sens plus à l'aise au labo. Je parle trop, je sais. C'est nerveux. Excusez-moi.

— Pas grave, répondit Myron. Vous disiez que les résultats pouvaient être faussés ?

— Absolument. Il est très difficile d'imaginer comment se transformera le visage d'un enfant entre six et seize ans. Si Patrick Moore avait disparu quand il avait vingt-six ans et qu'on l'ait retrouvé à trente-six… vous voyez ce que je veux dire ?

— Je vois.

— Le vieillissement est surtout une affaire de génétique, mais pas que. L'alimentation, le mode de vie, les habitudes, les traumatismes… tout cela peut altérer le processus de vieillissement et même, dans certains cas, l'apparence physique. Encore une fois, nous parlons de l'intervalle peut-être le plus complexe à analyser. En passant de l'enfance à l'adolescence, on change parfois du tout au tout. Lorsque l'enfant grandit, les os et les cartilages se développent et déterminent les proportions et la forme du visage. En anthropologie médico-légale, nous devons envisager toutes les possibilités. Le front peut se dégarnir, par exemple. Le tissu osseux se forme, s'allonge, se remplace. Bref, on ne peut rien prédire avec certitude.

— Soit, acquiesça Myron. Et vous en pensez quoi ?

— De l'identité de ce garçon ?

— Oui.

Elle fronça les sourcils, désarçonnée par sa question.

— Ce que j'en pense ?

— Oui.

— Je ne peux que vous donner les faits bruts.

— Ça me va.

Alyse Mervosh prit un calepin et consulta ses notes.

— Les traits de l'adolescent, à une exception notable près, correspondent bien à ceux de l'enfant de six ans. La couleur des yeux a légèrement changé, mais pas de façon significative. D'ailleurs, il est très difficile de déterminer la couleur exacte sur un écran de télévision. J'ai pu obtenir l'estimation fiable du gabarit des parents et de la sœur et le comparer à la taille de Patrick à six ans. D'après ces calculs, notre adolescent mesure cinq centimètres de moins que la moyenne, mais là encore il faut tenir compte de la marge d'erreur. En clair, ça pourrait très bien être Patrick Moore, mais il y a une chose qui me turlupine et m'empêche d'arriver à une conclusion ferme et définitive.

— Laquelle ?

— Son nez.

— Qu'est-ce qu'il a, son nez ?

— Il ne correspond pas à ce que j'ai vu sur le portrait de l'enfant. Il aurait certes pu changer avec l'âge, mais pas à ce point-là.

Myron réfléchit un instant.

— Une opération de chirurgie esthétique ?

— Non. Normalement, une rhinoplastie est censée réduire la taille du nez. Or celui du nouveau Patrick Moore est plus gros qu'il ne devrait l'être.

— Et si on le lui avait cassé à plusieurs reprises ?

— Hmm.

Alyse Mervosh prit un crayon et se tapota la joue avec la gomme.

— Ça m'étonnerait, même si ce n'est pas impossible. On peut aussi se faire reconstruire le nez à la

suite d'un traumatisme, d'une malformation congé-
nitale et surtout de l'abus de cocaïne. Ceci pourrait
expliquer cela. Mais je n'ai aucune certitude. C'est
pour ça que j'hésite.

— Autrement dit, fit Myron, notre identification ne
tient qu'à un nez ?

Alyse Mervosh le considéra un moment.

— C'est de l'humour ?

— Je croyais que c'était évident.

— Aïe.

— Oui, désolé.

— Blague à part, dit-elle, il vous faut un test ADN.

23

J'observe la ferme hollandaise à travers une paire de jumelles.

Le vol depuis Rome jusqu'à l'aéroport de Groningen Eelde m'a pris deux heures et demie. Le trajet en voiture jusqu'à cette ferme à Assen, une vingtaine de minutes.

— Ils sont quatre dans la maison, joli cœur, m'informe une voix avec un accent à couper au couteau.

Je me tourne vers Zorra. Le vrai nom de Zorra est Shlomo Avrahaim. C'est un ancien agent du Mossad et un travesti, ou quel que soit le nom qu'on donne à un homme qui s'habille en femme. J'ai connu pas mal de travestis dans ma vie. Beaucoup sont séduisants et féminins en apparence. Zorra n'est ni l'un ni l'autre. Sa barbe est aussi épaisse que son accent. Il ne prend guère soin de ses sourcils qui ressemblent à deux chenilles velues, aucunement pressées de se muer en papillon. Il a des jointures de loup-garou en pleine métamorphose. Sa perruque rousse bouclée, on dirait qu'il l'a volée dans la malle à costumes de Bette Midler en 1978. Il porte des stilettos au sens propre du terme, avec une lame dissimulée dans le talon.

Dans le temps, Zorra a failli tuer Myron avec une de ces lames.

Je demande :

— C'est la caméra thermique qui dit ça ?

— La même qu'à Londres, joli cœur.

Sa voix est un baryton tirant sur les graves.

— Ce sera trop facile. Comment on dit chez vous ? Les doigts dans le nez. C'est gâcher le talent d'un professionnel de légende comme Zorra.

Je l'inspecte de la tête aux pieds.

— Un problème, joli cœur ?

— Une jupe pêche avec des escarpins orange ?

— Zorra peut l'enlever.

— J'en suis heureux pour Zorra.

La tête de Zorra pivote vers la maison. La perruque, elle, reste à la même place.

— Qu'est-ce qu'on attend, joli cœur ?

Je ne crois ni à l'intuition ni aux mauvais pressentiments. Mais en même temps, je tiens compte de mon ressenti.

— Ça a l'air trop simple.

— Ah, dit Zorra. Tu humes un piège ?

— Je hume un piège ?

— L'anglais est la seconde langue de Zorra.

Nous regardons la maison.

— Nous n'avons qu'un seul objectif, dis-je.

— Ton cousin, hein ?

— Oui.

Je pense aux différentes possibilités.

— Si tu étais Gros Gandhi, est-ce que tu garderais Rhys ici ?

— Peut-être. Ou alors Zorra le planquerait pour assurer ses arrières, au cas où un mauvais garçon comme Win s'en prendrait à moi.

— Précisément, dis-je.

Nous nous sommes rencontrés il y a des lustres ; à l'époque, Zorra était dans le camp adverse, un ennemi juré. Pour finir, j'ai choisi de l'épargner, je ne sais pas pourquoi. Une intuition peut-être ? Depuis, Zorra se sent toujours redevable vis-à-vis de moi. Esperanza compare cette situation à un scénario de catch où le gentil se montre magnanime avec le méchant, lequel retourne sa veste et devient ainsi le chouchou du public.

Alors que je réfléchis aux différentes solutions, la porte de la maison s'ouvre. Je ne bronche pas. Je ne dégaine pas mon arme. J'attends que quelqu'un sorte. Cinq secondes passent. Puis dix.

Finalement, Gros Gandhi émerge dans la cour de la ferme.

Zorra et moi nous tenons derrière une haie d'arbustes. Gros Gandhi se tourne dans notre direction, sourit et agite la main.

— Il sait qu'on est là, dit Zorra.

Zorra, le maître de l'évidence.

Gros Gandhi se dirige nonchalamment vers nous. Zorra me regarde. Je secoue la tête. Comme il vient de le faire remarquer, Gros Gandhi sait exactement où nous sommes. Notre arrivée a été discrète, mais c'est un chemin peu fréquenté. S'il avait posté des hommes pour le surveiller – et c'est clairement le cas –, ils ont dû nous voir tourner depuis la route principale.

En me voyant, Gros Gandhi m'adresse un nouveau signe de la main.

— Bonjour, monsieur Lockwood. Soyez le bienvenu !

Zorra se penche vers moi.

— Il connaît ton nom.

— Je n'en reviens pas, de tout ce que tu as appris au Mossad.

— Rien n'échappe à Zorra.

Il y a mille façons dont Gros Gandhi aurait pu se renseigner sur mon identité. Entre autres, recourir à un quelconque dispositif de piratage informatique, mais je doute que cela ait été nécessaire. Il a eu affaire à Myron. Myron est mon associé et mon meilleur ami. Il était aussi au courant pour Rhys et Patrick et pour l'enlèvement. Il ne fallait pas chercher bien loin pour découvrir mon rôle dans cette histoire.

Lentement, Zorra fait glisser sa main vers son talon.

— Comment on procède, joli cœur ?

Je jette un œil sur mon portable pour vérifier que nos deux autres hommes sont toujours dans les parages. Ils sont bien là. Sains et saufs. Gros Gandhi lève le visage vers le soleil et sourit.

— Attendons de voir, lui dis-je.

Je sors mon arme, un Desert Eagle calibre 50 AE. À la vue du semi-automatique, Gros Gandhi marque un temps d'arrêt. Il a l'air déçu.

— Ce ne sera pas utile, monsieur Lockwood.

J'ai « humé » le piège, non ? Se doutait-il que les Italiens tenteraient de le localiser au moyen de ce tournoi ? A-t-il laissé faire ? Il faut croire que oui. Beaucoup pensent que je suis infaillible sur ces questions-là, que je suis tellement professionnel et dangereux que la mort elle-même préfère garder ses distances. J'avoue que je fais tout pour entretenir et amplifier cette réputation. Je veux qu'on me craigne. Je veux qu'on se crispe quand j'entre quelque part dans la mesure où mes réactions sont imprévisibles. Mais je ne suis pas naïf au point d'acheter ma propre camelote.

Comme l'a dit un jour un de mes adversaires :

« Tu es fort, Win, mais tu n'es pas à l'épreuve des balles. »

J'ai essayé de faire attention, mais les missions comme celle-ci requièrent un certain degré d'improvisation. Personne ne nous a suivis depuis l'aéroport. Et pourtant Gros Gandhi savait qu'on était là.

— Il faut qu'on parle, déclare-t-il.

— OK.

Il écarte les bras.

— Vous permettez que je vous appelle Win ?

— Non.

Il sourit toujours. J'ai toujours mon pistolet à la main. Il coule un regard en direction de Zorra.

— Elle est obligée de rester pendant notre conversation ?

— C'est qui, elle ? siffle Zorra.

— Hein ?

— Tu trouves que Zorra a l'air d'une fille, joli cœur ?

— Euh…

Difficile de répondre à cette question.

Je lève la main. La pression retombe.

— Détendez-vous, tous les deux, dit Gros Gandhi. Si j'avais voulu vous tuer, vous seriez déjà morts.

— Faux, dis-je.

— Pardon ?

— Vous bluffez.

Son sourire vacille imperceptiblement.

— Vous aviez sûrement un homme à l'aéroport et un autre qui surveillait la route. Je parie que c'est le barbu avec la Peugeot.

— Zorra le savait ! s'exclame mon compagnon. Tu aurais dû me laisser…

Une fois de plus, je le fais taire d'un geste de la main.

— Vous nous avez à l'œil, dis-je, mais vous n'avez pas forcément un tireur d'élite capable de nous atteindre à cette distance. J'ai deux hommes sur zone. Si vous aviez un sniper, ils l'auraient su. Vous avez d'autres hommes à l'intérieur. Trois pour être précis. Mais aucune arme à longue portée pointée sur nous. Nous l'aurions repérée.

Le sourire vacille à nouveau.

— Vous semblez très sûr de vous, monsieur Lockwood.

Je hausse les épaules.

— Je peux me tromper. Mais les chances pour que vous disposiez d'une puissance de feu capable de nous éliminer tous les quatre avant de mourir sont très proches de zéro.

Gros Gandhi fait mine d'applaudir.

— Vous êtes à la hauteur de votre réputation, monsieur Lockwood.

Réputation. Vous comprenez ce que j'entends par entretenir et amplifier ?

— Je pourrais m'étendre longuement sur le fait que nous sommes dans une impasse, ajoute-t-il, mais vous et moi sommes des hommes du monde. Je suis venu à votre rencontre pour qu'on puisse parvenir à un accord et clore ce chapitre une bonne fois pour toutes.

— Vous ne m'intéressez pas, lui dis-je. Ni vous ni votre entreprise.

Une entreprise qui consiste, entre autres, à violer et à exploiter sexuellement des adolescents. Zorra m'adresse une grimace pour signifier que, lui, ça l'intéresse.

— Je suis venu chercher Rhys.

Le sourire déserte le visage de Gros Gandhi.

— C'est vous qui avez tué mes trois hommes.

À mon tour de sourire. Je cherche à gagner du temps, à retenir son attention. Je veux que Zorra continue à scruter la maison et le périmètre, au cas où.

— C'est également vous qui avez fait ce trou dans mon mur.

— Vous voulez des aveux ? m'enquiers-je.

— Non.

— Une revanche alors ?

— Non, répond-il précipitamment. Vous cherchez Rhys Baldwin. Je comprends. Il est votre cousin. Mais j'ai mes exigences aussi.

Je ne lui demande pas lesquelles. Il va me les exposer.

— Je veux qu'on me laisse tranquille, poursuit Gros Gandhi. La police n'a rien contre moi. Patrick Moore est rentré aux États-Unis. Il ne reviendra pas pour témoigner. Myron Bolitar peut affirmer m'avoir vu le poignarder, mais, à vrai dire, il faisait noir. De mon côté, je pourrais invoquer la légitime défense. Nous avons été attaqués. Le trou dans le mur le prouve. Aucun de mes employés ne parlera. Tous les dossiers et pièces à conviction sont stockés sur un cloud.

— La police n'a rien, dis-je en hochant la tête. Mais ce n'est pas la police qui vous inquiète, n'est-ce pas ?

— Ce qui m'inquiète, réplique Gros Gandhi, c'est vous.

Je souris à nouveau.

— Je n'ai pas envie de passer le reste de ma vie à attendre que vous frappiez à ma porte. Je peux être franc avec vous, monsieur Lockwood ?

— Essayez toujours.

— Je n'en étais pas certain, mais quand ROMAVSLAZIO a lancé ce défi, eh bien, après ce qu'on a appris sur vous, on a compris le risque que vous représentiez. C'est pourquoi j'ai décidé de vous rencontrer pour qu'on mette fin à notre petit différend. Après avoir évoqué – là, je vous parle franchement – la possibilité de lancer des tueurs à vos trousses.

— Vous avez changé d'avis, parce que vous saviez que j'aurais repéré vos tueurs. Avec mes hommes, on vous aurait tous liquidés. Et même si vous et vos sbires aviez réussi à avoir le dessus…

Zorra s'étrangle et pouffe de rire.

— Sur Zorra ?

— Ce n'est qu'une hypothèse, Zorra.

Je me retourne vers Gros Gandhi.

— Même si vous aviez mené votre projet à bien, les choses n'en seraient pas restées là. Myron vous aurait retrouvé.

Gros Gandhi acquiesce.

— Ce serait sans fin. J'aurais passé le reste de ma vie à regarder par-dessus mon épaule.

— Vous êtes plus perspicace que je ne le pensais, lui dis-je. Alors faisons simple. Vous me rendez Rhys.

Je le ramène chez lui. Et c'est terminé. J'oublie votre existence. Vous oubliez la mienne.

C'est un marché raisonnable, mais je me demande si je pourrais le respecter. Gros Gandhi a essayé de tuer Myron. Ce n'est pas rien. Je ne chercherais pas à l'éliminer par esprit de vengeance – en un sens, je peux comprendre son geste –, mais j'ai des doutes concernant son équilibre mental et ses motivations. Il voulait montrer à ses troupes qu'il était le plus fort. Qu'il était le chef. Et sur ce point-là, rien n'a changé.

Quand il dit « j'aurais passé le reste de ma vie à regarder par-dessus mon épaule », c'est aussi valable pour moi.

— Ce n'est pas aussi simple, rétorque Gros Gandhi.

Une note métallique se glisse dans ma voix.

— Pour moi, ça l'est : rendez-moi Rhys et, lui et moi, on s'en va.

Il baisse les yeux et secoue la tête.

— Je ne peux pas.

Il s'ensuit une seconde d'hésitation, pas plus. Je sais ce qui va arriver, mais je laisse faire. Avec une grâce qui ne cesse de me surprendre, Zorra pirouette et balaie les jambes de Gros Gandhi, lequel s'effondre comme un sac de tourbe humide. L'air déserte bruyamment ses poumons.

Zorra se dresse au-dessus de la silhouette affalée. Il lève son talon aiguisé comme une lame (au sens propre du terme) et l'abaisse à quelques millimètres (toujours au sens propre) de la cornée de Gros Gandhi.

— Mauvaise réponse, joli cœur, lui dit Zorra. Essaie encore.

24

Myron était assis dans le fauteuil de son père.

— Tu vas attendre Mickey ? demanda papa.

Du temps de son adolescence, le père de Myron s'asseyait dans ce même fauteuil pour attendre le retour de ses enfants. Il n'y avait pas de couvre-feu – « Je te fais confiance » –, et il n'avait jamais dit à Myron qu'il passait ses soirées à l'attendre. Quand Myron rentrait, papa feignait de dormir ou alors il était déjà monté à la hâte.

— Oui, répondit Myron, puis, souriant : Tu crois que je ne le savais pas ?

— Quoi donc ?

— Que tu veillais jusqu'à mon retour.

— Je ne pouvais pas fermer l'œil tant que je n'étais pas sûr que tout allait bien.

Papa haussa les épaules.

— Mais je savais que tu savais.

— Comment ?

— Quand tu as compris que je ne me couchais pas tant que tu n'étais pas là, tu t'es mis à rentrer plus tôt. Pour éviter que je m'inquiète.

Papa arqua un sourcil.

— Du coup, tu rentrais plus tôt que s'il y avait eu un couvre-feu.

— Tu es machiavélique, fit Myron.

— J'ai simplement tiré parti de ce que je connaissais de toi.

— À savoir ?

— Que tu étais un gentil garçon, dit papa.

Il y eut un silence. Silence rompu par maman qui cria de la cuisine :

— C'est très touchant, ce tête-à-tête père-fils. On peut aller se coucher maintenant ?

Papa s'esclaffa.

— J'arrive. On ira au match de Mickey, demain ? Il joue à domicile.

— Je passerai te prendre.

Maman jeta un regard dans le salon.

— Bonne nuit, Myron.

— Comment ça se fait que, toi, tu ne veillais pas jusqu'à mon retour ? lui demanda-t-il.

— Une femme a besoin de sommeil pour garder sa beauté. Tu crois quoi, que mon physique avantageux est le fruit du hasard ?

— Une belle leçon de vie à deux, dit papa.

— Quoi ?

— L'équilibre. Je restais éveillé. Maman dormait comme un bébé. Ça ne signifie pas qu'elle s'en fichait. Mais nos forces et nos faiblesses sont complémentaires. Nous sommes un couple. Tu comprends ? C'était ma contribution. J'assurais la garde de nuit.

— Mais tu étais le premier à te lever le matin, fit remarquer Myron.

— Ma foi, oui.

— Alors c'était quoi, la contribution de maman ?

— Tu n'as pas à le savoir, répondit maman depuis la cuisine.

— Ellen ! s'écria papa.

— Oh, détends-toi, Al. Tu es si pudibond.

Myron s'était déjà bouché les oreilles en répétant :

— La la la, je ne vous entends pas.

Il ne retira ses doigts de ses oreilles que lorsqu'ils furent montés tous les deux. Se rencognant dans le fauteuil, il jeta un coup d'œil dehors. Tiens, tiens. Le fauteuil était positionné de manière à pouvoir regarder la télévision tout en surveillant la rue.

Machiavélique, en effet.

Il était presque une heure du matin quand Myron aperçut la voiture de Mickey. Devait-il faire semblant de dormir ? Non, Mickey ne goberait pas ça. Myron avait attendu pour trois raisons. Primo : par devoir. Secundo : comme ça, son père n'avait pas besoin de le faire. Tertio : pour savoir ce qui s'était passé après son départ de chez les Moore.

Assis dans le noir, Myron compta les minutes. Cinq passèrent. Il regarda par la fenêtre. La voiture était toujours là. Les feux éteints. Aucun signe de vie. Fronçant les sourcils, Myron sortit son portable et envoya un texto à Mickey : Tout va bien ?

Pas de réponse. Une autre minute s'écoula. Toujours rien. Myron consulta ses textos. Nada. Un sentiment de malaise s'empara de lui. Il composa le numéro de portable de Mickey et tomba directement sur sa boîte vocale.

Qu'est-ce qui se passe… ?

Il se leva et se dirigea vers la porte d'entrée. Non, ce serait trop direct. Il passa par la cuisine pour sortir dans le jardin. Il faisait noir comme dans un four. Myron alluma la lampe de son smartphone et se faufila jusqu'à l'allée éclairée par les réverbères.

Toujours rien.

Il se baissa et s'approcha à pas de loup de l'arrière de la voiture. Papa venait d'arroser la pelouse. Les pantoufles de Myron furent vite trempées. Super. Vingt mètres le séparaient du coffre de la voiture. Puis dix. Pour finir, il se retrouva accroupi derrière le pare-chocs.

Il se creusait la cervelle en quête d'une explication plausible au fait que personne n'était descendu de cette voiture. Puis, juste à l'instant où il bondissait sur la portière côté conducteur et tirait sur la poignée, la réponse lui vint…

… une seconde trop tard.

Ema hurla.

Mickey cria :

— Non, mais ça va pas, Myron ?

Deux ados. Dans une voiture. Tard le soir.

Myron se souvint que son propre père l'avait surpris avec Jessica, l'ex-femme de sa vie, au moment le plus délicat. Son père était resté pétrifié, et sur le coup Myron n'avait pas compris pourquoi il ne s'était pas excusé dans la seconde et n'avait pas refermé la portière.

Maintenant il comprenait.

— Oh, fit-il.

Puis :

— Oh…

— Tu as un problème ? siffla Mickey.

— Oh, répéta Myron.

À son grand soulagement, ils étaient habillés tous les deux. Les vêtements, les cheveux, le maquillage étaient plus ou moins en désordre ou effacé. Mais ils étaient habillés.

Myron pointa le pouce en direction de la maison.

— C'est peut-être mieux que je vous attende à l'intérieur ?

— Tu crois ?

— Bon, à tout de suite.

— Va ! cria Mickey.

Myron rebroussa chemin en traînant les pieds. Mickey et Ema descendirent de voiture, remirent de l'ordre dans leur tenue vestimentaire et lui emboîtèrent le pas. Lorsqu'ils entrèrent tous les trois, papa était là dans son pyjama Homer Simpson que Myron lui avait offert pour la fête des Pères.

Son regard alla de Myron à Mickey et Ema.

— Tu es sorti ? demanda-t-il à Myron.

— Oui.

— Tu as oublié que tu avais été jeune, toi aussi ?

Papa secoua la tête en dissimulant son sourire.

— Je savais que je n'aurais pas dû te laisser en faction. Bonne nuit, tout le monde.

Papa tourna les talons. Immobiles, Myron et Mickey fixaient le plancher.

Ema poussa un soupir.

— Quand est-ce que vous allez grandir, tous les deux ?

Ils allèrent chercher à boire et s'installèrent tous trois autour de la table de cuisine.

281

— Alors, fit Myron, qu'avez-vous pensé de Patrick ? À supposer que ce soit Patrick.

— Il est tout ce qu'il y a de plus normal, déclara Mickey.

— Trop normal, ajouta Ema.

— Comment ça ?

Ema posa les mains sur la table. Outre ses tenues et son maquillage noirs, elle avait les bras couverts de tatouages. Et des bijoux en argent, dont deux bagues en forme de crâne humain.

— Il connaît les films les plus récents, dit-elle.

— Il est à jour sur les derniers jeux vidéo, renchérit Mickey.

— Il connaît toutes les nouvelles applis.

— Pareil pour les réseaux sociaux.

Myron demeura pensif un instant.

— Je doute qu'il ait été enfermé tout ce temps dans une cage. Il passait ses journées dehors. Il vivait sous une salle d'arcade. Le type pour lequel il travaillait à Londres est un gamer chevronné. Ça pourrait être une explication, non ?

— Ça pourrait, dit Mickey.

— Mais tu n'es pas convaincu.

Mickey haussa les épaules.

— Quoi ?

— À mon avis, il n'est pas ce qu'il prétend être.

Myron regarda Ema. Elle hocha la tête.

— Ses mains, dit-elle.

— Quoi, ses mains ?

— Elles sont douces.

— En même temps, ce n'était pas un travailleur manuel, répliqua Myron.

— Je sais, fit Ema, mais ce ne sont pas les mains de quelqu'un qui traîne dans la rue. Et, surtout, ses dents. Blanches, régulières. Il a peut-être des gènes remarquables, mais moi je parierais plutôt sur une bonne hygiène, des soins dentaires et le port de bagues.

— C'est difficile à expliquer, dit Mickey, mais Patrick n'a rien de quelqu'un qui aurait... enfin, fait le trottoir. Il n'a pas l'air d'avoir été maltraité, sauf à la fin. OK, il a pu être entretenu par un... bref, tu vois de quoi je parle... mais...

— Avez-vous seulement abordé le sujet du kidnapping ? s'enquit Myron.

— On a essayé, répondit Ema. Mais chaque fois on s'est fait renvoyer dans les cordes.

— Francesca montait la garde, ajouta Mickey.

— C'est-à-dire ?

— Elle le protégeait, dit Ema. Ça peut se comprendre.

— Alors dès qu'on prononçait le mot...

— Ou qu'on mentionnait le nom de Rhys...

— Elle se liquéfiait, fondait en larmes et le serrait dans ses bras, fit Mickey. Patrick semble normal, mais la frangine a disjoncté.

— Je ne dirais pas ça, intervint Ema. Elle retrouve son frère après dix années de séparation. Ce qui serait bizarre, c'est que Francesca ne manifeste aucune émotion.

— Ouais, peut-être, acquiesça Mickey sans enthousiasme.

— On a essayé de reparler du kidnapping après qu'elle est partie avec Clark.

283

— Attendez, dit Myron. Clark Baldwin, le frère de Rhys ?

— Oui.

— Il était là ?

— Il est passé chercher Francesca, répondit Mickey.

— Ils sont tous les deux à Columbia, expliqua Ema. Il devait la ramener sur le campus.

Myron garda le silence.

— C'est grave ? demanda Ema.

— Je n'en sais rien. Je trouve ça étrange, voilà tout. Vous croyez qu'il y a quelque chose entre eux ?

Mickey leva les yeux au ciel, exagérément comme tous les ados.

— Non.

— Comment peux-tu en être si sûr ?

— Les vieux, dit Ema à Mickey en secouant la tête. Ça n'a pas de gaydar.

— Clark est gay ?

— Oui. Mais même s'ils étaient maqués, qu'est-ce que ça changerait ? Ils avaient dix ans à l'époque, non ?

Quelque chose titillait Myron, sans qu'il parvienne à mettre le doigt dessus. Il reprit le fil de la conversation.

— Donc, après le départ de Francesca, vous avez remis le sujet du kidnapping sur le tapis ?

— Oui, mais Patrick n'a plus dit un mot.

— Il s'est fermé comme une huître.

— Et on est partis peu de temps après.

Myron se redressa sur sa chaise.

— Et sa façon de parler ? Nous l'avons retrouvé à Londres. On ignore totalement combien de temps il a vécu là-bas. Comment vous a paru son accent ?

— Bonne question, répondit Ema. Globalement, il a l'accent américain, mais...

Elle se tourna vers Mickey. Il hocha la tête.

— Il y a autre chose, dit-il. Je ne sais pas quoi. Comme s'il n'avait pas grandi ici. Mais pas en Angleterre non plus.

Myron réfléchit, mais rien ne lui vint à l'esprit.

— Alors qu'avez-vous fait pendant toute la soirée ?

— On a mangé la pizza, dit Ema.

— Regardé un film, ajouta Mickey.

— Joué à des jeux vidéo.

— Discuté.

— Au fait, Patrick a dit qu'il avait une copine, s'exclama Ema. Mais qu'elle n'est pas d'ici.

— Une copine ?

— Oui, mais on n'en sait pas plus. Il a dit ça comme un gamin qui cherche à se vanter.

— Tu sais bien, fit Mickey. Un peu comme le petit nouveau qui te raconte qu'il a une copine au Canada.

— Comprenez-nous bien, dit Ema. Il n'a pas été désagréable. On parle tous de ces choses-là. C'est juste que... ça avait l'air tellement normal.

— Merci à tous les deux. Vous m'avez filé un sacré coup de pouce.

— Ce n'est pas fini, déclara Ema.

Myron les dévisagea.

— On a installé un enregistreur de frappe sur son ordi, dit Mickey.

— Qu'est-ce que c'est que ça... ?

— Un logiciel qui permet de voir tout ce qu'il tape. Mails, réseaux sociaux, tout.

— Whaou ! fit Myron. Et qui va surveiller ça ?

— Spoon.

Spoon était l'autre meilleur ami de Mickey – si tant est qu'Ema soit toujours considérée comme une « amie » – et ce qu'on appelait dans le temps (et peut-être aujourd'hui encore) un nerd, un geek ou tout simplement quelqu'un qui vit à côté de ses pompes. Il était aussi absurdement intrépide.

— Comment va-t-il ?

Mickey sourit.

— Il remarche.

— Et nous casse à nouveau les pieds, ajouta Ema. En tout cas, s'il y a du nouveau, il nous tiendra au courant.

Myron ne savait que dire. Il n'était pas particulière-ment ravi qu'ils aient franchi cette ligne blanche, mais il ne se sentait pas de les sermonner sur le respect de la vie privée et encore moins de perdre une occasion de découvrir la vérité. L'enjeu était de taille. Patrick n'était peut-être pas Patrick. Il détenait peut-être la clé du sort de l'autre garçon. Oui, mais de là à espionner un adolescent ? D'ailleurs, était-ce seulement légal ?

Quiconque pourrait répondre à ces questions du tac au tac serait foncièrement suspect.

La vie n'est pas tout en noir et blanc.

— Encore une chose, dit Ema.

— Quoi ?

Gênée, elle regarda Mickey.

— Quoi ? répéta Myron.

Mickey fit signe à Ema. Elle soupira, fouilla dans son sac et en sortit un petit sachet en plastique transpa-rent, de ceux qu'on utilise pour ses affaires de toilette quand on voyage par avion.

Elle tendit le sachet à Myron. Dedans, il y avait une brosse à dents et une longue mèche de cheveux. Il posa le sachet, marqua une pause.

— Est-ce… ?

Ema hocha la tête.

— J'ai piqué la brosse dans la salle de bains de Patrick. Puis je suis sortie en douce dans le couloir et j'ai récupéré ça sur la brosse à cheveux de Francesca.

Sans mot dire, Myron regardait fixement le contenu du sachet.

Mickey se leva, imité par Ema.

— On a pensé que ça pourrait te servir pour faire faire un test ADN.

25

Nous sommes dans la maison maintenant.

Rien que nous deux, Gros Gandhi et moi. Zorra monte la garde devant la porte d'entrée. Les compagnons de voyage de Gros Gandhi – deux des hommes que Myron avait qualifiés de « gamers » et un garçon qui pourrait bien être mineur – sont dans la cour avec lui.

— Votre ami Zorro, commence Gros Gandhi.

— Zorra.

— Pardon ?

— Il s'appelle Zorra, pas Zorro.

— Je ne veux froisser personne.

Je me borne à le toiser.

— Je nous ai fait du thé, dit-il.

Je n'y touche pas. Je songe au jeune garçon, dehors. Au cinéma, on entend les gangsters dire : « Ce n'est que du business. » Personnellement, je n'y crois pas. Qu'on soit bon ou méchant, on tend à graviter autour de ses centres d'intérêt. Les trafiquants de drogue, par exemple, se servent dans leur marchandise. Les gens qui travaillent dans l'industrie du porno le font parce qu'ils aiment ça. Ceux qui pratiquent le racket en recourant à la violence ne rechignent pas à la vue du sang. Au contraire.

Je considère mon propre rôle là-dedans sans ironie, soit dit en passant.

Ce que je veux dire par là ? Gros Gandhi a beau parler business et profit, j'ai du mal à le croire. Je me demande s'il n'y a pas une explication personnelle et peu avouable au secteur d'activité qu'il s'est choisi.

Je me demande aussi si je ne devrais pas donner un coup de pied dans la fourmilière.

— Je ne peux pas vous remettre votre cousin, dit Gros Gandhi, parce que je ne l'ai pas.

— Voilà qui est malheureux.

Il évite de me regarder. Tant mieux. Il a peur de Zorra. Et il a peur de moi. Comme il l'a reconnu lui-même, il n'a pas envie de passer le reste de sa vie à regarder par-dessus son épaule. C'est pour ça que je crois à des représailles massives et disproportionnées. Ça donne à réfléchir à votre prochain ennemi.

Je demande :

— Où est-il ?

— Je ne sais pas. Je ne l'ai jamais vu.

— Pourtant, vous aviez Patrick Moore.

— C'est vrai. Mais pas comme vous le pensez.

Il se penche en avant, empoigne sa tasse de thé.

— Depuis combien de temps Patrick travaillait-il pour vous ?

— Justement, répond-il en buvant une gorgée de son thé. Il n'a jamais travaillé pour moi.

Je croise les jambes.

— Expliquez-vous, je vous prie.

— Vous avez tué trois de mes hommes.

— Vous espérez des aveux ?

— Non, je commence par le commencement.

Je me laisse aller en arrière et lui fais signe de poursuivre. Gros Gandhi ne se sert pas de l'anse délicate de sa tasse à thé. Il l'entoure de ses deux mains, comme s'il protégeait un oiseau blessé.

— Je suis sûr que vous n'avez même pas demandé à mes hommes pourquoi ils s'étaient approchés de Patrick.

— Je n'en ai pas eu le temps.

— Peut-être. Ou alors vous avez surréagi.

— Ce sont peut-être eux qui ont surréagi.

— C'est possible, mon ami. C'est fort possible. Mais nous nous égarons. Je vais vous expliquer ce qui s'est passé. À partir de là, vous déciderez quoi faire, OK ?

Je hoche la tête.

— Ce garçon donc, ce Patrick Moore, surgit un beau jour sur notre terrain. Vous connaissez ça, n'est-ce pas, monsieur Lockwood ? Les querelles de territoire ?

— Continuez.

— Mes hommes l'apprennent. Vous avez peut-être raison. Ils y sont allés trop fort, je ne sais pas. Je n'y étais pas. Mais c'est leur boulot. Je l'ai appris dans la rue : parfois, il vaut mieux y aller trop fort que pas assez.

J'entends là comme un écho de mes propres justifications. Mais cela ne m'émeut pas le moins du monde.

— Bref, ils commencent à corriger Patrick Moore. J'imagine qu'ils voulaient faire un exemple. Là-dessus, vous entrez en scène. Très clairement pour le protéger.

Mais dites-moi, monsieur Lockwood, qu'a fait Patrick Moore à ce moment-là ?

— Il s'est enfui.

— Tout juste, mon cher. Il s'est enfui. Tout le monde s'est enfui. Y compris Garth.

— Garth ?

— Le jeune homme au collier de chien.

— Ah, dis-je.

— Naturellement, Garth a raconté ce qui s'était passé. C'est arrivé à mes oreilles. Je l'ai convoqué. Il m'a parlé du nouveau garçon venu marcher sur nos plates-bandes et du gentleman un peu chochotte qui a expédié mes trois hommes.

Je hausse un sourcil.

— Chochotte ?

— C'est le terme qu'il a employé.

Je souris. Je sais bien que ce n'est pas vrai, mais je laisse couler.

— Continuez.

— Mettez-vous à ma place, monsieur Lockwood. Trois de mes hommes massacrés pour une insignifiante affaire de territoire. Je ne sais pas en Amérique, mais ici ce genre de chose n'arrive tout simplement pas. J'en ai conclu que quelqu'un – vous, monsieur – m'avait déclaré la guerre. Et que ce garçon, Patrick Moore, avait servi d'appât pour tester ma force et ma détermination. Comprenez-vous ?

— Oui.

— Pour ne rien vous cacher, j'étais un peu désorienté. Ces rues ne me rapportent pas tant que ça. J'ai donc sondé le terrain à la recherche du garçon qui avait pris la poudre d'escampette. Patrick. Garth m'a dit qu'il l'avait entendu prononcer quelques mots et qu'il parlait comme un Américain. Ça m'a dérouté encore plus. Pourquoi des Américains s'en prendraient-ils à moi ? Mais, à partir de là, j'ai fait passer le mot.

Il pose sa tasse.

— Vous permettez que je fasse preuve d'immodestie ?

— Je vous en prie.

— Je règne plus ou moins sur les rues de Londres. Du moins en ce qui concerne ce marché particulier. Je connais les hôtels. Je connais les maisons closes. Je connais les abris, les gares et les transports en commun où les jeunes se cachent. Je connais les parcs, les ruelles et les recoins sombres. Si quelqu'un est en mesure de retrouver un ado disparu, c'est bien votre serviteur. Mes employés sont capables de passer la ville au peigne fin mieux que n'importe quel service de police.

Il boit une autre gorgée, se lèche les babines, repose la tasse.

— J'ai donc déclenché une alerte rouge, monsieur Lockwood. Et un de mes contacts a rapidement localisé le garçon. Il essayait de louer une chambre dans un petit hôtel moyennant un paiement en liquide. J'ai alors chargé quelques-uns de mes employés de me l'amener.

Il trempe ses lèvres dans son thé.

— Patrick était seul quand vous l'avez retrouvé ?

— Oui.

Je réfléchis à ce que je viens d'apprendre.

— Et personne ne le connaissait chez vous ?

— Non.

— Poursuivez, dis-je.

— Comprenez, monsieur Lockwood, que, sur le moment, j'ai cru que cet Américain s'employait à nuire à mon business, voire à le détruire.

Je hoche la tête.

— Vous l'avez donc traité en ennemi.

Le sourire de Gros Gandhi trahit son soulagement.

— Oui. Je vois que vous m'avez compris.

Je ne laisse rien paraître.

— Je… Disons que je l'ai interrogé.

— Il vous a dit qui il était.

Le tableau commence à s'éclaircir.

— Il vous a parlé du kidnapping.

— Oui.

— Qu'avez-vous fait ensuite ?

— Ce que je fais d'habitude. Je me suis renseigné.

L'aphorisme hindi de Gros Gandhi que Myron m'a rapporté me revient en mémoire.

— Le savoir vaut tous les débats, dis-je.

Entendre son propre dicton dans ma bouche le déconcerte.

— Euh… oui.

— Qu'avez-vous découvert ?

— Que sa version des faits était juste, ce qui m'a placé face à un dilemme. D'un côté, je pouvais le remettre aux autorités. Quitte à passer pour un héros…

Je secoue la tête.

— Mais ça aurait attiré l'attention sur vous.

— Exactement. Un héros porte une cible dans le dos, même aux yeux de la police.

— Vous avez donc choisi l'option rançon.

— Franchement, je ne savais pas quoi faire. Je ne suis pas un kidnappeur. Et j'avais besoin d'évaluer les

293

risques. Trois de mes hommes avaient perdu la vie dans cette histoire. Je vous avoue, monsieur Lockwood, que j'étais un peu perdu.

Je comprends mieux à présent.

— Sur ce, Myron fait son apparition.

— Oui. Il avait retrouvé Garth dans le parc et j'ai chargé Garth de me l'amener. L'occasion était trop belle. Je pouvais me faire de l'argent. Me débarrasser de Patrick. Et venger mes trois collaborateurs. D'une pierre trois coups.

— L'autre garçon que Myron a vu dans la cellule, dis-je. Je suppose que c'était un leurre.

— Oui, c'était juste un gars du même âge.

— Vous pensiez vous faire plus d'argent avec deux qu'avec un seul.

Gros Gandhi acquiesce et écarte les bras.

— Vous connaissez le reste.

Certes, mais je veux en avoir le cœur net.

— Vous n'avez donc jamais vu Rhys Baldwin ?

— Non.

— Et vous n'avez pas la moindre idée de ce qu'il est devenu ?

— Non plus. Mais voici ma proposition, si vous voulez bien m'écouter.

Je me cale dans ma chaise, recroise les jambes et lui fais signe de continuer.

— Vous m'oubliez. Je vous oublie. Tout rentre dans l'ordre. À une chose près. J'ai mes sources en ville. J'ai des contacts. Je les utilise à l'heure où je vous parle. Tout comme j'ai pu localiser Patrick Moore, je me sers d'eux pour retrouver Rhys Baldwin, si c'est encore possible.

Je réfléchis à son offre. Elle me paraît convenable. Je le lui dis, et il ne cache pas son soulagement. Marché conclu donc. Pour le moment.

— Une dernière question. Vous avez dit « si c'est encore possible ».

Je vois sa mine s'allonger.

— J'imagine, poursuis-je, que vous avez interrogé Patrick Moore sur le sort de Rhys.

Il se tortille légèrement sur son siège.

— Ça ne m'intéressait pas vraiment, rétorque-t-il.

— Mais vous lui avez posé la question.

— Oui, en effet.

— Et qu'a-t-il répondu ?

Gros Gandhi me regarde droit dans les yeux.

— Il m'a dit que Rhys était mort.

26

Le campus de l'université de Columbia possède une cour centrale étonnamment pittoresque nichée entre Broadway et Amsterdam Avenue. On entre par la 116e Rue et soudain, comme lorsqu'on franchit la porte dérobée dans l'armoire magique de *Narnia*, on est transporté d'un paysage urbain dans un décor idyllique de verdure, de briques, de coupoles et de lierre. Ici, on se sent protégé, coupé du monde extérieur, et c'est peut-être le but recherché, du moins pendant les quatre ans qu'on passe entre ces murs.

Esperanza avait trouvé l'adresse de l'appartement que Francesca Moore partageait avec cinq autres étudiants à Ruggles Hall dans un annuaire du campus. Il était sept heures du matin. La cour était encore silencieuse. Comme une carte d'étudiant était exigée à l'entrée de la résidence, Myron attendit devant la porte. Affublé d'une casquette de base-ball, une boîte à pizza vide dans les bras.

Myron Bolitar, champion du déguisement.

Enfin, un garçon émergea du bâtiment. Myron saisit la poignée de la porte avant qu'elle ne se referme.

Habitué sans doute au ballet des livreurs à toute heure du jour, le garçon ne moufta pas.

Le champion du déguisement était à l'intérieur.

Un calme irréel régnait dans les couloirs. Myron monta au deuxième et chercha le numéro 217. Il s'était dit que Francesca, comme tous les étudiants, serait probablement en train de dormir et qu'ainsi il était sûr de la trouver. Elle serait peut-être même un peu dans les vapes, ce qui lui faciliterait les choses. Certes, il risquait de déranger ses colocataires, mais on ne fait pas d'omelette sans casser des œufs, n'est-ce pas ?

Myron ignorait ce qu'il espérait découvrir ici, mais tâtonner dans le noir faisait partie intégrante de ses prétendues investigations. Il ne s'agissait pas tant de chercher péniblement l'aiguille dans la botte de foin que de courir d'une meule à l'autre, pieds nus, et d'y fourrager au hasard dans l'espoir – aïe ! – de tomber sur ladite aiguille.

Myron frappa à la porte. Rien. Il frappa plus fort. Toujours rien. Il tourna légèrement la poignée. La porte n'était pas verrouillée. Il hésita à entrer, mais un adulte inconnu s'introduisant en catimini chez de jeunes étudiants ? Ce n'était pas conseillé. Il frappa à nouveau, et la porte finit par s'ouvrir.

— Monsieur Bolitar ?

Ce n'était pas Francesca, mais Clark Baldwin.

— Salut, Clark.

Clark portait un tee-shirt trois fois trop grand pour lui et un boxer à carreaux que même le père de Myron aurait considéré comme vintage. Son visage était pâle ; il avait les yeux injectés de sang.

— Qu'est-ce que vous faites ici ?

— Je pourrais te poser la même question.

— Ben, j'habite ici.

— Ah bon, dit Myron. Vous partagez la même chambre, Francesca et toi ?

— Le même appartement, oui.

— Je ne savais pas.

— Comment auriez-vous su ?

En effet.

— On est six là-dedans, poursuivit Clark comme s'il avait besoin de se justifier ou peut-être de reprendre ses esprits. Trois gars, trois filles. On est au vingt et unième siècle. Résidences mixtes, logements mixtes, toilettes transgenres, on a de tout ici.

— Je peux entrer ? demanda Myron.

— Que se passe-t-il, Clark ? fit une voix d'homme derrière lui.

— Rien, Matt, répondit Clark. Retourne te coucher.

Il se glissa dans le couloir et ferma la porte.

— Qu'est-ce que vous êtes venu faire ici ?

— J'aimerais parler à Francesca.

Une ombre passa sur le visage de Clark.

— À quel sujet ?

— Au sujet du partiel d'économie, répliqua Myron. Il paraît que ce n'est pas de la tarte.

Clark esquissa une moue.

— C'est censé être drôle ?

— Oui, bon, j'avoue que l'humour, ce n'est pas mon fort, mais…

— Maman dit que vous et le cousin Win essayez de retrouver Rhys.

— C'est exact, acquiesça Myron.

— Mais Francesca ne sait rien là-dessus.

Myron lui fit grâce de la métaphore de la meule de foin.

— Elle en sait peut-être plus qu'elle ne le croit.

Clark secoua la tête.

— Elle me l'aurait dit.

Patience, pensa Myron. Quand on est face à une meule de foin, autant la fouiller avant de passer à la suivante.

— Vous semblez très proches, tous les deux, observa-t-il.

— Francesca est ma meilleure amie.

— Vous avez grandi ensemble ?

— Oui, mais il n'y a pas que ça.

Une porte s'ouvrit dans le couloir. Un garçon en sortit en titubant, comme tout étudiant réveillé de bonne heure.

— Elle est la seule à comprendre, ajouta Clark. Vous voyez ce que je veux dire ?

— Fais comme si je ne voyais pas, répondit Myron.

— On était encore petits. On était en CM2.

— Je me souviens. La classe de M. Hixon.

— Dixon.

— Oui, pardon. Dixon. Vas-y, continue.

Clark déglutit, se frotta le menton.

— On était gamins. Amis, oui, mais on ne faisait pas grand-chose ensemble. Comme tout le monde à cet âge.

Myron hocha la tête.

— Les garçons avec les garçons, les filles avec les filles.

— Oui, sauf qu'après… nos deux petits frères ont…

Clark fit claquer ses doigts.

— … disparu. Comme ça. Vous imaginez un peu ce que ça nous a fait ?

Était-ce une question rhétorique, Myron n'aurait su le dire. Le couloir empestait la bière éventée et le stress des examens. Il y avait un panneau d'affichage surchargé de flyers, avec un large éventail de clubs et d'ateliers, du badminton à la danse du ventre, de la pensée féministe à l'orchestre de flûtes. Certains clubs portaient des noms énigmatiques comme Orchesis, Gayaa ou Taal, et qu'était-ce que le Venom Step Team ?

— Quand votre frère disparaît, on reste à la maison. On ne va pas à l'école.

La voix de Clark semblait venir de loin.

— Je ne sais plus combien de temps ça a duré. Une semaine, un mois ? Je ne m'en souviens plus. Mais, un jour, on finit par retourner en classe, et là tout le monde vous regarde comme si vous étiez un extrater-restre. Vos copains. Vos instituteurs. Tous. Et quand vous rentrez de l'école, c'est pire. Vos parents sont en train de partir en sucette. Ils se raccrochent à vous par peur de vous perdre vous aussi. Vous essayez de vous réfugier dans votre chambre, mais, pour ça, il faut passer devant sa chambre à lui. Et c'est comme ça tous les jours. Vous avancez dans la vie… et en même temps vous n'avancez pas. Vous tentez d'oublier, mais ça ne fait qu'empirer. Vous voulez échapper à l'ombre, mais tout à coup vous croisez le regard triste de votre mère, et vous replongez.

Clark baissa la tête.

Alors que, pensa Myron, tu n'es qu'un enfant.

300

Il hésita un instant, puis finit par poser la main sur l'épaule du garçon.

— Merci, dit-il.

— De quoi ?

— D'avoir partagé cela. Ça a dû être un cauchemar.

— Oui, répondit Clark, mais si je vous en parle, c'est parce qu'elle m'a beaucoup aidé.

— Francesca ?

Il hocha la tête.

— Elle ne disait pas simplement qu'elle comprenait. J'avais quelqu'un qui ressentait la même chose que moi.

— Parce qu'elle vivait la même expérience que toi.

— C'est ça.

— Et vice versa, dit Myron. Elle avait quelqu'un, elle aussi.

— Voilà. Vous voyez maintenant ?

Une amitié née de la tragédie... peut-être le plus fort des liens.

— Bien sûr.

— Je préférais aller voir Francesca plutôt que n'importe qui d'autre, y compris mes parents. Elle et moi, on se disait tout.

— Tu as eu de la chance de l'avoir.

— Vous n'avez pas idée, monsieur Bolitar.

Myron prit son temps avant de poser la question suivante.

— Et maintenant que son frère est revenu ?

Clark ne dit rien.

— Maintenant que son frère est revenu et pas le tien, continua Myron, votre relation est-elle toujours la même ?

— Francesca n'est pas là, fit Clark doucement.

— Où est-elle ?

— Chez elle, je suppose.

— Je croyais que tu l'avais ramenée ici hier soir.

— Qui vous a dit ça ? riposta Clark sèchement.

Puis :

— Ah oui, c'est vrai. Votre neveu. Il était chez eux.

Myron attendit.

— Il y avait une fête sur le campus. Ça paraît bête, je sais, alors que son frère a été retrouvé et tout. Elle a été très mal ces derniers temps. À cran. Comprenez-moi bien, elle est super heureuse. Elle ne lâche pas Patrick d'une semelle. Mais, à force, on devient un peu claustrophobe, vous voyez ce que je veux dire ?

— Tout à fait, opina Myron. C'est normal.

— Du coup, elle m'a envoyé un texto pour que je passe la chercher.

— Et tu l'as conduite ici ?

— Oui. Nous sommes allés à la soirée. C'était chaud bouillant, mais on a l'habitude. On a bu. Peut-être un peu trop, je ne sais pas. Bref, à un moment, elle a craqué.

— Craqué comment ?

— Elle s'est mise à pleurer. J'ai demandé ce qu'elle avait. Elle a juste secoué la tête. J'ai essayé de la consoler. Je l'ai accompagnée dehors, histoire de lui faire prendre l'air. Mais elle a pleuré de plus belle.

— A-t-elle dit quelque chose ?

— Elle sanglotait que ce n'était pas bien, ce n'était pas juste.

— Qu'est-ce qui n'était pas juste ?

Clark haussa les épaules.

— Qu'elle ait retrouvé son frère et pas moi.

Il y eut un silence.

— Et toi, que lui as-tu répondu ?

— Que j'étais heureux pour elle. Que le retour de Patrick était une bonne nouvelle, que nous pouvions encore retrouver mon frère. Mais elle n'arrêtait pas de sangloter. Puis elle a dit qu'elle voulait voir son frère. S'assurer que c'était bien réel. Qu'elle n'avait pas rêvé. Ça peut se comprendre, non ?

— Bien sûr.

— J'ai souvent fait ce genre de rêve. Que Rhys était à la maison, comme s'il n'en était jamais parti. J'ai dit à Francesca que j'allais la raccompagner, mais un Uber est arrivé et elle y est montée après m'avoir promis qu'elle m'appellerait.

— Elle l'a fait ?

— Non. Mais c'était il y a quelques heures. Je vous le dis, monsieur Bolitar, elle ne sait rien.

Il était inutile que Myron aille chez les Moore pour interroger Francesca. Nancy l'empêcherait de la voir. Et puis il avait d'autres projets.

Son père l'attendait dehors quand il arriva à la maison. Tous deux se rendirent chez Eppes Essen, traiteur et restaurant de « style juif » selon la brochure, à l'autre bout de la ville. Et tous deux commandèrent la même chose, leur fameux sandwich Sloppy Joe. Pour bon nombre d'entre vous, un Sloppy Joe est cette chose à la simili-viande qu'on sert dans les cantines scolaires. Mais pas chez Eppes Essen. Le leur était un authentique Sloppy Joe, une construction monumentale à trois étages avec du pain de seigle, de la sauce russe, du coleslaw et trois viandes au minimum : en l'occurrence de la dinde, du pastrami et du corned-beef.

Papa contempla son assiette et hocha la tête avec approbation.

— Si Dieu avait inventé un sandwich…

— Ça devrait être leur devise, acquiesça Myron.

Le petit déjeuner terminé, ils payèrent et reprirent la voiture pour aller au lycée où l'équipe de basket venait juste de commencer son échauffement. Mickey était au milieu de la horde. Ils devaient jouer contre leur grand rival, le lycée de Millburn.

— Tu te souviens de ton match contre eux quand tu étais en première ? demanda papa.

Myron sourit.

— Et comment !

Son équipe menait d'un point quand Millburn avait contre-attaqué pour marquer et voler la victoire dans les deux secondes qui restaient. Mais, alors que le joueur de Millburn s'apprêtait à tirer, Myron, qui lui filait le train, avait réussi à bondir par-dessus le gars et avait dévié le ballon qui se dirigeait vers le panier au moment où l'arbitre sifflait la fin du match. Les joueurs de Millburn avaient hurlé au contre illicite – difficile de dire si c'en était un ou pas –, mais l'arbitre avait refusé de trancher. Aujourd'hui encore, quand Myron croisait l'un des ex-joueurs de Millburn, celui-ci se plaignait avec bonhomie de la non-décision de l'arbitre.

Ah, le basket.

Le gymnase était bondé pour l'occasion. Myron entendit des murmures sur son passage. Bienvenue au club des célébrités locales. Quelques personnes vinrent le saluer : d'anciens profs, d'anciens voisins, des types qui continuaient à assister aux matchs même si leurs propres enfants ne jouaient plus depuis belle lurette.

Non loin de la ligne de touche, Mickey les aperçut et leur adressa un signe de la main. Papa – ou grand-père, c'est selon – lui rendit son salut. Puis il entreprit de gravir les marches. Il s'asseyait toujours au dernier rang par souci de discrétion. Jamais il ne criait, n'interpellait, ne « coachait », n'apostrophait les arbitres, ne se lamentait. Il lui arrivait d'applaudir. S'il se laissait gagner par l'enthousiasme lors d'un grand match, il disait : « Jolie passe, Bob » ou quelque chose d'approchant, pour dévier l'éloge. Papa n'acclamait jamais son propre fils. Cela ne se faisait pas.

« Si je dois t'acclamer pour te faire savoir que je suis fier de toi, avait-il dit un jour à Myron, c'est que je me suis trompé quelque part. »

Toujours prompt à la nostalgie, Myron repensa au temps révolu où lui aussi s'échauffait de la sorte pendant que son père grimpait les marches des gradins quatre à quatre. Ce temps-là était bien fini. À présent, papa avançait d'un pas hésitant en traînant les pieds. Il s'arrêtait souvent et grimaçait, hors d'haleine. Myron tendit la main pour l'aider, mais papa la repoussa.

— Je suis en pleine forme, déclara-t-il. C'est juste mon genou.

Sauf qu'il n'avait pas l'air si en forme que ça.

Ils prirent place dans la rangée du haut, une rangée pour eux tout seuls.

— Ma place préférée, dit papa.

Myron hocha la tête.

— Myron ?

— Oui ?

— Je vais bien.

— Je sais.

— Ta mère et moi, on vieillit, c'est tout.

Et c'est bien le problème, faillit répondre Myron. Il connaissait la chanson – les saisons, les cycles de la vie, la terre qui tourne –, mais il ne l'aimait pas pour autant.

Le signal retentit. Les joueurs interrompirent leur échauffement et se dirigèrent vers leurs bancs respectifs. Le type au micro commença, comme au début de chaque match de basket, par lire le règlement sportif de l'État du New Jersey :

— « Aucune déclaration ou action négative entre joueurs ou coachs des équipes adverses ne sera tolérée. Cela inclut les moqueries, les provocations, les insultes, le *trash talking* et les actes susceptibles de gêner ou de ridiculiser les personnes concernées. Toute référence écrite, orale ou gestuelle relative à la race, au genre, à l'appartenance ethnique, au handicap, à l'orientation sexuelle ou à la religion pourrait être sanctionnée par une exclusion et entraîner des pénalités contre toute l'équipe. Le moindre commentaire sera passible d'une sanction immédiate. Nous avons pour ordre de ne pas lancer d'avertissement. C'est à vous de rappeler le règlement aux membres de votre équipe. »

— Un mal nécessaire, observa papa.

Puis, indiquant les gradins où se massaient les pères des joueurs :

— Mais ça n'arrêtera pas cette bande d'abrutis.

Mickey était depuis peu de temps au lycée, et cela n'avait pas été sans controverse. Il avait réintégré l'équipe, même si personne n'y avait cru quelques semaines plus tôt, mais une certaine animosité persistait à ce jour. Myron repéra parmi les pères de famille surexcités son vieil ennemi et ancien membre de son équipe de basket Eddie Taylor, aujourd'hui chef de la police municipale. Taylor n'avait pas remarqué la présence de Myron, mais déjà il fusillait Mickey du regard.

Myron n'aimait pas ça.

Il fixa Taylor jusqu'à ce que, sentant ses yeux sur lui, il tourne la tête dans sa direction. Les deux hommes se toisèrent.

« Si tu as un problème, tu t'en prends à moi, pas à mon neveu. »

— Ne fais pas attention à lui, dit papa. Eddie a toujours été ce que les jeunes d'aujourd'hui appellent un « boloss ».

Myron rit tout haut.

— Un boloss ?

— Ouais.

— Qui t'a appris ça ?

— Ema, répondit papa. Je l'aime bien, pas toi ?

— Si, beaucoup.

— C'est vrai, ce qu'on raconte ?

— Quoi ?

— Que la mère d'Ema est Angelica Wyatt ?

C'était censé être un secret. Angelica Wyatt était l'une des actrices les plus populaires au monde. Pour protéger sa fille unique, ainsi que sa propre vie privée, elle avait emménagé dans une grande propriété sur la colline ici, dans le New Jersey.

— C'est vrai.

— Tu la connais ?

Myron hocha la tête.

— Un peu.

— Et qui est son père ?

— Je ne sais pas.

Papa se démanchait le cou.

— Ça m'étonne qu'Ema ne soit pas là.

Ils s'installèrent confortablement pour suivre le match. Myron était aux anges. Se trouver là, dans ce gymnase, à côté de son père et regarder son neveu dominer largement le jeu... pouvait-on rêver mieux ? Finis, les regrets. Le basket lui manquait, bien sûr, mais il avait fait son temps, et puis voir son jeune neveu s'éclater sur le terrain était un vrai bonheur.

Il en aurait presque pleuré.

À un moment, après un tir en suspension de Mickey, papa hocha la tête en disant :

— Il est vraiment doué.

— Oui.

— Il joue aussi bien que toi.

— Bien mieux.

Papa parut réfléchir.

— Les temps ont changé. Il n'ira peut-être pas aussi loin que toi.

— Hmm, fit Myron. Qu'est-ce qui te fait dire ça ?

— Comment l'expliquer... ? commença papa. Pour toi, le basket, c'était toute ta vie.

— Mickey est sacrément mordu aussi.

— Certes. Mais il y a une différence. J'ai une question à te poser.

— Je t'écoute.

— Avec le recul, que penses-tu de ton goût pour la compétition ?

Mickey réussit une interception. Une clameur s'éleva dans le public. Myron ne put s'empêcher de sourire.

— Je crois que j'étais un peu barré.

— C'était important pour toi.

— Ridiculement important, acquiesça Myron.

Papa haussa un sourcil.

— Trop ?

— Sûrement, oui.

— Mais c'est ce qui te différenciait des autres joueurs de talent. Ce « désir »… le mot est trop faible. Ce *besoin* de gagner. Cette obsession. C'est pour ça que tu étais le meilleur.

Win avait formulé la même remarque du temps où ils étaient à Duke : « Quand tu joues, tu n'es plus toi-même… »

— Aujourd'hui, poursuivait papa, tu vois les choses avec du recul. Tu as connu des joies et des drames et appris qu'il n'y a pas que le basket dans la vie. Quant à Mickey – ne le prends pas mal –, il a grandi trop vite. Il a déjà eu son content de malheurs.

— Le recul, acquiesça Myron.

— C'est ça.

Le coup de corne annonça la fin du premier quart-temps. L'équipe de Mickey menait de six points.

— Qui sait, dit Myron. Peut-être que sa sagesse fera de lui un meilleur joueur. Peut-être que le recul et l'obsession sont les deux faces de la même médaille.

Sa réponse plut à papa.

— Il se peut que tu aies raison.

Ils regardèrent les coéquipiers de Mickey se séparer pour entamer le deuxième quart-temps.

— J'ai horreur des métaphores sportives, reprit papa, mais il y a une chose que vous avez apprise sur le terrain et que vous appliquez dans la vie de tous les jours.

— Laquelle ?

Papa hocha la tête en direction du terrain. Mickey traversa la zone avant, attira un défenseur et passa le ballon à un coéquipier qui marqua sans difficulté.

— Tu aides les autres à donner le meilleur d'eux-mêmes.

Myron ne dit rien. Son neveu avait une expression qu'il connaissait bien. Un air presque zen, le calme avant la tempête, la concentration à l'état pur, la faculté de ralentir le temps. Soudain, il vit son regard dévier. Mickey marqua une brève pause, et Myron se retourna pour voir ce qui avait pu le distraire.

Ema venait d'entrer.

Plissant les yeux, elle scrutait les gradins. Myron lui adressa un petit signe de la main. Elle hocha la tête et entreprit de gravir les marches. Il se leva et descendit à sa rencontre.

— Qu'y a-t-il ?

— C'est à propos de Patrick, répondit Ema. Venez avec moi.

Ils n'allèrent pas loin, juste dans le bureau du gardien-chef, dans le bâtiment central du lycée. Ema tint la porte à Myron. Il entra et reconnut l'ado assis à l'intérieur.

— Bonjour, monsieur Bolitar !

C'était Mickey qui l'avait surnommé Spoon, mais Myron ne savait pas trop pourquoi. Le père de Spoon était gardien-chef au lycée, ce qui expliquait sa présence dans ce bureau. Un bureau exigu, ordonné et rempli de plantes vertes taillées avec le plus grand soin.

— Je t'ai déjà dit de m'appeler Myron.

Le garçon fit pivoter sa chaise et, d'un doigt, remonta ses lunettes à la Harry Potter sur son nez.

— Vous voyez les étiquettes qu'on colle sur les fruits dans les supermarchés ? s'enquit-il avec un sourire en coin.

Ema soupira.

— Pas maintenant, Spoon.

— Vous les décollez avant de manger votre fruit ?

— Ma foi, oui.

— Saviez-vous, poursuivit Spoon, que ces étiquettes sont comestibles ?

— Non.

— Vous n'êtes pas obligé de les enlever. Même la colle est d'origine alimentaire.

— Heureux de l'apprendre. C'est pour ça que je suis là ?

— Bien sûr que non, rétorqua Spoon. Vous êtes là parce que, à mon avis, Patrick Moore est sur le point de sortir de chez lui.

Myron s'approcha de la table.

— Qu'est-ce qui te fait dire ça ?

— Il vient juste de terminer une conversation sur Skype.

Spoon se renversa sur sa chaise.

— Vous êtes au courant, Myron, que le siège de Skype se trouve au Luxembourg ?

Ema leva les yeux au ciel.

— Avec qui Patrick parlait-il ? demanda Myron.

— Ça, je ne peux pas vous le dire.

— Et de quoi était-il question ?

— Je ne peux pas le dire non plus. Le mouchard installé par ma charmante complice…

Il désigna Ema qui, manifestement, avait très envie de l'étrangler.

— … enregistre les touches qu'on actionne sur le clavier. J'ai donc vu que Patrick Moore s'était connecté à Skype. Mais je ne peux pas savoir ce qui a été dit.

— Et pourquoi penses-tu qu'il va sortir de chez lui ? fit Myron.

— Simple déduction, mon ami. Après avoir éteint Skype, Patrick Moore – ou quiconque utilise son ordinateur – est allé sur le site du New Jersey Transit. D'après ce que j'ai compris, il consultait les horaires des bus pour Manhattan.

Myron regarda l'heure.

— C'était il y a combien de temps ?

Spoon consulta la montre tarabiscotée à son poignet.

— Quatorze minutes et onze, douze, treize secondes.

27

Pour des raisons qui échappaient à Myron, Big Cyndi était passée maître dans l'art de la filature. Peut-être parce qu'on ne voyait qu'elle... et qui soupçonnerait une femme moulée dans le costume violet de Batgirl de vous suivre ? Sa tenue, une réplique grande taille de celle d'Yvonne Craig dans la vieille série *Batman*, la gainait à un point tel que l'ensemble faisait penser à un saucisson.

Aujourd'hui, cependant, ce costume était particulièrement de circonstance. Myron aperçut Big Cyndi dès son arrivée à Times Square. Pensez à toutes les idées reçues sur Times Square, empilez-les les unes sur les autres... les vagues humaines, la circulation, les panneaux publicitaires géants, les écrans défilants et les néons. Prenez tout ce que vous savez et multipliez-le par dix.

Bienvenue à Times Square.

Ici, tous vos sens sont pris d'assaut, y compris l'odorat et le goût. Tout bouge, tout tourbillonne... on en viendrait presque à mettre toute la place sous Ritaline.

Et là, aux côtés de Spiderman, Elmo, Buzz l'Éclair et Olaf de *La Reine des neiges*, se tenait Big Cyndi en grand tralala. Les touristes faisaient la queue pour se faire prendre en photo avec la « Batgirl ».

— Ils m'aiment, monsieur Bolitar, lui cria Big Cyndi.

— Qui ne vous aime pas ?

Big Cyndi s'esclaffa et prit des poses à faire rougir Madonna dans sa période *Vogue*. Un touriste asiatique lui offrit de l'argent après avoir pris la photo, mais elle refusa.

— Oh non, vous êtes très gentil, mais je ne peux pas.

— Vous êtes sûre ? demanda le touriste.

— C'est du bénévolat.

Elle se pencha vers lui.

— Si je voulais me faire payer dans cette tenue, j'en serais encore à faire le tapin.

Le touriste s'empressa de tourner les talons.

Big Cyndi regarda Myron.

— Je plaisante, monsieur Bolitar.

— Je sais.

— Je n'ai jamais fait le tapin.

— C'est une bonne nouvelle.

— Même si j'ai ramassé pas mal de thunes quand je faisais de la pole dance avec ça.

— Mmm, fit Myron qui préférait ne pas évoquer ce souvenir-là.

— Chez Cuir et Dentelles, vous vous rappelez ?

— Oui.

— C'est vrai, parfois les choses allaient un peu trop loin quand on m'engageait pour un lap dance, si vous saisissez l'allusion.

— Cinq sur cinq, acquiesça Myron précipitamment. Alors... euh, où est Patrick ? Vous pouvez me faire un rapport ?

— Le jeune Patrick a filé de chez lui il y a deux heures, dit Big Cyndi. Il est allé à pied en ville où il a pris le bus 487. Je me suis renseignée. Le 487 a pour terminus la gare routière de New York. J'ai pris ma voiture et je suis arrivée avant le bus. J'ai attendu qu'il descende et je l'ai suivi jusqu'ici.

— Où ici ? demanda Myron.

— Ne vous retournez pas tout de suite, ça va se voir.

— OK.

— Patrick se trouve derrière vous, entre le musée de cire de Madame Tussaud et Ripley's.

Myron laissa passer quelques secondes.

— Je peux regarder maintenant ?

— Tournez-vous discrètement.

Ce qu'il fit. Patrick se tenait dans la 42e Rue, la tête dans les épaules, une casquette de base-ball enfoncée sur le front, comme s'il cherchait à passer inaperçu.

— A-t-il parlé à quelqu'un ?

— Non, répondit Big Cyndi. Monsieur Bolitar, ça ne vous ennuie pas que je continue à poser pour les photos pendant que nous attendons ? Mon public me réclame.

— Faites donc.

Tout en gardant un œil sur Patrick, Myron ne put s'empêcher d'observer Big Cyndi à l'œuvre. Trente secondes après qu'elle eut repris sa pose, la file de ses admirateurs s'était allongée à un point tel que le Cow-Boy Nu lui décocha un regard oblique. Elle jeta un coup d'œil en direction de Myron. Il leva les pouces en l'air.

La vérité était simple et atroce : le gabarit de Big Cyndi masquait tout le reste. Notre société est pétrie de préjugés, mais le jugement le plus sévère est généralement réservé aux femmes considérées comme « grosses ». Big Cyndi n'en était que trop consciente. Elle expliquait ses extravagances ainsi : « Je préfère voir la stupeur plutôt que la pitié sur leurs visages, monsieur Bolitar. Et je préfère qu'ils voient l'outrance et l'effronterie plutôt que la honte et la peur. »

Myron se retourna vers Ripley's juste à temps pour voir une jeune fille rejoindre Patrick.

Qu'est-ce qui... ?

Il se souvint alors que Mickey et Ema lui avaient dit que Patrick avait une copine. Mais s'il avait vécu en quasi-captivité à Londres pendant dix ans, comment pouvait-il connaître quelqu'un à New York ?

Bonne question.

Patrick et la fille s'embrassèrent maladroitement avant de s'engouffrer à l'intérieur de Ripley's. Big Cyndi s'était matérialisée à côté de Myron. Il se dirigea vers la billetterie, mais elle l'arrêta.

— Il vous connaît, lui rappela-t-elle.

— Vous voulez y aller ?

Elle pointa son index gros comme une baguette de pain sur l'affiche à l'entrée.

— C'est un musée dédié à des trucs bizarres. Ça tombe bien, non ?

Myron ne put que lui donner raison.

— Attendez ici, ajouta-t-elle. Je vous enverrai des SMS.

Myron resta une heure dans la rue à observer les passants. C'était l'une de ses occupations favorites. Les beaux paysages, la mer, les couchers de soleil, tout cela est magnifique, mais, au bout du compte, on finit par ne plus y faire attention. Alors que regarder passer les gens – de toutes les races, tous les genres, toutes les tailles, morphologies, langues, religions –, on ne s'en lasse jamais. Chacun évolue dans son propre monde, chacun a sa vie, ses rêves, ses espoirs, ses chagrins, ses révélations.

Le téléphone vibra. Big Cyndi venait d'envoyer un texto : ILS SORTENT.

Elle écrivait toujours en majuscules.

Patrick émergea en gardant la tête baissée, la jeune fille à son côté. Derrière eux se profilait la silhouette généreuse de Big Cyndi.

La jeune fille déposa un rapide baiser sur la joue de Patrick, qui prit la direction de l'ouest, tandis que son amie partait vers l'est. Big Cyndi interrogea Myron du regard. D'un geste, il lui désigna Patrick. Elle hocha la tête et lui emboîta le pas. Myron se mêla au flot des passants pour suivre la fille.

Elle tourna à gauche dans la Septième Avenue qu'elle longea jusqu'à la 59e Rue avant de bifurquer vers Central Park Sud. Ils dépassèrent le Plaza et prirent la Cinquième Avenue. La fille marchait d'un pas assuré, sans hésitation. Myron en conclut qu'elle connaissait bien le trajet et vivait probablement à Manhattan.

Myron Bolitar, le maître de la déduction. S'il vous plaît, ne lui en veuillez pas d'être aussi brillant.

Elle tourna dans la 61e Est. Lorsqu'elle traversa Park Avenue, Myron la vit sortir ses clés de son sac. La maison de ville en face d'elle avait un portail en fer forgé. La fille ouvrit le portail, monta deux marches et disparut dans la maison.

Une maison de ville près de Park Avenue. À tous les coups, sa famille était fortunée.

Le maître de la déduction, toujours. Si on le pique, est-ce qu'il saigne seulement ?

Myron s'arrêta, réfléchit à ce qu'il allait faire. Pour commencer, il envoya un texto à Big Cyndi : Où en êtes-vous ?

Big Cyndi : Patrick est dans le bus. Je pense qu'il rentre chez lui.

Myron : C'est moi, le maître de la déduction, merci beaucoup.

Big Cyndi : Comment ?

Myron : Peu importe.

Il regarda fixement la porte dans l'espoir qu'elle allait s'ouvrir pour qu'il…

Pour qu'il quoi ?

Se voyait-il aborder une adolescente dans la rue et l'interroger du tac au tac sur sa relation avec un garçon qu'elle avait retrouvé devant Ripley's ? Myron n'était pas flic. Il n'avait ni mandat ni autorisation d'aucune sorte. Il était juste un drôle de type entre deux âges. Il ne connaissait pas le nom de la fille. Il ne savait rien d'elle.

Non, ce n'était pas une bonne idée.

Il prit son téléphone et appela Esperanza.

— Quoi de neuf ?

— J'ai une adresse du côté de Park Avenue.

— Pfff, et alors ? Moi, j'habite bien un deux-pièces à Hoboken.

— Hilarant, dit Myron.

— N'est-ce pas ? Donne-moi ton adresse.

Il la lui dicta.

— J'ai suivi une ado jusqu'ici.

— Tu ne m'as pas dit que tu étais fiancé ?

— Ha ha. Elle avait rendez-vous avec Patrick. Il faut que je sache qui elle est.

— Ça marche.

Il raccrocha, et presque aussitôt son téléphone sonna. C'était Terese.

— Salut, beauté.

— Toi, tu sais parler aux femmes.

— Tu trouves ?

— Non, répondit Terese. Mais tes maladresses, c'est justement ce qui fait ton charme. Devine quoi ?

Myron avait déjà rebroussé chemin. Il avait laissé sa voiture sur le parking bondé d'un théâtre non loin de Times Square.

— Quoi ?

— La chaîne télé a mis son jet privé à ma disposition pour me ramener à la maison.

— Whaou, le grand jeu.

— Je viens d'atterrir à Teterboro.

— Et tu as décroché le poste ?

— Je le saurai bientôt.

Myron s'arrêta à un carrefour. Devait-il retourner à sa voiture ou héler un taxi ?

— Tu rentres à l'appartement, alors ?

— Oui.

— Envie de faire crac-crac ? demanda-t-il.

— Je retire ce que j'ai dit. Tu sais parler aux femmes.

— La réponse est donc oui ?

— Absolument.

— Tu ne me vois pas, dit Myron, mais là je cours vers la voiture.

— Plus vite, fit-elle avant de raccrocher.

Myron se gara dans le parking souterrain derrière le Dakota. Au moment où il gravissait la rampe mal éclairée, trois hommes surgirent en face de lui. Il reconnut celui du milieu : c'était le papa de Rhys, Chick Baldwin. Les deux autres, jean et chemise de flanelle, étaient baraqués et tenaient à le faire savoir. L'un des deux brandissait une batte de base-ball.

— Je vous avais dit de lâcher l'affaire, déclara Chick de but en blanc.

Myron poussa un soupir.

— Vous êtes sérieux, là ?

— Je vous ai demandé d'oublier ces textos, pas vrai ?

— Oui.

— Eh bien ?

— Je vous ai désobéi, répliqua Myron. Vous voulez bien en venir au fait ? J'ai un emploi du temps très chargé.

Chick se passa la main dans les cheveux pour les lisser en arrière.

— Vous avez cru que je plaisantais ?

— Je ne sais pas, Chick, et ça ne m'intéresse pas. Vous comptez faire quoi avec ça ?

Myron désigna les deux hommes en chemise de flanelle.

— Ces deux macaques ont pour mission de me brutaliser ?

— C'est qui, le macaque ? s'enquit Macaque-à-la-batte.

— Ouais, renchérit Macaque-sans-batte. C'est toi, le macaque, pas nous.

Myron ravala un autre soupir.

— Vous voyez, messieurs, ce qu'il y a là-haut ?

Il pointa le doigt vers le plafond. Lorsque les deux macaques levèrent la tête, il gratifia celui qui tenait la batte d'un coup de pied dans l'entrejambe et lui arracha son bout de bois avant que ledit macaque se plie en deux comme un fauteuil de plage. Myron regarda Macaque-sans-batte. Ce dernier se dit que le moment était bien choisi pour battre en retraite, ce qu'il fit avec panache.

Myron se tourna vers Chick.

— Vous n'étiez pas obligé de faire ça, dit Chick.

— Pourquoi les avoir amenés, alors ?

— Pour que vous m'écoutiez.

— Je vous écoute maintenant.

— Vous avez plus de points communs avec le cousin taré de Brooke que je ne l'aurais cru.

— Chick ?

— Quoi ?

— J'ai un rendez-vous très important et je n'hésiterai pas à vous assommer si vous ne vous écartez pas de mon chemin.

— Allez-vous-en, fit Chick.

Myron scruta son visage et comprit.

— Vous êtes en colère parce que j'ai parlé à Nancy Moore de cette histoire de textos.

— Je vous avais dit de ne pas le faire, non ? Je vous ai pratiquement supplié.

— Il ne s'agit pas de ça, Chick.

— Il s'agit de quoi alors ?

— C'est Nancy qui vous a prévenu.

Myron Bolitar avait une nouvelle fois fait preuve de son remarquable sens de la déduction.

Chick se tut. Myron s'approcha et aida l'ex-porteur de batte à se redresser. Puis il lui dit de déguerpir. L'autre s'exécuta en boitillant. Myron regarda Chick.

— Ça veut dire…

Il était lancé maintenant.

— … que vous l'avez contactée au sujet des textos. C'était donc important, ce qu'il y a eu entre vous.

La voix de Chick semblait provenir du fond d'un gouffre.

— Laissez ça, Myron. Je vous en supplie.

— Même si ça nous permettrait de retrouver votre fils ?

— Ça n'a rien à voir avec Rhys. Sinon, vous pensez bien, je serais le premier à le crier sur tous les toits. Pourquoi vous ne voulez pas me croire ?

— Parce que vous êtes trop impliqué. Vous n'êtes pas objectif.

Chick ferma les yeux.

— Vous ne lâcherez pas, hein ?

— Non. Pire que ça, Chick. Si vous refusez de parler, je m'adresserai à Brooke.

Chick grimaça comme si ces mots avaient formé un poing prêt à le frapper.

— Vous devez comprendre une chose d'abord.

— Je n'ai rien à comprendre, mais je vais quand même vous écouter.

— J'aime Brooke. Je l'ai toujours aimée. Et je l'aimerai toujours. Notre vie n'est pas parfaite. Je sais bien que ce taré de Win…

— Chick, arrêtez d'insulter mon ami, d'accord ?

Chick hocha la tête.

— Win me hait. Il pense que personne n'est assez bien pour sa cousine chérie.

Myron consulta sa montre. Terese devait déjà être à l'appartement.

— Tout ça, vous me l'avez déjà dit.

— Pas vraiment.

Chick prit un air accablé.

— Il faut que vous sachiez combien j'aime ma femme et ma famille. Je ne suis pas l'homme idéal. Je n'ai pas toujours eu les mains propres. Ce qui me rend humain – la seule chose qui compte réellement –, c'est l'amour que j'ai pour les miens. Pour Brooke. Pour Clark.

Sa poitrine se souleva ; les larmes se mirent à couler.

— Et pour Rhys.

Chick éclata en sanglots. Pour de vrai. Ce n'était pas du chiqué. Il ne cherchait même pas à masquer sa douleur. Oh non, pensa Myron. Reste fort, reste concentré, mais n'oublie pas : ce gars est à la recherche de son enfant perdu.

Lorsqu'il eut recouvré son calme, Myron le pressa à nouveau :

— Pourquoi échangiez-vous ces textos, Chick ?

— Nous n'étions pas amants.

— Pourquoi, alors ?

— Parce qu'on a failli. Voilà pourquoi. On a failli.

— Je croyais que vous aimiez votre femme.

— Vous n'êtes pas marié, Myron ?

— Je suis fiancé.

Chick essuya ses larmes et réussit à sourire, mais ce fut sans joie.

— On n'a pas le temps d'entrer dans les détails, mais vous êtes largement en âge de savoir que, la vie, ce n'est pas tout blanc ou tout noir. Ça se vit en gris. On vieillit, on pense qu'on va mourir, on fantasme sur quelque chose, même si c'est idiot. C'est ce qui nous est arrivé, à Nancy et moi. On s'est mis à flirter. C'est allé trop loin. On a commencé à faire des projets parce que c'est comme ça que ça marche. Comme toujours dans ce monde de merde, rien ne s'améliore, tout empire. Jusqu'à un certain point où, soit on saute le pas, soit ça s'éteint à petit feu.

— Et que s'est-il passé, Chick ?

— Ça s'est éteint.

Myron marqua une pause.

— Qui a mis fin à votre histoire ?

— Tous les deux.

— Ça ne se passe jamais comme ça, Chick.

— On s'est entraînés mutuellement, dans un sens comme dans l'autre.

— Quand vous êtes-vous séparés ?

— Je ne sais plus.

— Combien de temps avant la disparition de votre fils ?

— Je vous l'ai dit. Ça n'a rien à voir.

— Combien de temps ?

— Je vous ai répondu. Je ne sais pas.

— Et pourquoi aviez-vous si peur d'en parler ?

— Je ne voulais pas que Brooke soit au courant.

— Ah oui ? Même à l'époque ? Votre enfant disparaît, et c'est ça qui vous préoccupe ? Voyons, vous avez menti à la police.

— Il n'y avait pas que ma famille en jeu.

— Il y avait aussi celle de Nancy Moore.

— Mettez-vous à notre place, OK ? Si on en avait parlé à la police, il se serait passé quoi ?

Myron ne prit pas la peine de répondre.

— Vous comprenez pourquoi on n'a rien dit ? Qui nous aurait crus ? Ils seraient tombés sur ces textos, et, nous, on aurait avoué avoir presque décidé de vivre ensemble. Comment pensez-vous que les flics auraient réagi ? Ils nous avaient interrogés comme si nous étions des suspects. S'ils avaient su pour nous deux, ils ne nous auraient plus lâchés. Et maintenant, si Brooke l'apprend…

Chick se remit à larmoyer.

— Ça nous tuera, OK ? S'il vous plaît. C'est tout ce qui me reste.

Myron évitait de regarder son visage torturé.

— Donc Brooke n'a jamais su ?

— Non.

— Et Hunter ?

— Non plus. Si une telle chose s'était sue à l'époque, alors que tout le monde était au plus mal, que les relations étaient déjà très tendues, ça nous aurait tous bousillés. On ne s'en serait jamais remis.

— Hunter et Nancy ne s'en sont pas remis, de toute façon.

Chick secoua la tête.

— Ça n'a rien à voir.

— Qu'en savez-vous, Chick ? Comment pouvez-vous en être si sûr ?

28

Myron ouvrit la porte de l'appartement, s'efforçant de se remettre dans l'ambiance, même s'il n'était pas réellement inquiet. Qu'on le veuille ou non, il était un homme. Or les hommes fonctionnent tous de la même façon dans ce domaine-là. Mesdames, il n'en faut pas beaucoup pour mettre votre homme dans l'humeur adéquate. Cela, vous le savez déjà. Les magazines féminins vous abreuvent de conseils pour séduire votre homme, que cela concerne les huiles de massage, les bougies ou la musique adaptée à la situation. Mais, pour le meilleur ou pour le pire, la réalité est bien moins compliquée. Mesdames, demandez à votre homme s'il a envie de faire l'amour. Et celui-ci répondra : « Oui, avec plaisir. »

Myron sourit à cette pensée, mais, en entrant dans l'appartement, il découvrit qu'ils avaient de la visite.

— Désolée de gâcher la fête, s'excusa Esperanza.

Myron l'ignora et prit Terese dans ses bras. Ils s'étreignirent avec ferveur. C'était tout. Une simple étreinte. Myron ferma les yeux. Terese l'attira encore plus près.

— On a... euh, dix minutes, si vous voulez que j'attende dehors, fit Esperanza.

Myron haussa un sourcil.

— Dix minutes, carrément ?

— Oooh, ajouta Terese, ça laisse plein de temps pour les préliminaires.

— Vous êtes trop mignons, déclara Esperanza sur un ton qui laissait clairement entendre le contraire. Ça n'a rien d'agaçant de se trouver avec des amoureux transis. Rien du tout.

— Veux-tu me dire ce que tu fais ici ? s'enquit Myron.

— J'ai eu des infos sur l'adresse que tu m'as donnée, peut-être plus vite que tu ne l'aurais souhaité. La maison de ville appartient à Jesse et Mindy Rogers. Un couple bourré de fric. Papa dirige un fonds d'investissement. Maman est diplomate de carrière. Ils ont une fille de seize ans prénommée Tamryn.

— Et pourquoi ne nous accordes-tu que dix minutes ?

— Elle fait un stage chez Fox News dans la 48e. Elle commence à quatorze heures, alors si on y va maintenant...

Myron regarda Terese.

— Tu m'attends ?

— C'est toujours mieux que de commencer sans toi.

— Pas sûr, glissa Esperanza.

Les deux femmes pouffèrent de rire. Pas Myron.

— Allons-y, dit-il.

Pendant qu'ils patientaient devant le gratte-ciel, Myron demanda à Esperanza :

— Qu'est-ce qui t'arrive ?

— Tom veut négocier la garde d'Hector.

— Mais c'est une excellente nouvelle, non ?

Esperanza se borna à le dévisager.

— Ne fais pas ça.

— Quoi ?

— Tu comptes me mentir, là ?

— Je ne l'ai pas touché, je te le jure.

— Qu'est-ce que tu as fait ?

— Je lui ai juste rendu une petite visite.

— À la manière de Win, tu veux dire ?

— Non, je ne suis pas allé chez lui.

— Où, alors ?

— À la sortie d'un night-club. Tu savais que ton ex-époux porte un chignon maintenant ? Il a dépassé la quarantaine, non ?

— N'essaie pas de noyer le poisson. Qu'est-ce que tu as fait ?

— Je lui ai gentiment suggéré de faire la paix avec toi.

— Ça n'aurait pas infléchi sa position.

— J'ai dû mentionner que Win était de retour.

Esperanza dissimula un sourire en essayant d'imaginer la tête de son ex.

— Tu n'aurais pas dû y aller sans m'en parler avant.

— Pardon.

— C'est très paternaliste comme attitude, tu t'en rends compte ?

— Ce n'était pas mon intention.

— Et aussi vaguement sexiste, ajouta Esperanza. Si Tom avait été une femme, l'aurais-tu menacé de la même façon ?

Myron ouvrit la bouche, la referma, leva les mains.

— Ai-je précisé qu'il était coiffé d'un chignon ?

Elle soupira.

— OK, je n'ai pas d'argument contre ça.

L'attente se prolongeait.

— Tu m'as demandé pourquoi je ne t'ai pas empêchée d'épouser Tom.

— C'était il y a quelques jours. Parfois, il m'arrive de me souvenir d'événements vieux d'une semaine.

— Je t'ai répondu que ce n'était pas mon rôle de me mêler de ça.

Hochant la tête, Esperanza répéta sa propre réplique :

— C'était le rôle de qui, alors ?

— Exactement, fit Myron. Et je ne commettrai plus la même erreur.

Tout à coup, il aperçut la gamine qui avait accompagné Patrick chez Ripley's. Il fit signe à Esperanza. Ils étaient convenus de l'aborder ensemble, pensant qu'un couple lui ferait moins peur.

Esperanza prit les choses en main.

— Tamryn Rogers ?

La jeune fille s'arrêta, les regarda l'un après l'autre.

— Oui.

— Je m'appelle Esperanza Diaz.

— Et moi, Myron Bolitar.

— Tu veux bien répondre à quelques questions ?

Elle recula d'un pas.

— Vous êtes flics ?

— Non, dit Esperanza.

— J'ai seize ans, déclara Tamryn Rogers. Et je ne suis pas censée parler à des inconnus, alors… au revoir.

Esperanza jeta un coup d'œil à Myron. Manifestement, la gentillesse ne payait pas. Myron prit le taureau par les cornes.

— Je t'ai vue aujourd'hui.

— Pardon ?

— Chez Ripley's. Il y a quelques heures.

La bouche de Tamryn s'arrondit.

— Vous me suivez ?

— Non, je suivais Patrick.

— Qui ça ?

Ce fut Esperanza qui répondit :

— Le garçon avec qui tu avais rendez-vous ce matin.

— Ce n'est pas…

Elle s'interrompit, fit un autre pas en arrière.

— Je n'avais rendez-vous avec personne.

— Je t'ai vue, répéta Myron.

— Vous avez vu quoi, exactement ?

— Je t'ai vue avec Patrick Moore.

— Je suis allée au musée, rétorqua-t-elle. Un garçon m'a parlé. C'est tout.

Myron fronça les sourcils à l'adresse d'Esperanza. Esperanza fronça les siens en regardant Tamryn.

— C'était la première fois que tu le voyais ?

— Oui.

— Tu ne l'avais jamais rencontré auparavant ?

— Jamais.

— Et tu embrasses toujours les garçons que tu rencontres pour la première fois ? demanda Myron.

— Écoute, nous ne voulons pas t'embêter, tenta de la rassurer Esperanza, juste savoir la vérité.

— En m'espionnant ?

Tamryn pivota vers Myron.

— J'ai seize ans. Qui espionne une fille de seize ans ?

— Quelqu'un qui recherche un garçon de seize ans, répondit Myron. Un garçon porté disparu depuis une dizaine d'années.

— Je ne vois pas de quoi vous parlez.

— Je pense que si. D'où connais-tu Patrick ?

— Je vous l'ai dit, je ne le connais pas. Il m'a abordée, c'est tout.

— Ce n'est pas vrai, fit Myron.

— Vous…

Tamryn pointa le doigt sur lui.

— … ne vous approchez pas de moi.

Elle pivota vers Esperanza.

— Vous non plus. Laissez-moi tranquille ou j'appelle au secours.

Elle se dirigea vers l'entrée de la tour.

— On peut aussi aller voir tes parents, dit Myron.

— Allez-y, cria-t-elle, s'attirant quelques regards. Mais laissez-moi tranquille !

Elle franchit la porte vitrée. Ils la virent sortir sa carte magnétique, l'introduire dans le tourniquet et s'éloigner en direction des ascenseurs. Lorsqu'ils l'eurent perdue de vue, Myron hasarda :

— Ça s'est plutôt bien passé, non ? D'où, une gamine riche de Manhattan connaît-elle un garçon porté disparu depuis dix ans ?

— La réponse la plus évidente, c'est qu'il n'a pas disparu.

— Mais alors où était-il ?

— Ou plutôt, qui est-il ? S'il est réellement Patrick Moore…

— As-tu remarqué sa réaction quand j'ai prononcé son nom ?

331

— Comme si elle ne le connaissait pas sous ce nom-là, fit Esperanza. En un sens, c'est la seule chose qui me paraît logique. Si c'est bien Patrick Moore, je ne vois pas comment Tamryn Rogers pourrait le connaître. Mais si c'est un imposteur...

— Ceci expliquerait cela, opina Myron. Bien sûr, il nous reste encore à établir le lien entre notre imposteur et cette ado new-yorkaise.

— Oh, ça, c'est facile, répondit Esperanza.

— Raconte.

— Nous, les femmes, aimons les mauvais garçons. Tu crois que la riche Tamryn fréquente seulement la jeunesse dorée ?

— D'après toi, demanda Myron, pensif, elle cher-cherait à s'encanailler ?

— Je ne sais pas, mais ce n'est pas impossible. Avant toute chose, il faut qu'on sache si le garçon que tu as secouru est vraiment Patrick Moore. Où en est-on du test ADN ?

— Joe Corless s'en occupe au labo. Il dit que ça pourrait prendre plusieurs jours. C'est la matière récoltée qui pose problème. Il a du mal à trouver un cheveu avec une racine correcte. L'ADN provenant de la brosse à dents risque d'être contaminé. Je n'ai pas tous les détails. En attendant, on doit recueillir un max d'infos sur Tamryn Rogers.

— Je me charge de la filature, dit Esperanza. Mais elle n'a que seize ans.

— Et donc ?

— Si on mettait le jeune Spoon sur le coup ? Il pourrait fouiller du côté des réseaux sociaux.

— Bonne idée.

— De toute façon, Mickey veut me voir. Je lui transmettrai les données pour Spoon.

Myron esquissa une moue.

— Pourquoi Mickey veut-il te voir ?

Esperanza haussa les épaules.

— Il ne me l'a pas dit et je ne le lui ai pas demandé. Allez, rentre bourriner ta chérie.

— Je ne « bourrine » pas.

— Eh bien, tu as tort, répliqua Esperanza avec un clin d'œil.

Elle embrassa Myron sur la joue.

— Fais attention à toi.

— Toi aussi.

Ils se séparèrent. Myron sauta dans un taxi. Il envoya un texto à Terese : J'arrive. Tu es prête ?

La réponse tomba, accablante : Ben non.

Lorsque Myron pénétra dans l'appartement, Win était là.

— Désolé de gâcher la fête, dit-il.

29

— Bon alors, commença Win en faisant tourner le cognac dans son verre, faisons le point, OK ?

— OK.

— Moi d'abord. Patrick Moore a dit à Gros Gandhi que Rhys était mort.

Le salon de Win au Dakota était digne du château de Versailles. Les deux amis étaient assis à leurs places habituelles... places qu'ils n'avaient pas occupées depuis plus d'un an. Win but une petite gorgée de cognac en promenant son regard sur la pièce. Myron, dans un accès de nostalgie, sirotait un Yoo-Hoo glacé en canette.

— Tu le crois, toi ? demanda-t-il.

— Qui ? Patrick ou Gros Gandhi ?

Myron hocha la tête.

— Les deux. Ou aucun.

— Justement.

Dès le retour de Myron, Terese avait suggéré que Myron et elle le laissent tranquille mais Win avait rétorqué qu'il avait eu sa part de tranquillité depuis un an, merci bien, et que leur départ lui ferait beaucoup de peine.

— Son propre intérêt, dit Win. On en revient toujours à la même chose.

— Comment ça ?

— Eh bien, je ne vois pas pourquoi Gros Gandhi m'aurait menti. Je ne dis pas qu'il ne ment jamais, et c'est aussi un affreux personnage qui non seulement prostitue des mineurs, mais participe peut-être aux viols et autres abus. N'empêche, je ne vois pas quel intérêt il aurait à mentir là-dessus.

— Si ça se trouve, c'est lui qui a tué Rhys et il cherche à se couvrir.

Win inclina sa main libre de gauche à droite.

— C'est une possibilité, mais je ne vois aucun mobile. Une autre possibilité serait qu'il garde Rhys au frais pour l'utiliser le moment venu comme monnaie d'échange. Mais, ça aussi, ça m'étonnerait. Gros Gandhi était mort de trouille.

— Tu fais cet effet-là à certaines personnes.

Win réprima un sourire.

— Oui, n'est-ce pas ? Oh, et j'étais accompagné d'un vieil ami à nous.

— Qui ça ?

— Zorra.

Myron écarquilla les yeux.

— Sérieux ?

— Non, répondit Win d'un ton caustique, je l'ai inventé.

— Toi et Zorra.

Myron avala une autre gorgée.

— J'ai la chair de poule rien que d'y penser.

— J'ai offert une porte de sortie à Gros Gandhi, s'il nous remettait Rhys. Je pense que, s'il avait pu, il aurait sauté sur l'occasion.

Ils se turent quelques instants.

— On savait que c'était une éventualité, dit Myron.

— Que Rhys soit mort ?

— Oui.

— Exact, acquiesça Win.

— Mais on n'en est pas là. On n'est même pas sûrs que Patrick soit Patrick.

— On connaît le début, répondit Win. Et on connaît la fin.

— Tu l'as déjà dit, ça. Tu devrais peut-être en faire une chanson.

— J'ai envoyé Zorra en Finlande, fit Win.

Myron le regarda.

— Pour qu'il retrouve la nounou ?

— La fille au pair, rectifia Win.

— Je m'abstiendrai de lever les yeux au ciel.

— Son nom, souviens-toi, est Vada Linna.

— Je me souviens.

— Elle n'existe plus.

— Pardon ?

— Elle aurait vingt-huit ans aujourd'hui. Il n'y a aucune Vada Linna en Finlande – ni ailleurs, du reste – dans cette tranche d'âge.

Myron réfléchit deux secondes.

— Elle a changé de nom.

— Tu es vraiment trop fort.

— Vu la pression médiatique au moment du kidnapping, ça ne me surprend pas.

— Peut-être, répliqua Win, sauf que son père n'existe pas, lui non plus.

— Il est peut-être mort ?

— Aucune trace du décès d'une personne portant ce patronyme. Ils se sont tout simplement volatilisés.

— Et tu expliques ça comment ?

— Je n'ai pas d'explication valable pour le moment. C'est pour ça que j'ai mis Zorra sur le coup.

— Est-ce bien raisonnable ?

— Pourquoi ?

— Prend-on un chalumeau quand une allumette suffit ?

Win sourit.

— Personnellement, je préfère le chalumeau.

Que voulez-vous répondre à cela ?

Se laissant aller en arrière, Win croisa les jambes.

— Voyons tout le reste point par point, veux-tu ?

Myron lui fit le compte rendu complet de la situation : les visites chez les Moore, l'opinion de Mickey et Ema, Ema subtilisant les cheveux et la brosse à dents pour le test ADN (Win, en entendant cela, eut un grand sourire), les textos, la réaction de Chick, Tamryn Rogers, tout. Ils discutèrent, analysèrent, explorèrent différentes pistes qui toutes aboutissaient à des impasses.

Ils finirent comme ils avaient commencé.

— Est-ce qu'on répète à Brooke ce qu'a dit Gros Gandhi ?

Win réfléchit brièvement.

— À toi de décider.

— À moi ? fit Myron, surpris. Pourquoi moi ?

— C'est simple.

Win posa son verre de cognac, joignit les bouts de ses doigts.

— Tu es plus doué que moi pour ce genre de choses.

— Mais pas du tout.

— Ne fais pas semblant d'être modeste. Tu es plus objectif. Ton jugement est plus sain. Toi et moi, on fait ça depuis longtemps : aider des personnes dans la tourmente, retrouver des disparus, secourir les nécessiteux… non ?

— Oui.

— Et chaque fois, c'est toi, le chef. Moi, j'interviens en tant que renfort. Je suis ta force de frappe en quelque sorte. Nous sommes associés, nous formons une équipe, mais le capitaine de l'équipe, c'est toi. J'ai commis des erreurs.

— Moi aussi.

Win secoua la tête.

— Je n'étais pas obligé de tuer ces trois hommes ce jour-là, à Londres. J'aurais dû en garder au moins un en vie. J'aurais pu leur offrir de l'argent pour qu'ils me fichent la paix. En fait, je suis suffisamment objectif pour savoir que je ne suis pas objectif. Tu as vu le visage de Brooke ?

Myron acquiesça.

— Il y a peu de personnes qui me sont chères, tu le sais bien.

Myron ne dit rien.

— Mais quand j'aime quelqu'un, c'est avec une férocité qui n'est pas toujours compatible avec la raison. Nous avons réussi, dans le passé, parce que tu prenais la tête des opérations.

— Et nous nous sommes plantés aussi, dit Myron. Nous avons subi des pertes.

— Peut-être, mais nous gagnons plus souvent que nous ne perdons.

— Brooke a le droit de savoir, déclara Myron. Il faut lui dire.

— OK.

— Mais d'abord, on va voir Patrick pour remettre les pendules à l'heure avec lui.

Comme téléphoner ne servirait à rien, Myron et Win prirent la voiture pour se rendre chez les Moore dans le New Jersey. Personne ne vint leur ouvrir la porte. Myron risqua un coup d'œil par la fenêtre du garage. Pas de voiture. Win aperçut le panneau à VENDRE dans le jardin.

— Tu as vu ça ?

Myron hocha la tête.

— Ils déménagent en Pennsylvanie pour se rapprocher de Hunter.

— Tu as son adresse ?

— Oui.

Myron sortit son smartphone et afficha une carte.

— Ça dit qu'on en a pour une heure et quart.

— Peut-être que je vais prendre le volant, dit Win.

Ils atteignirent un chemin de terre perdu dans les bois en moins d'une heure. Une chaîne en barrait l'accès. Sur un écriteau rouillé, on lisait : LAC CHARMAINE – PRIVÉ.

Myron descendit de voiture. La chaîne était fermée par un cadenas. D'un coup de talon, Myron parvint à le briser. La chaîne tomba lourdement avec un bruit métallique.

— Violation de propriété, observa Myron.

— Vivons dangereusement, mon vieil ami. La fin justifie les moyens, non ?

Tandis qu'ils s'engageaient sur le chemin de terre, le lac Charmaine se profila devant eux dans toute sa splendeur. L'eau miroitait au soleil. Myron consulta le GPS qui leur recommanda de faire le tour du lac. Ils prirent à gauche, passant devant une cabane en rondins comme on en voit dans les vieux films. Une voiture avec une plaque de médecin était garée devant. Sur le ponton, un homme de l'âge de Myron lança sa ligne de pêche lentement, gracieusement, d'un geste plein de poésie. Puis il tendit la canne à un petit garçon et passa son bras autour de la taille de sa femme. En contemplant ce tableau idyllique, Myron songea à Terese. Au bruit de la voiture, l'homme se retourna. La femme gardait les yeux rivés sur le petit garçon. L'homme plissa les paupières en voyant Myron et Win. Myron lui adressa un signe de la main pour montrer qu'ils ne leur voulaient aucun mal. L'homme hésita, puis lui rendit son salut.

Ils dépassèrent des bungalows en ruine qui avaient dû abriter jadis une colonie de vacances. À présent, une équipe d'ouvriers était en train d'y construire une maison.

— La nouvelle résidence de Nancy Moore ? s'enquit Win.

— Peut-être.

Un pick-up garé à l'entrée de la longue allée de Hunter Moore en bloquait l'accès.

— On dirait qu'il n'aime pas les visites, commenta Win.

Ils se garèrent sur le bas-côté. Tout résonnait dans le silence : le claquement des portières, leurs pas sur le chemin de terre. Myron avait lu quelque part qu'un bruit ne meurt jamais, que si on crie dans un bois comme celui-ci, l'écho continue à se réverbérer, à ricocher, de plus en plus faiblement, mais sans disparaître complètement.

— À quoi tu penses ? lui demanda Win.

— À l'écho infini des cris.

— Ce que tu peux être drôle.

— Rappelle-moi de ne jamais acheter une maison au bord d'un lac.

Ils contournèrent le pick-up et longèrent l'allée. Tout au bout, surplombant le lac Charmaine, ils virent Hunter Moore assis dans un fauteuil de jardin en bois. Il ne se leva pas à leur approche. Comme s'il ne les avait pas vus arriver. Il continuait à fixer l'horizon, le panorama spectaculaire, une bouteille de whisky à ses pieds.

Et un fusil de chasse sur les genoux.

— Salut, Hunter, dit Myron.

Win s'écarta légèrement, mettant de la distance entre eux deux. Pour éviter d'offrir deux cibles trop rapprochées, devina Myron.

Hunter lui sourit. C'était le sourire de quelqu'un qui a trop bu.

— Salut, Myron.

Comme il avait le soleil dans les yeux, il mit une main en visière.

— C'est vous, Win ?

— Oui, répondit Win.

— Vous êtes revenu ?

— Non.

— Hein ?

— Je plaisante, dit Win.

— Ah !

Le rire de Hunter, semblable à un coassement, brisa le silence, manquant faire sursauter Myron.

— Elle est bonne, celle-là.

Win regarda Myron. Son regard signifiait qu'ils n'avaient rien à craindre. Hunter n'aurait jamais le temps d'attraper son fusil et de viser ; Win, qui était toujours armé, l'abattrait avant. Ils se rapprochèrent.

— Regardez-moi ça, fit Hunter, admiratif, en désignant d'un geste la vue derrière eux.

Myron se retourna. Pas Win.

— Incroyable, non ? Cet endroit…

Il hocha la tête, émerveillé.

— … c'est comme si Dieu lui-même avait peint cette toile géante.

— Si on y réfléchit, opina Win, c'est le cas.

— Whaou, exhala Hunter comme quelqu'un de défoncé.

Myron se demanda s'il avait consommé d'autres substances que l'alcool.

— C'est tellement vrai.

— Où est Patrick ? questionna Myron.

— Je ne sais pas.

Il pointa le doigt sur la maison.

— Il est à l'intérieur ?

— Non.

— Et Nancy ?

Hunter secoua la tête.

— Non plus.

— On peut entrer ?

Hunter continuait à secouer la tête.

— Pour quoi faire ? Il n'y a personne. Une belle journée comme celle-ci, il faut en profiter. On a d'autres fauteuils, si vous voulez vous asseoir pour admirer la vue avec moi.

Le prenant au mot, Myron s'assit à côté de lui, face au lac. Win resta debout.

— Il faut vraiment qu'on retrouve Patrick, dit Myron.

— Vous avez appelé Nancy ?

— Elle ne répond pas. Où sont-ils ?

Hunter avait toujours le fusil sur les genoux. Lentement, quasi imperceptiblement, sa main était en train de glisser vers la détente.

— Il a besoin de temps, Myron. Imaginez ce qu'il a vécu ces dix dernières années.

— Imaginez, dit Win, ce que Rhys peut vivre en ce moment même.

Hunter grimaça et ferma les yeux. Myron fut tenté de s'emparer du fusil, mais Win l'arrêta d'un geste. Il avait raison. Le fusil ne représentait aucun danger. Pas tant que Win était là. S'ils le lui arrachaient des mains maintenant, Hunter se braquerait, se retrancherait dans le mutisme. Autant lui laisser sa planche de salut.

— Vous avez rencontré Lionel, fit Hunter. Le Dr Stanton. Il dit qu'il faut laisser du temps à Patrick. Nous voudrions tant qu'il ait une vie simple et paisible.

— C'est pour ça que Nancy emménage ici ?

Un lent sourire se dessina sur ses lèvres.

— Cette propriété est mon havre de paix. Nous vivons ici depuis trois générations. Mon grand-père a appris à mon père à pêcher à la mouche sur le lac. Mon père me l'a appris à son tour. Et je l'ai appris à Patrick quand il était petit. On prenait des truites, des perches soleil…

Sa voix se brisa.

Win gratifia Myron d'un regard de merlan frit et fit mine de jouer du violon.

— J'imagine combien cela a dû être dur pour vous, risqua Myron.

— Je n'ai pas besoin qu'on me plaigne.

— Bien sûr.

— C'est comme si…

Hunter ne quittait pas le lac des yeux. Pas une fois il n'avait regardé Myron ou Win.

— C'est comme si j'avais eu deux vies. J'étais quelqu'un – de normal, d'ordinaire même – jusqu'à ce fameux jour. Après quoi, je suis devenu quelqu'un d'autre. Comme si on avait tous franchi un portail pour entrer dans un monde parallèle.

— Tout a changé, renchérit Myron pour l'encourager à parler.

— Oui.

— Vous avez divorcé.

— C'est ça.

L'œil toujours rivé sur le panorama, il trouva la bouteille à tâtons.

— Ce serait peut-être arrivé de toute façon. Je n'en sais rien. Mais Nancy et moi, on s'est séparés. Le rappel permanent de ce qui s'était passé, toute cette horreur, et cette personne qui partage votre vie toujours là, comme pour vous empêcher d'oublier, de passer à autre chose.

— Je vois.

— La pression est devenue trop forte. S'il n'y avait pas eu de fissures dès le départ, j'aurais peut-être tenu le coup. Mais là, je n'ai pas pu. Alors j'ai pris la tangente. J'ai vécu un moment à l'étranger. Mais j'étais incapable de tourner la page. Je me suis mis à boire. Beaucoup. J'allais faire un tour chez les Alcooliques anonymes, ça allait mieux, puis je replongeais, et ainsi de suite. Le cycle infernal.

Hunter brandit la bouteille.

— Devinez dans quelle phase du cycle je suis, là ?

Il y eut un silence. Que Myron finit par rompre :

— Vous étiez au courant des textos entre votre femme et Chick Baldwin ?

Les muscles de son visage se crispèrent.

— Quand ça ?

Intéressant. Myron regarda Win. Lui aussi semblait avoir été surpris par la question du père de Patrick.

— Est-ce important ?

— Non, répondit Hunter. Je ne sais pas, je m'en fiche. Et elle n'est plus ma femme.

Myron se tourna vers lui.

— C'était avant la disparition de votre fils. Nancy et Chick ont failli avoir une aventure. Ou peut-être qu'ils l'ont eue, je ne sais pas.

Hunter resserra les doigts sur le fusil. Il fixait toujours le lac, mais, à voir sa tête, le panorama ne devait pas lui être d'un grand secours.

— On s'en fiche.

— Vous étiez au courant ?

— Non.

Il avait répondu trop vite. Myron jeta un coup d'œil en direction de Win. Qui déclara :

— J'ai retrouvé Gros Gandhi.

Voilà qui parut tirer Hunter de sa torpeur.

— Il est en taule ?

— Non.

— Je ne comprends pas.

— Il m'a dit que Rhys était mort.

— Oh, mon Dieu !

Mais la voix de Hunter sonnait faux.

— C'est lui qui l'a tué ?

— Non. Il n'a jamais vu Rhys. C'est Patrick qui le lui a dit.

— Qui lui a dit quoi ?

Win ravala un soupir.

— Ne m'obligez pas à me répéter.

Hunter secoua la tête.

— Si j'ai bien compris, vous vous fiez à ce que vous a raconté le psychopathe qui a poignardé et failli tuer mon fils… ?

— Oui, répondit Win.

— Hunter, hasarda Myron, ne pensez-vous pas que Patrick doit la vérité aux Baldwin ?

— Bien sûr. Bien sûr qu'ils ont droit à la vérité.

Il avait l'air abasourdi maintenant.

— J'en parlerai à Patrick dès que je le pourrai.

— Hunter ? l'interpella Win.

— Ouais ?

— Je voudrais utiliser vos toilettes avant de partir.

Hunter lui sourit.

— Vous croyez qu'ils sont à l'intérieur ?

346

— Ce n'est pas la question, fit Win. J'ai vraiment besoin d'uriner.

Seul Win pouvait prononcer le mot « uriner » avec ce parfait naturel.

— Allez sous un arbre.

— Je ne fais pas ça sous les arbres, Hunter.

— C'est bon.

Tandis qu'il se soulevait de son fauteuil en bois, Win se saisit sans difficulté de son fusil, illustrant par là même l'expression « voler une sucette à un bébé ».

— J'ai un permis, déclara Hunter. Je peux tirer les daims sur mon terrain. Je suis parfaitement en règle.

Win regarda Myron.

— Serait-ce indigne de moi de remarquer que Hunter est un chasseur[1] ?

— Totalement indigne, confirma Myron.

— Ha ha !

Hunter tituba en direction de la maison.

— Venez, lança-t-il. Allez... euh, uriner et fichez-moi le camp d'ici.

1. En anglais, chasseur se dit *hunter*. (N.d.T.)

30

Une fois dans la voiture, Myron demanda :

— Ça va, tu es soulagé ?

— Un vrai bonheur. Et maintenant je sais qu'il est vraiment tout seul. Pour le moment.

Myron avait bien compris d'où lui était venue cette brusque envie d'« uriner ».

— Alors pourquoi avait-il un fusil dans les mains ?

— Pour chasser peut-être. Il est chez lui. C'est son droit. Si ça se trouve, c'est son hobby. Il s'installe dehors par une belle journée, admire la vue, s'imbibe de whisky… et si un daim passe par là, il l'explose.

— Génial comme passe-temps.

— Ne juge pas, dit Win.

— Tu ne chasses pas, toi.

— Et je ne juge pas non plus. Tu manges bien de la viande. Tu portes du cuir. Même les végans tuent des animaux quand ils labourent la terre. Personne n'est tout blanc dans cette affaire.

Myron ne put s'empêcher de sourire.

— Tu m'as manqué, Win.

— Je pense bien.

— Tu as eu l'occasion de revenir aux States pendant tout ce temps-là ?

— Qui te dit que je suis jamais parti ?

Win désigna l'autoradio.

— Je suis même allé voir ça.

Myron avait branché son smartphone sur la radio. Ils étaient en train d'écouter la bande-son de *Hamilton*. Lin-Manuel Miranda chantait d'une voix aux accents dramatiques « *Tu m'assommes, je tombe en pièces* ».

— Attends, fit Myron, tu as vu *Hamilton* ?

Win ne répondit pas.

— Mais tu détestes les comédies musicales. Je n'ai jamais réussi à t'y traîner.

Win posa un doigt sur ses lèvres.

— Chut, c'est là.

— Quoi ?

— La dernière phrase. Écoute…

La chanson évoquait la douleur de Hamilton qui venait de perdre son fils dans un duel. Win porta la main à son oreille pendant que le chœur chantait « *Ils endurent l'inimaginable* ».

— C'est Brooke, dit Win. C'est Chick. Ils endurent l'inimaginable.

Myron hocha la tête. Son cœur se serrait chaque fois qu'il entendait cette chanson.

— Il faut répéter à Brooke ce que t'a dit Gros Gandhi.

— Oui.

— Maintenant.

— De vive voix, acquiesça Win.

Myron avait repris sa place au volant. Il ne conduisait pas comme Win, mais il était capable d'appuyer sur le champignon. Ils empruntèrent le Dingmans Ferry Bridge pour traverser le Delaware et regagner le New Jersey.

— Il y a autre chose qui me chiffonne, lança Myron.

— Je t'écoute.

— Gros Gandhi t'a dit qu'il ne connaissait pas Patrick, qu'il ne travaillait pas pour lui.

— Exact.

— Patrick a débarqué sur son territoire, s'est fait malmener par ses hommes de main et s'est enfui quand tu es intervenu.

— Exact, encore une fois.

Myron secoua la tête.

— Ça sent le coup monté.

— Comment ça ?

— Quelqu'un t'envoie un mail anonyme. Pour t'indiquer où et quand trouver Patrick. Tu y vas. Patrick est là, sans doute pour la première fois. Parce que, s'il s'était manifesté plus tôt, les sbires de Gros Gandhi lui auraient déjà réglé son compte, non ?

Win réfléchit un instant.

— Ça tombe sous le sens.

— Donc, quelqu'un voulait que tu le retrouves. Et ce quelqu'un a expédié Patrick – à supposer que ce soit Patrick – à cet endroit pour que tu…

Myron traça des guillemets dans l'air.

— … le tires de là.

— Ça tombe sous le sens, répéta Win.

— Qui ce quelqu'un pourrait bien être ? Tu as une idée ?

— Aucune. Mais il y a une chose à prendre en considération.

— Laquelle ?

— D'après ce que tu m'as dit, Mickey et Ema pensent que ce garçon pourrait ne pas être Patrick.

— C'est vrai, acquiesça Myron.

— Quand aurons-nous les résultats du test ADN ?

— Joe Corless m'a promis de s'en occuper en priorité. Ça ne devrait plus tarder maintenant.

— Si ce n'est pas Patrick, dit Win, qu'est-ce qu'on fait ?

— Je ne sais pas, répondit Myron. Si c'est Patrick, qu'est-ce qu'on fait ?

À la radio, Aaron Burr alias Leslie Odom Jr fulminait contre le soutien apporté par Alexander Hamilton à Thomas Jefferson.

— Un coup monté, ça n'a aucun sens, poursuivit Win. Et pourtant ça y ressemble, non ?

— Ou pas, fit Myron.

— Voilà qui est finement observé.

— En clair, dit Myron, on est en train de pédaler dans le yaourt.

Win sourit.

— On a l'habitude, depuis le temps.

À dix minutes de chez Brooke, Win ordonna :

— Tourne à droite.

— Où ça ?

— Union Avenue.

— Pour aller où ?

— Tu verras. Gare-toi là.

C'était une sorte de buvette qui proposait du café et des crêpes bio. Myron fronça les sourcils.

— Qu'est-ce qu'on fait ici ?

— Surprise, répliqua Win. Allez, viens.

Le serveur était coiffé d'un bonnet, et sa barbe naissante faisait penser à des taches de moisissure. Son poncho devait être fait en chanvre.

L'endroit était définitivement branché.

Ils commandèrent deux cafés turcs et allèrent s'asseoir.

— Alors ?

Win jeta un œil sur son téléphone et désigna la porte.

Myron leva les yeux tandis que Zorra faisait son entrée dans toute sa splendeur vestimentaire. Il avait mis sa perruque Veronica Lake sous amphètes, un pull vert monogrammé et une jupe dont lui-même aurait vraisemblablement dit qu'elle était de couleur « écume de mer ».

En voyant Myron, il ouvrit grand les bras et s'écria :

— Joli cœur !

Sa perruque était de travers. Sa pilosité faciale éclipsait de loin celle du serveur. Myron se souvint d'un vieux clip de Milton Berle en travelo que son père lui avait montré. Même topo, mais en moins séduisant.

— Je le croyais en Finlande, marmonna-t-il à l'adresse de Win.

— Il en arrive tout juste.

— Le vol a été long, déclara Zorra. Zorra n'a pas eu le temps de se rafraîchir. Je dois être dans un état !

Myron s'abstint de tout commentaire. Se levant, il serra Zorra dans ses bras. Son eau de toilette rappelait celle d'un steward sur un long-courrier.

— Ça fait combien de temps ? demanda Zorra.

— Trop longtemps, répondit Myron.

Ou peut-être pas assez.

— Zorra est heureux de te voir.

— Idem. Alors, c'en est où, cette histoire de Vada Linna ?

— Son nouveau nom est Sofia Lampo.

— Tu l'as retrouvée ?

— Elle travaille dans un fast-food, joli cœur. Dans une banlieue d'Helsinki. Comment dites-vous… un trou paumé. J'y suis allé. Mais son patron m'a dit qu'elle n'était pas venue depuis trois jours. Zorra a trouvé ça inquiétant. J'ai donc fait des recherches. Elle n'était pas chez elle non plus. J'ai passé quelques coups de fil. Tu sais, les anciens contacts. Ils peuvent te localiser n'importe qui.

— Et tu l'as retrouvée ?

Zorra sourit. Ce n'était pas beau à voir.

— Ça vient, joli cœur.

— Je ne comprends pas.

— Hier, Sofia Lampo a pris un vol Helsinki-Newark. Elle est ici, joli cœur. Vada Linna – ou Sofia Lampo – est revenue.

— Commençons par la question la plus basique, fit Myron une fois dans la voiture. Pourquoi la fille au pair est-elle revenue aux États-Unis ?

— Qu'est-ce qu'on se disait depuis le début de toute cette affaire ?

— Qu'il y avait quelque chose qui clochait, répondit Myron. Quelque chose qui nous échappait.

— Et ça fait dix ans que ça dure, dit Win. Depuis la disparition des garçons.

— On fait quoi alors ?

— À toi de jouer.

Myron tourna dans la rue des Baldwin.

— Il faut répéter à Brooke ce que Gros Gandhi t'a raconté. On n'a pas le droit de le lui cacher. Et on doit l'informer du retour de la fille au pair.

— Ça fait beaucoup, observa Win.

— Trop, tu penses ?

— Non. Brooke est capable de gérer tout ça et bien plus encore.

Tandis qu'ils s'engageaient dans l'allée, la porte de la maison s'ouvrit. Brooke en sortit, s'approcha de la voiture et serra longuement son cousin dans ses bras. Win, normalement peu enclin aux embrassades, se laissa faire. Elle posa la tête sur son épaule. Et ils restèrent ainsi, sans bouger, le temps de quelques battements de cœur.

— Je suis contente que tu sois rentré, souffla Brooke.

— Moi aussi.

Lorsqu'ils se furent écartés l'un de l'autre, Brooke se retourna et scruta le visage de Myron.

— Les nouvelles ne sont pas bonnes, hein ?

— Rien de définitif, fit Win.

— Mais ce n'est pas bon.

— Non, confirma-t-il, ce n'est pas bon.

Au moment où ils allaient entrer, une autre voiture bifurqua dans l'allée. Myron reconnut la Lexus aperçue dans le garage de Nancy Moore. Ils attendirent que la voiture s'arrête. Nancy Moore apparut quand la portière côté conducteur s'ouvrit et Patrick descendit sur le trottoir par la portière côté passager.

En voyant leurs visages, Brooke se raidit.

— Ça non plus, ça ne présage rien de bon, fit-elle entre ses dents.

31

Ils s'étaient installés dans la cuisine, là où tout avait commencé.

Patrick, Nancy et Brooke étaient assis autour de la table. Myron et Win se tenaient debout, un peu à l'écart, mais suffisamment près pour entendre. Patrick tournait le dos à la baie vitrée, délibérément sans doute. Assise à côté de lui, sa mère lui avait pris la main. Face à eux, Brooke attendait.

Patrick regarda sa mère. Elle l'encouragea d'un hochement de tête. Il fixa la table. Ses cheveux n'avaient pas beaucoup poussé depuis Londres. Il se frotta le crâne, puis laissa retomber ses mains.

— Rhys est mort, madame Baldwin.

Myron risqua un coup d'œil en direction de Brooke. Elle s'y était préparée. Ce fut à peine si elle cilla. Myron se tourna vers Win. Il affichait le même air inexpressif que sa cousine.

— Depuis longtemps, ajouta Patrick.

La voix de Brooke ne trembla pas.

— Comment ?

Patrick baissait la tête, les mains jointes sur la table. Sa mère gardait la main sur son avant-bras.

— On a été enlevés dans cette cuisine, commença-t-il. Je ne me rappelle pas grand-chose. Mais ça, je m'en souviens.

Il s'exprimait d'une voix empruntée, monocorde.

— Les types nous ont enfermés à l'arrière d'une camionnette.

— Combien étaient-ils ? demanda Brooke.

— S'il te plaît, Brooke, c'est la première fois qu'il arrive à parler. Laisse-le aller jusqu'au bout, d'accord ?

Brooke ne répondit pas. Patrick fixait toujours la table.

— Pardon, dit-elle sur un ton formel. Continue, je te prie.

— Ils nous ont enfermés à l'arrière d'une camionnette, répéta-t-il, presque, pensa Myron, comme s'il lisait son texte sur un téléprompteur. On a roulé un bon bout de temps. Quand on s'est arrêtés, on était dans une ferme. Il y avait plein d'animaux. Des vaches, des cochons, des poules. Rhys et moi, on a partagé la même chambre dans la grande maison.

Patrick s'interrompit, tête baissée. Le silence était suffocant. Brooke avait des questions, un million de questions, à lui poser, mais l'instant était fragile, et personne ne bougea, personne ne parla, de peur de tout gâcher.

Nancy pressa le bras de son fils. Patrick se ressaisit et poursuivit :

— C'était il y a longtemps. Des fois, j'ai l'impression d'avoir rêvé. On était bien là-bas. À la ferme. Ils… Ils étaient gentils avec nous. On jouait beaucoup.

On courait partout. On nourrissait les animaux. Je ne sais pas combien de temps ça a duré. Quelques semaines peut-être. Ou quelques mois. Parfois, je me dis que ça a duré des années. Franchement, je n'en sais rien. Rhys et moi, on n'avait pas la notion du temps.

Il marqua une nouvelle pause. Myron regarda dehors, le vaste jardin, les arbres tout au fond. Et il tenta d'imaginer des inconnus faisant irruption dans la cuisine, s'emparant des deux garçons, disparaissant dans le jardin.

— Et puis un jour, dit Patrick, tout a changé.

Le ton était plus hésitant maintenant, le débit plus saccadé.

— Ils ont fait venir des hommes. J'ai… J'ai subi des violences sexuelles.

Brooke ne bronchait toujours pas, sauf que les paroles de Patrick semblaient avoir accéléré le processus de son vieillissement. Rien n'avait changé extérieurement, mais Myron sentait bien qu'elle ne tenait plus que par un fil sur le point de se rompre.

— Rhys était plus fort que moi. Plus courageux. Il a essayé de me défendre. Il… Il ne s'est pas laissé faire. Il leur a tenu tête, madame Baldwin. Il a résisté. Il a planté un crayon dans l'œil de l'un des types. Il ne l'a pas raté. Du coup…

Patrick ne parvenait toujours pas à détacher les yeux de la table, mais il esquissa comme un haussement d'épaules.

— Ils l'ont tué. Ils lui ont tiré une balle dans la tête. Ils m'ont forcé…

Un spasme le parcourut. Myron vit une larme tomber sur la table.

— Ils m'ont forcé à aller avec eux jusqu'au ravin.

De monocorde, la voix de Patrick était devenue rauque, étranglée.

— Ils m'ont forcé à regarder…

Sa mère posa la main sur son épaule.

— Tout va bien, chuchota-t-elle. Je suis là.

— J'ai vu… J'y étais… Ils ont… balancé son corps dans le ravin. Comme si c'était rien. Comme si Rhys n'était rien.

Brooke gémit tout bas, un son comme Myron n'en avait jamais entendu.

— Je suis vraiment désolé, madame Baldwin.

Et il fondit en larmes.

Lorsque Nancy poussa son fils vers la porte, Win se dressa sur son chemin.

— Il nous faut plus de détails, dit-il.

Patrick sanglotait convulsivement.

— Pas aujourd'hui, riposta Nancy en le bousculant. Le Dr Stanton m'a prévenue que ça risquait d'être trop dur pour lui. Vous connaissez la vérité maintenant. Je regrette sincèrement.

Elle sortit à la hâte. Win fit signe à Myron avant de rejoindre Brooke. Myron s'empressa de suivre Nancy et Patrick. Une fois dehors, il cria :

— Vous le saviez depuis combien de temps, Nancy ?

Elle pivota vers lui.

— Quoi ?

— Depuis quand saviez-vous que Rhys était mort ?

— Qu'est-ce que vous… ? Patrick nous l'a dit ce matin.

Myron se gratta le menton.

— Drôle de timing.

Patrick pleurait toujours. Ses larmes semblaient sincères, et pourtant, une fois de plus, quelque chose ne collait pas.

— Qu'entendez-vous par là ? demanda Nancy.

— Patrick, fit Myron en regardant l'adolescent déconfit, que faisais-tu hier à New York avec Tamryn Rogers ?

Ce fut Nancy qui lui répondit :

— De quoi vous mêlez-vous ?

— Vous étiez au courant ?

— Il avait besoin de prendre l'air, dit Nancy.

— Sérieux ? Vous le saviez ?

— Bien sûr.

— Alors pourquoi a-t-il pris un bus ? Pourquoi ne l'avez-vous pas accompagné ?

— Ce ne sont pas vos affaires.

— Il avait rendez-vous avec Tamryn Rogers. Je les ai vus ensemble.

— Vous avez suivi mon fils ?

— Oui.

Nancy posa ses mains sur ses hanches, mais c'était plus une posture que parce qu'elle était en colère.

— De quel droit ? siffla-t-elle. Il est sorti seul, il a parlé à une fille de son âge. Qu'allez-vous imaginer ?

— Hmm.

Myron se dirigea vers eux.

— Votre version correspond à la sienne.

— Oui, et alors ?

— Même votre indignation, là. Tamryn Rogers a réagi pratiquement de la même façon.

— Vous avez suivi mon fils. Il y a de quoi s'indigner.

— Est-ce bien votre fils ?

Patrick s'arrêta de pleurer presque instantanément.

— Qu'est-ce que vous racontez ?

Myron chercha son regard, mais il baissait à nouveau la tête.

— Vous deux semblez avoir une longueur d'avance sur nous, n'est-ce pas, Patrick ?

Il ne répondit pas, ne leva pas les yeux.

— J'interroge Tamryn Rogers et voilà que, tout à coup, vos deux versions concordent. Tu as dit à Gros Gandhi que Rhys était mort. Nous en informons ton père, et soudain tu trouves la force d'en parler à ta mère.

D'un clic, Nancy déverrouilla les portières de sa voiture.

— Avez-vous perdu la tête ?

Myron se plia en deux pour obliger Patrick à le regarder.

— Es-tu réellement Patrick Moore ?

Sans crier gare, le garçon lui envoya son poing au visage. Bien qu'en déséquilibre du fait de sa position, Myron n'eut qu'à se baisser un peu plus pour esquiver le coup.

L'instinct de conservation combiné à des années d'entraînement. L'adolescent en face de lui était complètement exposé. Myron n'avait que l'embarras du choix : il pouvait le frapper à la gorge, au nez, à l'aine.

Au lieu de quoi, les genoux fléchis, il attendit sa réaction. Emporté par son élan, Patrick détala. Myron se redressa pour s'élancer à sa poursuite, mais Nancy lui martela le dos avec ses poings.

— Laissez mon fils tranquille ! Qu'est-ce qui vous prend ? Vous êtes cinglé ou quoi ?

Myron encaissa les coups pendant que Patrick disparaissait dans la rue. Nancy courut vers sa voiture et ouvrit la portière.

— S'il vous plaît, supplia-t-elle en passant la marche arrière. S'il vous plaît, laissez mon garçon tranquille.

Myron allait rebrousser chemin vers la maison quand son portable sonna. C'était Mickey.

— On a trouvé des choses sur Tamryn Rogers, annonça-t-il. Ça va t'intéresser.

— Où es-tu ?

— Chez Ema.

— J'arrive.

Win resta avec Brooke. Il la mit au courant des derniers événements, dont le plus déconcertant pour elle fut le retour de son ancienne fille au pair, Vada Linna alias Sofia Lampo.

— Je ne comprends pas. Pourquoi Vada reviendrait-elle par ici ?

Win et Myron ne comprenaient pas, eux non plus.

Deux lions en pierre gardaient l'entrée du manoir où Ema résidait avec sa mère et ses grands-parents. Le portail était fermé. Myron se pencha par la vitre. Le gardien le reconnut et pressa le bouton. Le portail s'ouvrit en grinçant.

Quand il était gamin, cette demeure avait appartenu à un grand parrain de la mafia. On racontait qu'il y avait dans le jardin un four où le mafieux brûlait les corps de ses victimes. Lorsque la propriété avait été vendue, on avait effectivement découvert un four derrière la piscine. À ce jour, personne ne savait s'il avait servi pour des barbecues ou si les rumeurs étaient fondées.

Le manoir était immense, sombre et seigneurial. Un mélange de forteresse médiévale et de château de Disney. Le parc qui l'entourait s'étendait à perte de vue, entièrement à l'abri des regards extérieurs. C'était cela qui avait séduit ses occupants actuels. Il était équipé d'une plate-forme pour hélicoptère afin de leur permettre d'aller et venir sans avoir à emprunter le réseau routier. L'achat avait été effectué par une société pour protéger l'identité de la véritable propriétaire. Il y a quelques mois encore, même les proches amis d'Ema ignoraient qu'elle habitait là et pourquoi cela devait rester un secret.

La porte était ornée d'un heurtoir en forme de tête de lion, mais à peine Myron tendit-il la main pour l'actionner qu'Angelica Wyatt lui ouvrit.

— Bonjour, Myron, fit-elle avec un sourire chaleureux.

— Bonjour, Angelica.

Il avait beau la connaître depuis des années – à un moment, il lui avait même servi de garde du corps –, il lui fallut quelques secondes pour réaliser qu'il avait affaire à une personne, et non à une affiche ou une image sur grand écran. Myron se demandait souvent ce que l'on pouvait ressentir quand on était si belle et adulée que même vos proches vous voyaient à travers le prisme de la célébrité.

Le visage connu du monde entier se pencha vers lui, et il reçut un baiser sur la joue.

— Vous allez vous marier, paraît-il, lui dit la maman d'Ema.

— Eh oui.

Quinze ans plus tôt, quand Ema était venue au monde, les paparazzis ne les avaient pas lâchées d'une semelle, prenant des photos au téléobjectif chaque fois qu'elles sortaient de sa villa de Los Angeles, exigeant de savoir qui était le père. Les gros titres des journaux proclamaient : LE BÉBÉ CACHÉ D'ANGELICA WYATT ou bien NOUS SAVONS QUI EST LE PAPA. Et de spéculer sur telle ou telle star de Hollywood, un émir arabe, ou même un ancien Premier ministre britannique.

La pression avait fini par être trop forte pour la petite fille. Elle s'était mise à faire des cauchemars. Angelica Wyatt avait quitté le métier et s'était réfugiée pendant deux ans en France, mais cela avait fait naître d'autres rumeurs, sans parler des problèmes, dont le plus douloureux était qu'elle ne tournait plus de films. Elle se devait de réagir.

Angelica Wyatt était revenue en cachette aux États-Unis et avait trouvé cette propriété retirée dans le New Jersey. Elle avait inscrit sa fille à l'école publique sous le nom d'Emma Beaumont, c'est pourquoi on la connaissait maintenant sous le surnom d'Ema. C'étaient les grands-parents d'Ema qui s'occupaient d'elle pendant qu'Angelica était en tournage.

Personne ne connaissait l'identité de son père, sauf Angelica, bien sûr.

Mais pas Ema.

— Je suis si heureuse pour vous, dit Angelica à Myron.

— Merci. Vous allez bien ?

— Très bien. Demain je pars tourner à Atlanta. J'espérais qu'Ema viendrait avec moi, mais elle semble… occupée en ce moment.

— Vous voulez dire avec Mickey ?

— C'est ça.

— Ils sont mignons tous les deux.

— C'est son premier copain, fit Angelica.

— Il sera gentil avec elle.

— Je sais, mais ma petite fille… Est-ce un lieu commun que de dire qu'elle a grandi trop vite ?

— Si c'est un lieu commun, c'est parce que ça colle à la réalité.

— Ça me fend le cœur.

Angelica sourit faiblement.

— Ils sont tous en bas, au sous-sol. Vous connaissez le chemin ?

— Merci, dit-il en hochant la tête.

L'escalier qui menait au sous-sol était tapissé de posters d'Angelica. Ema les avait mis là contre la volonté de sa mère. C'était le seul endroit, avait-elle expliqué, où elle n'avait pas à cacher qui elle était réellement. Et Myron ne pouvait que lui donner raison.

Les trois ados – Mickey, Ema et Spoon – étaient affalés sur des poufs poire luxueux et surdimensionnés. Tous les trois pianotaient furieusement sur leurs ordinateurs portables.

— Salut, la compagnie, lança Myron.

— Salut, répondirent-ils en chœur sans lever les yeux.

Ema fut la première à fermer son portable et à se redresser. Elle portait des manches courtes qui dévoilaient ses tatouages élaborés. Au début, ils avaient gêné

Myron. Même si c'était la mode, Ema n'était qu'une élève de seconde. Plus tard, Mickey lui avait révélé que les tatouages étaient provisoires, qu'un artiste nommé Agent l'avait prise comme modèle pour expérimenter les différents motifs et qu'ils s'estomperaient au bout de quelques semaines.

— Eh, Spoon ! s'exclama Mickey.

— Laisse-moi juste le temps de mettre nos découvertes en ordre, répliqua son ami. Vous n'avez qu'à discuter entre vous.

Ema et Mickey s'approchèrent de Myron. Il avait hésité à les entraîner dans cette aventure – ils avaient déjà vécu trop de péripéties pour des jeunes de leur âge –, mais, comme Mickey l'avait fait remarquer, c'était leur tasse de thé.

Il se souvint soudain de quelque chose.

— Esperanza m'a dit que tu voulais la voir.

— C'était plutôt moi, répondit Ema.

— C'était nous deux, fit Mickey. On a parlé à Big Cyndi aussi.

— À propos de quoi ?

Mickey et Ema échangèrent un regard.

— De Little Pocahontas et Big Mama.

— C'est-à-dire ?

— Elles étaient peut-être drôles dans le temps, fit Ema. Mais plus maintenant.

— C'est juste kitsch, rétorqua Myron. Il n'y a aucun mal à ça. Elles jouent la note nostalgie.

— Esperanza a utilisé le même argument, dit Ema.

— Les temps changent, Myron, ajouta Mickey.

— Nous lui avons suggéré de contacter un ami à moi, un Indien Navajo.

— Et alors, ça a donné quoi ?

— Je ne sais pas. Ils ne se sont pas encore parlé.

— Ça y est, déclara Spoon en gesticulant à l'adresse de Myron. Venez voir.

Il n'avait pas bougé de son pouf géant. Myron se pencha, faisant craquer son mauvais genou, et s'affaissa à côté de lui. Spoon remonta ses lunettes et pointa le doigt sur l'écran.

— Tamryn Rogers, commença-t-il, est très peu présente sur les réseaux sociaux. Elle possède bien un compte Facebook et Snapchat, mais ne s'en sert que rarement. Tout ce qu'elle fait est en privé. Sûrement parce que son père est un riche homme d'affaires. La famille fait profil bas. Ça va jusqu'ici ?

Myron se cala dans le pouf poire. La position n'était guère confortable.

— Ça va.

— Nous savons qu'elle fait un stage d'été dans une chaîne de télévision. Nous savons qu'elle a seize ans. Et qu'elle est interne dans une école privée très chic en Suisse, l'école Saint-Jacques.

Spoon regarda Myron.

— Vous saviez qu'en Suisse on n'a pas le droit d'avoir un seul cochon d'Inde ?

— Spoon, dit Ema.

— Non, répondit Myron, je ne savais pas.

— Il faut prendre un couple, expliqua Spoon. Les cochons d'Inde, voyez-vous, sont des animaux sociables. Il est donc cruel de n'en avoir qu'un. En tout cas, c'est ce que pensent les Suisses.

— Spoon, répéta Ema.

— Oui, pardon. Bref, la seule photo de Tamryn Rogers que j'ai pu dénicher est celle de son profil Facebook. Je m'en suis servi pour faire de la recherche par image. Ça n'a rien donné. Pas étonnant, les recherches par image ne vous fournissent que les photos identiques. Vous me suivez toujours ?

— Toujours, opina Myron.

— Du coup, je suis passé à l'étape suivante. J'ai repéré un programme bêta qui utilise un logiciel de vérification faciale à partir de plusieurs réseaux sociaux. Vous l'avez peut-être déjà vu sur Facebook.

— Je ne suis pas sur Facebook, répliqua Myron.

— Quoi ?

Myron haussa les épaules.

— Toutes les personnes âgées sont sur Facebook, protesta Spoon.

— Spoon ! s'exclama Ema.

— Oui, bon, je vous explique. Mettons que vous postez une photo de groupe sur Facebook. Facebook dispose d'un nouveau logiciel d'intelligence artificielle appelé DeepFace qui soumet automatiquement la photo à la vérification faciale.

— Ce qui veut dire ?

— Ce qui veut dire qu'il pourra reconnaître vos amis. Vous postez la photo, et soudain Facebook entoure un visage et vous demande : « Voulez-vous taguer John Smith ? »

— Sérieux ?

— Oui.

— On peut faire ça aujourd'hui ?

— Ben oui.

Myron secoua la tête, heureux d'être taxé de naïveté.

— Notez, poursuivit Spoon, que j'ai parlé de « vérification faciale », une technologie capable de reconnaître le même visage sur deux images différentes, alors que la reconnaissance faciale permet d'accoler un nom à un visage. Ce qui n'est pas du tout la même chose. J'ai donc soumis la photo de Tamryn au programme bêta – « bêta » signifie qu'il en est encore à la période d'essai – pour voir ce que ça dit. Oh !

Spoon se donna une tape sur le front.

— J'ai failli oublier. Je l'ai d'abord testé sur Patrick Moore. J'avais réussi à récupérer un plan fixe à partir de son interview à la télé. Je me disais que, peut-être, on ne sait jamais, quelqu'un l'avait pris en photo. Et que je pourrais découvrir des choses sur lui, et donc sur Rhys aussi.

— Et ?

— Rien. Zéro. Sauf… tenez, je vous montre.

Il effleura le pavé tactile de son ordinateur. Une photo de groupe s'afficha, vingt ou vingt-cinq ados. La légende disait CLASSE DE SECONDE, avec des noms au-dessous.

— Cette photo se trouve sur le site des anciens élèves de Saint-Jacques. Si vous regardez par là…

Il pointa le curseur.

— … vous allez forcément reconnaître cette demoiselle.

En effet.

— Tamryn Rogers, acquiesça Myron.

— Exactement. Excellent travail, Myron.

Il leva les yeux sur Ema pour voir si Spoon n'était pas en train de se payer sa tête. Elle haussa les épaules d'un air résigné.

— Et si vous consultez la légende…

À nouveau, Spoon utilisa le curseur.

— … vous verrez seulement la liste des prénoms. J'imagine que l'école pratique la politique de la discrétion, mais je n'en suis pas sûr. Tamryn est la quatrième au deuxième rang. Vous avez vu ?

Myron regarda. Il était écrit simplement « Tamryn ».

— Et alors ?

— C'est ce qu'on a pensé au début. En fait, les détails, ce n'est pas trop mon fort. Je suis plus branché vue d'ensemble, vous voyez ce que je veux dire ?

— Faisons comme si.

— Ah, elle est bonne ! C'est donc Ema qui… Ema, tu lui montres ?

Ema pointa le doigt sur le garçon qui se tenait juste derrière Tamryn Rogers. Fronçant les sourcils, Myron se pencha pour mieux voir.

— Pas la peine de vous fatiguer les yeux, monsieur Bolitar, dit Spoon. Je peux zoomer.

Et il cliqua sur l'image pour l'agrandir. La photographie était de bonne qualité, mais, sur l'écran, les pixels commençaient à se brouiller. Spoon s'arrêta. Myron l'examina à nouveau.

— Tu crois… ? commença-t-il.

— On ne sait pas, répondit Spoon.

— Moi, je sais, déclara Ema.

Myron chercha le prénom du garçon et lut tout haut :
— Paul.

L'adolescent sur la photo avait les cheveux blonds, longs et bouclés… le fils de famille cherchant à s'affirmer. Patrick Moore avait les cheveux bruns coupés en brosse. « Paul » semblait avoir les yeux bleus. Patrick avait les yeux marron. Et ils n'avaient pas le même nez. Celui de Paul paraissait plus petit ; sa forme était différente.

Et pourtant…

Myron ne s'en serait pas rendu compte tout seul, mais en y regardant de plus près…

— Je sais ce que vous pensez, dit Ema. Et j'aurais tendance à être d'accord avec vous. Tous les ados se ressemblent. C'est évident. Je n'aurais probablement pas fait attention non plus, sauf que cette école ne compte pas beaucoup d'élèves. En seconde, ils ne sont que vingt-trois. Or, quand il sort, Patrick Moore retrouve Tamryn Rogers. Pourquoi ? Il se sentait seul. On l'a bien vu quand on est allés chez lui.

Mickey confirma d'un hochement de tête.

— C'est un peu gros comme coïncidence, Myron. Coupe tes cheveux. Mets des lentilles de contact pour changer la couleur de tes yeux. Plus la chirurgie esthétique, va savoir. Quand Ema me l'a montré, au début je n'ai rien vu, mais ensuite…

Mickey désigna le visage à l'écran.

— Je pense que Paul, le copain de classe de Tamryn, se fait appeler maintenant Patrick Moore.

Myron retourna à la voiture au pas de course, sortit son portable et appela Esperanza.

— Il nous faut un maximum d'infos sur ce Paul, élève à l'école privée Saint-Jacques près de Genève en Suisse. Son nom de famille surtout. Ses parents, tout.

— Ça va prendre du temps, répondit Esperanza. L'école est fermée, c'est en Europe, on n'a aucun

370

contact en Suisse, et, en plus, ce genre d'établissement doit être ultra-confidentiel.

Elle avait raison, bien sûr.

— OK, fais au mieux. Spoon va t'envoyer les photos par mail.

— Je les ai déjà reçues. Tu savais que le mot de passe le plus courant pour une messagerie est 123456 ?

— Ça, c'est du Spoon tout craché.

— Je suis en train de regarder les deux photos : celle de Paul et celle de Patrick à la télé. De près, oui, on voit la ressemblance, mais qui devinerait que Paul et Patrick sont une seule et même personne ?

— Justement, dit Myron. C'était le but, non ?

— Au fait, j'ai retrouvé cet instit de CM2. Celui qui avait Clark et Francesca dans sa classe.

— Monsieur Dixon ?

— Rob Dixon, oui.

— Où est-il ?

— Il enseigne toujours à l'école élémentaire. Je t'ai pris rendez-vous avec lui à sept heures et demie.

— Comment tu as fait ?

— Je lui ai dit que tu le connaissais de réputation et que tu étais en train d'écrire un livre pour raconter ton expérience.

— Quelle expérience ?

— Je n'ai pas précisé. Par chance, M. Dixon a vu ton documentaire sur ESPN. Le fameux quart d'heure de gloire, mon grand. Ça ouvre des portes.

Après avoir coupé la communication, Myron appela Win pour l'informer de ce qu'il venait d'apprendre.

— Donc, ce garçon est un imposteur, dit Win.

— Je ne sais pas. Il peut s'agir d'une simple ressemblance entre deux ados.

— Qui, tous les deux, connaîtraient Tamryn Rogers ?

— Oui, c'est un peu tiré par les cheveux, concéda Myron. Pour ta gouverne, Tamryn et Patrick – appelons-le Patrick pour l'instant – prétendent tous les deux qu'ils se sont rencontrés devant Ripley's.

— Se sont rencontrés ?

— Oui.

— Les jeunes d'aujourd'hui, déplora Win. Ils n'auraient pas pu trouver un mensonge plus crédible ?

— Pour être honnête, nous avons pris Tamryn par surprise. Et Brooke, ça va ?

— Elle est dans le déni, répliqua Win. Ce qui n'est pas plus mal. Là, ce qui la préoccupe, c'est pourquoi son ex-fille au pair est revenue aux États-Unis.

— Elle a une explication ?

— Aucune. Et nous, on fait quoi maintenant ?

— On continue la collecte d'infos, dit Myron.

— Holà, doucement avec les détails.

— Nancy Moore ne démord pas du fait que le garçon qu'on a secouru est bien son fils Patrick.

— Exact.

— Je me demande si ces photos de Paul arriveront à la faire changer d'avis.

— C'est chez elle que tu vas ?

Sur sa gauche, Myron reconnut la maison des Moore. Lorsqu'il tourna dans l'allée, il aperçut la Lexus dans le garage.

Nancy était chez elle.

— J'arrive à l'instant.

Myron ne prit pas la peine de frapper à la porte d'entrée. Le garage était ouvert. Tout comme la porte entre le garage et la maison. Inquiet, Myron passa la tête à l'intérieur.

— Il y a quelqu'un ?

Pas de réponse.

Il entra, traversa la cuisine et entendit du bruit à l'étage. Il n'était pas armé, mais jusqu'ici cela ne s'était pas révélé nécessaire. Lentement, il gravit les marches.

Quelle qu'elle soit, la personne qui était là-haut ne cherchait pas à se cacher. Myron atteignit le palier. Le bruit provenait de la chambre de Patrick. Il s'approcha avec précaution, dos au mur, juste au cas où. Une fois à la porte, il marqua une pause, puis risqua un coup d'œil dans la chambre.

Nancy Moore était en train de la mettre sens dessus dessous.

— Hello, fit Myron.

Elle sursauta et pivota en direction de sa voix. Ses yeux agrandis brillaient d'une lueur quasi démente.

— Qu'est-ce que vous faites ici ?

— Tout va bien ?

— À votre avis ?

Ça n'en avait pas l'air.

— Qu'est-ce qui vous arrive ?

— Vous ne comprenez pas ? Vous pensez... Je ne sais pas ce que vous pensez. J'essaie de préserver mon fils. Il est fragile. Il a vécu l'enfer. Comment pouvez-vous ne pas vous en rendre compte ?

Myron ne répondit pas.

— Savez-vous ce qu'il lui en a coûté de faire ce qu'il a fait tout à l'heure ? De revivre ce cauchemar ?

— Il le fallait, Nancy. Si cela avait été l'inverse, si Rhys était revenu…

— Brooke Baldwin aurait agi dans l'intérêt de son enfant, pas du mien.

Nancy se redressa.

— Ne vous y trompez pas. Une mère protège toujours son enfant.

Houlà.

— Même au détriment d'un autre ?

— Patrick n'était pas prêt à parler. Nous le savions. Nous voulions juste lui laisser le temps de reprendre des forces. Ça change quoi, quelques jours de plus au bout de dix ans ? Le Dr Stanton avait raison. C'était trop pour lui. Et ensuite, comme si ce n'était pas déjà assez dur, comme s'il ne suffisait pas d'annoncer la mort de Rhys à Brooke, vous…

Elle pointa un doigt accusateur sur lui.

— … vous en prenez à lui. Patrick s'est enfui à cause de vous.

— Ce n'est pas Patrick.

— Quoi ?

— Le garçon que nous avons ramené ici n'est pas Patrick.

— *C'est* Patrick !

— Il s'appelle Paul.

— Allez-vous-en, lâcha-t-elle.

— Pourquoi ne faites-vous pas un test ADN, Nancy ?

— OK, si on doit en passer par là pour que vous nous fichiez la paix, on le fera. Maintenant sortez de chez moi.

Myron secoua la tête.

— J'ai des photos à vous montrer.

— Quelles photos ? fit-elle, désarçonnée.

Il lui tendit les deux sorties papier que Spoon lui avait données. Nancy ne bougea pas. Myron approcha sa main de la sienne et resta dans cette position jusqu'à ce qu'elle les prenne.

— Je ne comprends pas.

— La photo de classe a été prise dans un internat en Suisse.

Elle l'examina.

— Et alors ?

— Il y a un garçon sur cette photo. Il s'appelle Paul. Nous n'avons pas encore son nom de famille. Mais nous le trouverons. L'autre photo est une capture d'écran.

— Je ne comprends toujours pas.

Les mains tremblantes, Nancy Moore glissa la première photo sous la seconde.

— Vous ne croyez tout de même pas… ?

— Paul et votre Patrick sont une seule et même personne.

— Vous faites erreur.

— Ça m'étonnerait.

— Je ne vois aucune ressemblance.

— Je vous ai parlé de Tamryn Rogers, vous vous souvenez ?

Myron reprit les feuilles et plaça la photo de classe sur le dessus.

— La voici. Tamryn. La fille que Patrick a vue hier.

— On vous a dit…

— Oui, qu'ils se sont rencontrés devant Ripley's. Sauf que j'étais là, Nancy. Je les ai vus. Ce n'était pas une rencontre fortuite. Ils se connaissaient.

— Vous n'en savez rien, protesta-t-elle. Vous les observiez de loin.

Mais sa voix était faible, vaincue.

— Je viens d'envoyer ces images à une anthropologue légiste du nom d'Alyse Mervosh. Elle va comparer la photo de Paul à la vidéo de l'interview de Patrick. Et elle pourra confirmer qu'il s'agit de la même personne.

Elle secoua la tête, mais on voyait bien qu'elle était à court d'arguments.

— Nancy, laissez-moi vous aider.

— Vous croyez que c'est un imposteur ? Vous avez tort. Une mère ne peut pas se tromper.

— Vous avez dit qu'une mère fait toujours tout pour protéger son enfant.

Myron s'efforçait de parler posément, avec toute la douceur dont il se sentait capable.

— Peut-être que cette pulsion, ce besoin peut fausser le jugement.

— C'est Patrick, insista Nancy. C'est mon fils. Il est enfin rentré, après toutes ces années. Je l'ai enfin récupéré.

Elle le foudroya du regard.

— Et vous l'avez fait fuir.

— Laissez-moi vous aider à le retrouver.

— Je pense que vous en avez assez fait. C'est mon fils. Je le sais. Je le *sais*. Ce n'est pas un imposteur. Il ne s'appelle pas Paul.

Elle le repoussa pour sortir de la chambre. Myron la suivit dans l'escalier.

— Quand il sera rentré, on fera faire un test ADN pour calmer les esprits. En attendant, je dois y aller.

Sans s'arrêter, Nancy traversa le garage et monta dans sa voiture.

— Ne revenez pas, Myron. Ne remettez plus jamais les pieds dans cette maison.

Win et Brooke étaient assis dans la cuisine des Baldwin, les photos étalées sur la table. Myron finissait de parler au téléphone avec Alyse Mervosh, l'anthropologue légiste. Lorsqu'il eut raccroché, Brooke et Win levèrent les yeux.

— D'après elle, dit Myron, c'est le même.

Brooke scruta à nouveau la photo. Myron se pencha par-dessus son épaule.

— Ce garçon, Paul, a coupé et teint ses cheveux. La couleur des yeux, ça se change facilement avec des lentilles de contact. Et le nez, ça peut être une affaire de chirurgie plastique.

Brooke gardait la feuille à la main.

— Et Nancy ne le voit pas ?

— Elle persiste à dire que c'est Patrick.

— Vous la croyez ?

— Je crois qu'elle le croit.

— Vous pensez qu'elle est dans le déni ?

Myron eut un vague haussement d'épaules.

— Je n'en sais rien.

Win finit par sortir de son silence.

— Il faut qu'on sache qui est ce Paul. Où il habite, qui sont ses parents…

— Esperanza s'en occupe. Mais ça risque de prendre du temps.

— Je vais passer quelques coups de fil en Europe. Histoire d'accélérer le processus.

— Je ne comprends pas, dit Brooke. C'est donc un usurpateur ? Il cherche à escroquer la famille ?

— C'est bien possible.

— J'ai entendu parler d'une affaire semblable, fit Brooke. Quand votre enfant disparaît, vous… Bref, ça devait être à la fin des années quatre-vingt-dix. Un gamin de douze ou treize ans avait disparu au Texas. Trois ans plus tard, un Français a réussi à se faire passer pour lui. Il a dupé des tas de gens.

Myron s'en souvenait confusément.

— Et quel était son mobile ?

— Je ne sais plus. L'argent en partie, mais je crois que c'était son truc. Il n'en était pas à sa première usurpation d'identité. C'était une forme de perversion. À mon avis, la famille s'est laissé piéger parce qu'elle avait trop envie que ce soit vrai.

Elle leva la tête.

— C'est quoi, ce micmac, Myron ?

— Aucune idée.

— Ça ne tient pas debout.

— Il nous manque des infos.

Comme par un fait exprès, son portable sonna à ce moment-là. Myron regarda Win.

— C'est Joe Corless, du labo ADN.

— Mets le haut-parleur.

Myron s'exécuta, posant le téléphone sur la table.

— Joe ?

— Myron ?

— Joe, je suis avec Win.

— Tiens, Win est rentré ?

— S'il vous plaît, donnez-nous les résultats, dit Win.

— Je vais aller droit au but, répondit Joe.

Puis, à la surprise de Myron :

— Ce garçon est bel et bien Patrick Moore.

Myron regarda Win. Le visage de Brooke perdit toute couleur.

— Vous en êtes sûr ?

— Les échantillons de cheveux que vous nous avez remis proviennent d'une personne de sexe féminin. L'ADN sur la brosse à dents appartient à un individu de sexe masculin. Tous les deux ont les mêmes parents.

— À cent pour cent ?

— Pratiquement.

On sonna à la porte. Win se leva pour aller ouvrir.

— Merci, Joe, dit Myron avant de raccrocher.

— C'est Patrick, fit Brooke.

Elle était calme en apparence, mais un tic agitait le coin de sa bouche.

— Ce n'est pas un imposteur. C'est Patrick.

Myron se taisait.

— Alors pourquoi Vada est-elle revenue ? Pourquoi Patrick voit-il cette fille, Tamryn ?

— C'est plutôt l'inverse, dit Myron.

— Comment ça ?

— Ce n'est pas Paul qui se fait passer pour Patrick. Paul est Patrick.

Avant qu'il ne puisse en dire davantage, Win revint dans la cuisine avec Zorra. Si Brooke fut étonnée de voir un travesti aussi viril dans sa cuisine, elle n'en laissa rien paraître.

— Zorra a du nouveau sur la fille au pair, annonça Zorra.

Brooke se leva.

— Vada ?

— Elle se fait appeler maintenant Sofia Lampo, répondit-il. Elle est arrivée hier. Elle a loué une Ford Focus à l'aéroport de Newark.

— Et comment va-t-on faire pour la retrouver ? demanda Brooke.

— C'est déjà fait, ma jolie. Les voitures de location sont toutes équipées d'un GPS… en cas de vol. Ou si vous traversez la frontière de l'État, pour vous faire payer des taxes supplémentaires. Bref.

— Et on vous a laissé la localiser ?

Zorra rajusta sa perruque Veronica Lake avec les deux mains et sourit. Ses dents étaient barbouillées de rouge à lèvres.

— Zorra n'emploierait pas le mot « laisser ». Mais l'argent de votre cousin est très persuasif.

— Alors où est Vada ? s'enquit Brooke.

Zorra sortit son téléphone portable.

— Zorra est en train de la traquer avec ça.

Il leur montra l'écran. Un point bleu clignotant indiquait la position de la voiture.

— Et où est-elle, exactement ?

Zorra cliqua sur une icône. La carte fut remplacée par une image satellite. Myron étouffa une exclamation. Le point bleu était entouré de vert. Et il y avait un lac qui, même vu d'en haut, avait un air familier.

— Le lac Charmaine, déclara-t-il. Vada est chez Hunter Moore.

32

La salle de CM2 donnait sur un terrain de jeux vaste et suréquipé avec toboggans, balançoires, châteaux forts, bateaux de pirates, tunnels, tuyaux et échelles. Rob Dixon accueillit Myron d'une ferme poignée de main et d'un sourire spontané. Il portait un costume marron et une cravate chamarrée que Myron se serait davantage attendu à voir autour du cou d'un pédiatre désireux de faire genre. À cela, il fallait ajouter une queue-de-cheval et une peau rasée de frais.

— Bonjour, je suis Rob Dixon.

— Myron Bolitar.

Chez les Baldwin, ils avaient décidé que Win se rendrait chez Hunter sur le lac Charmaine tandis que Myron irait voir l'instituteur et resterait dans les parages.

— Je viens aussi, avait décrété Brooke. Je connais Vada. Je peux vous être utile.

Le ton de sa voix ne laissait aucune place à la discussion.

— Je vous en prie, fit Rob Dixon. Asseyez-vous.

C'étaient des pupitres d'écolier classiques avec des sièges d'un seul tenant. Myron eut beaucoup de mal à s'y caser. La salle de classe elle-même semblait hors du temps. Bien sûr, les programmes changeaient, et il devait y avoir des signes de modernité dissimulés çà et là, mais cette classe aurait pu être la sienne. Tout en haut du tableau, il y avait l'alphabet en capitales et en lettres cursives. Le mur de gauche était tapissé de dessins et autres projets artistiques. Des coupures de presse s'amoncelaient sous la pancarte avec l'inscription ACTUALITÉS.

— Oh, pardon ! s'exclama Rob Dixon.

— Excusez-moi ?

— J'ai pourtant vu *La Collision*, et voilà que je vous propose un siège qui ne doit guère convenir à votre genou.

— Ça me va très bien.

— Non, non… s'il vous plaît, prenez ma chaise.

Grimaçant, Myron s'extirpa du pupitre.

— Si ça ne vous ennuie pas, je préfère rester debout.

— Bien sûr, je vous en prie. Je trouve passionnant l'objet de vos recherches. Figurez-vous – je ne sais pas si ça va vous intéresser – que j'enseigne en CM2, dans cette même salle, depuis vingt et un ans.

— Vous m'en direz tant, fit Myron.

— J'adore cet âge. Ce ne sont plus des bambins incapables de manipuler des concepts, et pas encore des adolescents avec toutes les complications que cela entraîne. Le CM2 se situe confortablement entre les deux. C'est une grande année de transition.

— Monsieur Dixon…

— S'il vous plaît, appelez-moi Rob.

— Rob, je parie que vous excellez dans votre métier. Comme ces jeunes instits cool que nous avons tous aimés, mais en plus vieux, sans doute en plus sage et sans être blasé pour autant.

Il sourit.

— J'aime bien votre façon de voir les choses. Merci.

— Et merci à vous. Sauf que je me suis invité ici sous un faux prétexte.

Il porta la main à son menton.

— Ah bon ?

— Je viens vous parler d'un événement tragique bien précis.

Rob Dixon fit un pas en arrière.

— Je ne comprends pas.

— C'est moi qui ai sauvé Patrick Moore, expliqua Myron. Mais je cherche toujours à découvrir ce qui est arrivé à Rhys Baldwin.

Rob Dixon regarda par la fenêtre. Un petit garçon – il devait avoir six ans – s'approchait en sautillant d'une corde et entreprit de se balancer dessus après s'y être accroché avec les mains et les pieds. Myron avait rarement vu une telle expression d'abandon et de joie.

— Pourquoi moi ? demanda l'instituteur. Je ne les ai pas eus comme élèves.

— Mais vous avez eu Clark Baldwin et Francesca Moore.

— Comment le savez-vous ?

— C'est Clark qui me l'a dit.

— Et alors ?

Dixon secoua la tête.

— Je ne devrais même pas en parler. Je croyais que vous étiez devenu agent sportif. J'ai vu ça dans le documentaire. Après l'accident, vous avez étudié le droit à Harvard et, ensuite, vous avez ouvert votre propre agence.

— C'est la vérité.

— Dans ce cas, en quoi cela vous concerne-t-il ?

— C'est mon métier, répondit Myron.

— Mais, dans le documentaire… ?

— Le documentaire ne disait pas tout.

Myron fit un pas vers lui.

— J'ai besoin de votre aide, Rob.

— Je ne vois pas ce que je pourrais faire pour vous.

— Vous vous souvenez de ce jour-là ?

— Je ne peux pas vous en parler.

— Pourquoi ?

— C'est confidentiel.

— Rob, l'un des garçons est toujours porté disparu.

— Je ne suis au courant de rien. Vous ne pensez quand même pas…

— Non, rien de tel. Mais vous souvenez-vous du jour de leur disparition ?

— Évidemment, acquiesça Dixon. Ces choses-là, ça ne s'oublie pas.

Myron hésita, puis :

— Clark et Francesca étaient-ils là ?

Rob Dixon cilla rapidement, à plusieurs reprises.

— Comment ?

— Le jour où leurs frères ont été enlevés, répéta Myron, Clark et Francesca étaient-ils en classe ? Étaient-ils à l'école l'un et l'autre ? Sont-ils sortis de bonne heure ?

— Pourquoi me demandez-vous ça ?

— J'essaie de reconstituer ce qui s'est passé.

— Dix ans après ?

— S'il vous plaît, fit Myron. Vous venez d'admettre que vous vous souvenez de cette journée. Que ces choses-là ne s'oublient pas.

— C'est exact.

— Alors répondez à cette simple question. Clark et Francesca étaient-ils tous les deux en classe ?

Dixon ouvrit la bouche, la referma, essaya à nouveau.

— Bien sûr qu'ils étaient là. C'était une journée comme une autre. Un mercredi, si vous voulez tout savoir.

Il se dirigea vers le fond de la salle et s'arrêta deux rangées avant le mur du fond.

— Clark Baldwin était assis là. Il portait le maillot rouge de son équipe de basket. Il le mettait à peu près deux fois par semaine cette année-là. Francesca Moore…

Il revint vers le premier rang.

— … était assise ici. Elle avait un chemisier jaune. C'était sa couleur préférée. Le jaune. Elle dessinait des marguerites jaunes sur chacun de ses devoirs.

Dixon s'interrompit, regarda Myron.

— Mais pourquoi me demandez-vous tout ça ?

— Ils ont passé toute la journée à l'école ?

— Toute la journée. J'ai eu un coup de fil de Mme Baldwin à deux heures et demie.

— Brooke Baldwin ?

— Oui.

— Elle vous a appelé personnellement ?

— Oui, elle a téléphoné au directeur et a demandé à me parler. Elle a expliqué que c'était urgent.

385

— Et que vous a-t-elle dit ?

— Qu'il y avait eu un incident domestique et qu'un policier passerait prendre Clark et Francesca. Elle m'a prié de garder les enfants dans la salle de classe jusqu'à son arrivée.

— Vous avez su, pour le kidnapping ?

— Pas tout de suite.

Dixon secoua la tête.

— Je ne comprends toujours pas la raison de votre présence ici, monsieur Bolitar.

Myron non plus. Il pouvait toujours lui servir le couplet de l'aiguille dans la botte de foin, mais à quoi bon ?

— Le flic est venu avec une voiture de patrouille ?

— Non. C'était une femme, en civil et avec une voiture banalisée. Qu'est-ce que ça change ?

— Parlez-moi de Clark et Francesca.

— Que voulez-vous savoir ?

— Ils partagent un logement sur le campus, vous étiez au courant ?

Dixon sourit.

— C'est sympa.

— Et, à l'époque, ils étaient liés ?

— Bien sûr. Ce drame commun les a rapprochés.

— Mais avant l'enlèvement ?

L'instituteur réfléchit.

— Ils étaient dans la même classe. En dehors de ça, ils ne partageaient pas grand-chose. Je suis content qu'ils se soutiennent mutuellement. Surtout pour Francesca.

« Surtout pour Francesca. »

Aiguille ? Je vous présente ma vieille amie Botte de Foin.

— Pourquoi Francesca ? s'enquit Myron.

— Elle traversait un moment difficile.

— C'est-à-dire ?

— C'est franchement déplacé, monsieur Bolitar.

— Appelez-moi Myron.

— C'est déplacé quand même.

— C'était il y a dix ans, Rob. La gamine qui traversait un moment difficile en CM2 est aujourd'hui étudiante à la fac.

— Les enfants m'ont toujours fait confiance.

— Et je peux les comprendre. Vous êtes quelqu'un de gentil. D'attentionné. Vous ne voulez que leur bien. J'ai eu des instits formidables à l'école primaire. Je me souviens parfaitement de chacun. Beaucoup plus que de mes profs au collège ou lycée. Un bon instit, on le garde dans son cœur pour toujours.

— Où voulez-vous en venir ?

— Je ne vous demande pas de trahir des confidences. Mais il s'est passé quelque chose de grave ce jour-là. Je ne parle pas de l'enlèvement. Ça, on le sait. Non, il y a eu autre chose. Et je dois savoir quoi, si je veux découvrir la vérité. S'il vous plaît, faites-moi confiance. Pourquoi Francesca traversait-elle un moment difficile ?

Rob Dixon mit quelques secondes à se décider.

— Ses parents, répondit-il enfin.

— Eh bien ?

— Leur couple était dans une mauvaise passe.

Il s'interrompit.

— Vous pourriez être un peu plus précis ?

Dixon regarda à nouveau par la fenêtre.

— Son père avait trouvé des textos sur le portable de sa mère.

Myron avait repris sa voiture et roulait à tombeau ouvert en direction du campus de l'université de Columbia. La dernière fois qu'il avait vu Clark, il lui avait demandé son numéro de portable. Il le composa. Clark répondit à la troisième sonnerie.

— Allô ?

— Où est Francesca ? questionna Myron.

— On est sur la pelouse de la cour centrale.

— Ne bougez pas. Attendez-moi tous les deux.

— Pourquoi ? Que se passe-t-il ?

— Restez où vous êtes. Ne bougez pas.

Il y avait de la circulation sur le pont George Washington. Myron essaya un raccourci qui lui fit gagner une poignée de minutes. Le Henry Hudson étant bouché, il emprunta Riverside Drive et se gara à côté d'une bouche d'incendie. Au risque de se faire embarquer par la fourrière. Il remonta en courant la 120e Rue, longea Broadway et entra du côté de Havemeyer Hall. Les étudiants suivirent du regard cet homme d'un âge respectable qui filait comme une flèche à travers le campus. Il s'en fichait royalement.

Myron dépassa la Low Library avec sa rotonde et ses colonnes ioniques, le plus grand bâtiment du campus. Il descendit les marches, passa devant la statue d'Athena assise et longea la pelouse de South Field East.

Ils étaient là tous les deux, Francesca et Clark, assis dans la cour verdoyante d'un campus de l'Ivy League. Il existe peu d'endroits comme celui-ci, peu de moments

388

aussi riches, innocents et privilégiés que lorsqu'on est étudiant et qu'on se prélasse sur l'herbe d'un campus. Réalité ou illusion ? Peu importait. Et peu importait qu'il soit sur le point de tout saccager.

Il n'était plus très loin de la vérité.

Francesca leva les yeux à son approche. Clark se remit debout et demanda :

— Qu'y a-t-il de si urgent ?

Myron hésita à leur proposer d'aller à l'intérieur, dans un lieu plus tranquille, mais d'un autre côté il n'y avait personne à proximité, et le temps pressait.

Il s'assit en face de Francesca dans une position... autrefois on disait « en lotus », mais aujourd'hui Mickey appellerait ça « en tailleur ». Pas la peine d'être le maître de la déduction pour voir que Francesca était bouleversée. Elle avait les yeux rouges et gonflés. Et elle était en train de pleurer.

— Elle ne veut pas me dire ce qu'elle a, fit Clark.

Francesca serra les paupières. Myron regarda Clark.

— Tu peux nous laisser deux minutes ?

— Francesca ?

Sans rouvrir les yeux, elle fit signe à Clark de les laisser seuls.

— Je serai au café à Lerner Hall, lança-t-il.

Et, glissant la bretelle de son sac à dos sur son épaule droite, il s'éloigna d'un pas lourd. Francesca finit par rouvrir les yeux. Lorsqu'il fut hors de portée de voix, Myron déclara :

— Tu dois me dire la vérité.

Elle secoua la tête.

— Je ne peux pas.

389

— Ça te détruit. Ça détruit ton frère. Et de toute façon je finirai par savoir. Alors laisse-moi t'aider. Il y a forcément une solution.

Elle renifla et se remit à pleurer. Les étudiants qui passaient par là se retournèrent, inquiets. Myron tenta de les rassurer d'un sourire. Il imaginait la scène vue de l'extérieur : un homme mûr en train de rompre avec une jeune fille ou bien, espérait-il, un prof en train d'annoncer une mauvaise nouvelle.

— Je viens de parler à M. Dixon.

Elle le regarda, désorientée.

— Comment ?

— Ton instituteur en classe de CM2.

— Je sais qui c'est, mais pourquoi… ?

Elle se tut.

— Raconte-moi ce qui s'est passé, fit Myron.

— Je ne comprends pas. Qu'a dit M. Dixon ?

— C'est un type bien. Il ne voulait pas trahir ta confiance.

— Qu'a-t-il dit ? répéta Francesca.

— Tes parents avaient des problèmes de couple, répondit Myron. Et tu lui en as parlé.

Francesca arracha un brin d'herbe de la pelouse. Son visage était constellé de taches de rousseur. Elle avait l'air si jeune. Myron crut la voir dans cette salle de classe, une gamine paniquée à l'idée que son petit monde allait s'écrouler.

— Francesca ?

Elle leva la tête.

— Ton père a découvert des textos dans le téléphone de ta mère, c'est bien ça ?

Son visage perdit ses couleurs.

— Francesca ?

— S'il vous plaît, ne le dites pas à Clark.

— Je ne le dirai à personne.

— Je ne savais pas, OK ? Je ne savais pas jusqu'au jour…

Elle secoua la tête.

— Clark ne me pardonnera jamais.

Myron se déplaça pour se mettre bien en face de la jeune fille. Quelqu'un mit de la musique à pleins tubes dans sa résidence. Le chanteur commença par clamer qu'il avait eu sept ans autrefois. Quelques secondes plus tard, il en avait déjà onze.

Eh oui, pensa Myron en observant la jeune étudiante, je vois ça.

— Dis-moi ce qui s'est passé, Francesca. S'il te plaît.

Elle se taisait.

— Ton père est tombé sur ces textos, lui souffla-t-il pour la faire sortir de son mutisme. Tu étais là quand c'est arrivé ?

— Non, je suis rentrée un peu plus tard.

Il y eut un silence.

— Et ton frère ?

— Il était à la gym. Comme tous les lundis.

— OK, fit Myron. Donc, tu es rentrée chez toi. Tu revenais de l'école ?

Elle hocha la tête.

— Et tes parents étaient en train de se disputer ?

Ses yeux se fermèrent brièvement.

— Je ne l'avais jamais vu comme ça.

— Tu parles de ton père ?

Elle acquiesça.

— Ils étaient dans la cuisine. Papa tenait quelque chose à la main. Je ne voyais pas ce que c'était. Il hurlait sur maman et, elle, elle se recroquevillait en se bouchant les oreilles. Ils ne se sont même pas rendu compte que j'étais rentrée.

Myron essaya d'imaginer la scène. Francesca, dix ans, ouvre la porte. Elle entend Hunter hurler sur Nancy dans la cuisine.

— Et toi, qu'as-tu fait ?

— Je me suis cachée.

— Où ?

— Derrière le canapé du salon.

— OK. Et ensuite ?

— Papa… a frappé maman.

Autour d'eux, la vie du campus battait son plein. Des étudiants riaient et déambulaient dans la cour. Deux garçons, torse nu, jouaient au Frisbee. Un chien aboyait quelque part.

— Papa ne buvait pas beaucoup parce que quand il buvait…

Une fois de plus, Francesca ferma les yeux.

— … c'était affreux. J'avais dû le voir soûl trois ou quatre fois. Pas plus. Chaque fois, c'était l'horreur. Mais pas à ce point-là.

— Et qu'est-il arrivé après, Francesca ?

— Maman l'a insulté puis elle s'est précipitée dans le garage et elle est montée dans sa voiture. Papa…

Elle s'interrompit.

— Quoi, papa ?

— Papa l'a suivie.

Son débit était plus lent à présent, mesuré.

— Mais, d'abord, il a posé ce qu'il avait à la main.

392

Leurs regards se croisèrent.

— Qu'est-ce que c'était ? demanda Myron.

— Un pistolet.

Myron sentit un picotement glacé à la base de sa nuque.

— Il a couru après elle, alors je me suis levée.

Les yeux agrandis, Francesca était dans la maison maintenant.

— Je suis allée dans la cuisine. Le pistolet était là, sur la table. Je tremblais rien que de le regarder. Je ne savais pas quoi faire. Papa était fou de colère. Et il avait bu. Je ne pouvais pas laisser le pistolet là où il était.

— Qu'est-ce que tu as fait, Francesca ?

— Je vous le jure, je ne savais rien jusqu'ici. Vous devez me croire. Ils m'ont menti pendant toutes ces années. Je ne l'ai su qu'après le retour de Patrick.

— Tout va bien.

Myron posa les mains sur les épaules de la jeune fille.

— Francesca, qu'est-ce que tu as fait de ce pistolet ?

— J'avais peur que papa s'en serve.

Ses joues étaient baignées de larmes.

— Alors je l'ai pris. Je l'ai caché en haut, dans ma chambre.

— Et ensuite ? demanda Myron.

— Ensuite Patrick l'a trouvé.

33

Brooke et moi traversons le Dingmans Ferry Bridge.

Zorra n'est pas venu avec nous. Je peux gérer ça tout seul. Et il a des choses à faire de son côté.

Je jette un œil sur ma cousine. Elle regarde droit devant elle. Je me souviens de vacances en famille quand nous étions ados. On les passait chez mon grand-père, dans sa propriété de Fishers Island. L'île fait quatorze kilomètres de long et un kilomètre et demi de large. Bien qu'elle se trouve au large du Connecticut, théoriquement elle fait partie de New York. Mais vous ne devez pas connaître. Les touristes ne sont pas les bienvenus là-bas.

Un soir, Brooke et moi avons bu et fumé du shit sur la plage. Normalement, les stupéfiants ne sont pas ma tasse de thé. Myron est contre, et je n'ai pas assez confiance dans les autres pour risquer de perdre le contrôle devant eux. À un moment, Brooke a suggéré d'aller faire un tour en canoë.

Et nous voilà partis.

Il était tard, pas loin de minuit. Nous avons pagayé un peu, puis nous nous sommes laissés dériver. Allongés dans le canoë, nous avons parlé des choses de la vie. Aujourd'hui encore, je me souviens de cette conversation. Je contemplais le ciel. Les étoiles brillaient dans toute leur splendeur.

C'était un spectacle féerique.

J'ignore si c'est parce que nous étions défoncés ou absorbés par notre discussion, ou si c'était la beauté de la voûte céleste, mais nous étions plongés dans une sorte de transe. Soudain, nous avons entendu un grondement. Nous nous sommes dressés d'un bond tandis que le dernier ferry de la journée arrivait droit sur nous.

Nous n'avions pas le temps de pagayer pour nous mettre à l'abri.

Brooke s'est secouée la première. Elle a sauté sur moi pour nous éjecter tous les deux du canoë. Nous avons nagé frénétiquement à mesure que le ferry se rapprochait. Encore maintenant, alors que je suis au volant de ma voiture, je sens sa proue passer au-dessus de moi. J'ai frôlé la mort bien des fois. Mais cette fois-là, mes amis, a failli être la bonne.

Je n'avais pas réagi à temps. Brooke, si.

Ma cousine fixe le pare-brise.

— Rhys est mort, n'est-ce pas ?

— Je ne sais pas.

Elle me regarde.

— Je pense que oui, dis-je, mais je ne baisse pas les bras.

— Pour moi, c'est de plus en plus clair. Mon fils est mort. Je crois que je l'ai toujours su. Je l'ai senti. Mais je ne me fie pas à l'instinct maternel. Je m'en tiens aux faits. J'ai coupé court aux émotions quand mon fils a disparu il y a dix ans.

— Tu as été une bonne mère pour Clark.

Elle est à deux doigts de sourire.

— Oui, n'est-ce pas ?

— La meilleure.

— C'est un gentil garçon, dit-elle. Il a beaucoup souffert toutes ces années. Tu te souviens de l'enterrement de mon père ?

— Bien sûr.

— J'avais onze ans. Tu en avais douze. Je n'ai pas vu le corps. La crise cardiaque a été tellement brutale. Ma mère voulait que le cercueil soit fermé. À quoi bon le voir dans cet état ? C'est ce que tout le monde me disait. Mais… j'ai eu une amie, militaire de carrière. Elle m'a expliqué que, s'ils rapatriaient les morts, quelquefois même au péril de leur propre vie, c'était pour permettre aux proches de faire leur deuil. Ils avaient besoin de quelque chose de tangible pour pouvoir tourner la page. C'est important, Win, de faire ses adieux. Pour accepter la réalité, aussi pénible soit-elle, et continuer à vivre. Je savais que Rhys était mort avant même que Patrick ne le dise. Et pourtant, même si j'ai conscience de ne jamais revoir mon petit garçon, je garde encore l'espoir.

Je ne dis rien.

— Et je hais l'espoir, ajoute Brooke.

Nous arrivons au lac Charmaine. Quelqu'un a remis le panneau en place en enroulant la chaîne autour d'un poteau. Je passe par-dessus. La chaîne cède sans difficulté. Le pick-up de Hunter ferme toujours le chemin. Je vérifie la position de la voiture de location sur le GPS. Elle n'a pas bougé. Je sors mon revolver, un Smith & Wesson 460, et me tourne vers Brooke.

— Puis-je te prier de rester ici pendant que je tire les choses au clair ?

Pour toute réponse, elle pousse la portière et descend. Je me doutais bien que c'était perdu d'avance, mais je voulais au moins essayer. Nous suivons le chemin, comme quand je suis venu avec Myron. Hunter est assis dans le même fauteuil de jardin, son fusil sur les genoux.

En nous voyant, il se lève et braque le fusil sur nous.

— Ne le tue pas, dit Brooke.

Je lui tire dans la jambe. Il tombe sur un genou. Je lui tire dans l'épaule. Le fusil va valdinguer dans le décor. Je m'approche de lui, Brooke sur mes talons.

Hunter nous regarde tour à tour. Et se met à pleurer.

— Je regrette, dit-il.

— Où est-elle ?

— Si vous saviez comme je regrette.

Je me penche vers sa blessure à l'épaule et appuie fort.

Il pousse un hurlement.

— Où est-elle ?

La porte de la maison s'ouvre à la volée. Une jeune femme aux cheveux longs paraît sur le perron.

Brooke pose sa main sur mon bras et hoche la tête.

— C'est Vada, dit-elle.

34

Myron trouva Nancy Moore dans son jardin, assise sous la tonnelle à côté de la roseraie, une tasse de café dans les mains.

— Je vous ai dit de ne plus remettre les pieds ici, fit-elle sans le regarder.

— Oui, je sais. Vous avez des nouvelles de Patrick ?

Elle secoua la tête.

— Et ça ne vous inquiète pas ?

— Bien sûr que si. Mais c'est un énorme bouleversement pour lui. Il a besoin de se retrouver.

— Après dix ans d'absence, observa Myron, c'est la dernière chose à laquelle j'aurais pensé.

— Peu m'importe ce que vous pensez, Myron, allez-vous-en.

Il ne répliqua pas. Elle finit par tourner la tête, mais il se borna à la dévisager. Puis :

— Je suis au courant, Nancy.

— Au courant de quoi ?

C'était une question purement rhétorique. Ça se voyait dans ses yeux.

— Francesca m'a tout raconté.

— Francesca est perturbée. Le retour de son frère après tant d'années lui brouille les idées.

— Rhys est mort, n'est-ce pas ?

— Patrick vous l'a dit.

— Non, Patrick nous a raconté une histoire. Que vous avez montée de toutes pièces avec lui. Remarquez, c'est une belle histoire… la meilleure pour une mère ravagée par la douleur. « Rhys n'a pas souffert. Il a été heureux. Il a fait preuve de courage. Sa mort a été rapide, et il n'a pas eu à subir les horreurs qui ont suivi. » Pendant que je l'écoutais, je n'ai pas pu m'empêcher de penser : « Comme c'est commode ! »

— Allez-vous-en.

Myron se rapprocha.

— Nous savons que Vada est dans la maison du lac.

Nancy tendit la main vers son portable, mais il s'en saisit avant elle.

— Rendez-moi ça.

— Non.

— Vous ne comprenez rien, fit-elle.

— Je crois que si. Pas étonnant que vous ayez convaincu Chick de ne pas parler des textos. Il pensait que ça pouvait mettre la police sur une fausse piste. Qu'ils vous soupçonneraient d'avoir été amants et penseraient que l'un de vous deux avait pété les plombs, que sais-je. Vous, vous saviez que tout avait commencé par ces textos. Mais pas Chick.

Nancy Moore se leva et se dirigea vers la maison. Myron lui emboîta le pas.

— Hunter vous a menacée avec son arme. Vous saviez que c'était Francesca qui l'avait cachée ? Ça expliquerait pourquoi vous ne lui aviez rien dit.

Ou alors c'est parce qu'elle n'était encore qu'une petite fille. Jamais elle n'aurait pu garder un secret pareil. Ou vous aviez peur qu'elle se sente responsable. Si seulement elle n'avait pas touché au pistolet de papa. Si seulement elle n'avait pas craint que Hunter s'en serve un jour.

Nancy s'arrêta à la porte donnant sur le jardin et ferma les yeux.

— Elle a caché le pistolet dans sa chambre, et Patrick l'a trouvé, poursuivit Myron. À quel moment, je l'ignore. Francesca ne le sait pas non plus. Quelques jours après. Une semaine peut-être. Hunter l'avait-il oublié ? Ou bien n'osait-il pas aborder le sujet ? Peu importe. Patrick l'a découvert. Hunter et vous ne cessiez de vous disputer. Patrick le savait. Il en connaissait peut-être même la raison. Il en voulait peut-être à Chick Baldwin et à toute sa famille.

— Non, protesta Nancy. Ce n'est pas ça du tout.

— Aucune importance. Ce n'est qu'un enfant de six ans. Il a le pistolet chargé de son père. Il le glisse dans son cartable. Il l'emporte à l'école. Un jour – peut-être le jour où il l'a trouvé, allez savoir –, il est invité chez Rhys. Ils sont en train de jouer sous les arbres au fond du jardin. Vada Linna, la fille au pair, ne les surveille pas de trop près. Ou peut-être que si. Je n'en sais rien. De toute façon, ce n'est qu'une gamine qui vit dans un pays étranger, loin de sa famille et de ses amis.

Nancy Moore semblait pétrifiée ; c'est tout juste si elle parvenait encore à respirer.

— Je ne sais pas si c'était un jeu. Ou si le coup est parti accidentellement. Je ne sais pas si Patrick était en colère à cause de son père. Ce que je sais, c'est qu'un garçon de six ans en a tué un autre.

— C'était un accident, souffla Nancy.

— Peut-être.

— C'est sûr.

— Et qu'est-ce qui s'est passé ensuite ?

— Vous ne comprenez pas.

— Ah, mais si. Vous êtes passée chercher votre fils. À mon avis, ça venait juste de se produire. Quelques secondes avant que vous ne débarquiez. Car si cela s'était déroulé plus tôt, mettons dix minutes auparavant, Vada aurait composé le neuf cent onze.

— J'ai entendu le coup de feu, dit Nancy. Je me suis garée et...

Myron hocha la tête.

— Vous vous êtes précipitée dans le jardin.

— Vada et moi... on a accouru en même temps. Mais il était trop tard. La balle... Rhys l'a reçue en pleine tête. Il n'y avait plus rien à faire.

Il y eut un silence.

— Pourquoi ne pas avoir appelé la police ? demanda Myron.

— Vous savez bien pourquoi. C'était notre pistolet. Le mien, plus exactement. C'est moi qui l'avais acheté. Hunter et moi... on allait être inculpés. Il y a déjà eu des précédents. J'avais lu un article sur un père qui gardait une arme chargée sous son lit. Son fils de six ans l'avait trouvée. Il avait voulu jouer aux cow-boys et aux Indiens avec sa petite sœur de quatre ans. Elle est morte. Le père a été condamné pour homicide involontaire et a passé huit années en prison. J'ai pensé à ça. Et j'ai pensé à Patrick. Oui, il nous avait entendus nous

401

disputer. Et, même s'il n'avait que six ans, imaginez que ça entre en ligne de compte ? Qu'on le soupçonne de l'avoir fait exprès ? Il en serait marqué à vie... le gamin qui a tué un autre gamin. Et puis, il y avait Chick et Brooke. Vous croyez, vous, qu'ils sont du genre à pardonner ?

— Alors vous avez maquillé le meurtre en kidnapping.

Myron s'efforçait de parler posément. Elle ne prit pas la peine de répondre.

— Comment avez-vous convaincu Vada de vous aider ?

— Je lui ai dit que la police la tiendrait pour responsable. Elle était censée surveiller les enfants. J'ai dit qu'on allait la juger et la mettre en prison. Et que c'était dans son intérêt de m'obéir. Vada était paniquée et trop tétanisée pour protester. Le temps qu'elle reprenne ses esprits, elle était déjà dedans jusqu'au cou.

— Vous avez nettoyé la scène. Je suppose qu'il y avait du sang.

— Pas beaucoup. Et c'était dans le bosquet. J'ai tout nettoyé.

— Vous avez expliqué votre stratagème à Vada. Vous l'avez ligotée au sous-sol. Puis vous êtes sortie et vous avez appelé Brooke. Pour lui dire que vous veniez d'arriver et qu'il n'y avait personne pour vous ouvrir.

— C'est ça.

Myron déglutit.

— Où était Patrick ?

— Je l'avais ramené à la maison. Je lui avais dit de se cacher jusqu'au retour de son père.

— Et Rhys ?

Nancy soutint son regard sans ciller.

— Je l'ai mis dans une poubelle au fond du garage.

Le reste coulait de source.

— Quand Hunter est rentré, a-t-il essayé de vous raisonner ?

— Oui. Il voulait tout avouer. Mais c'était trop tard. J'avais déjà mis en scène le kidnapping. Après, ça a fait boule de neige. Ce n'est pas la faute de Hunter. C'est quelqu'un de faible. Il n'a pas assumé ce qu'on avait fait. Il s'est mis à boire. Vous imaginez facilement la suite. Il n'a pas été difficile de se procurer de faux papiers d'identité, même si ça a pris du temps, à cause de la présence policière autour de nous. Hunter a caché Patrick dans la maison du lac. Pour finir, nous l'avons fait sortir discrètement du pays. Avec un nouveau nom : Paul Simpson.

— Et pourquoi l'avoir fait revenir ?

Elle haussa les épaules.

— Ça devenait trop problématique. L'école s'intéressait de plus en plus près au passé des élèves. Les gens commençaient à poser des questions. On ne pouvait pas continuer éternellement. Francesca devait savoir que son frère était en vie. Mais, par-dessus tout, Patrick lui-même avait envie de rentrer. J'en ai discuté avec Hunter. On pensait le faire débarquer dans un poste de police et déclarer qu'il s'était évadé, mais cela allait forcément entraîner une nouvelle enquête.

— Alors vous avez envoyé ce mail anonyme à Win.

— Je savais que Win irait jusqu'au bout. S'il retrouvait Patrick – s'il le sauvait –, l'histoire n'en serait que plus crédible. C'est ce que je me disais. Alors je me suis arrangée pour que Win se trouve à King's Cross en même temps que Patrick. L'endroit a été facile à repérer. Il suffit de regarder sur Internet pour savoir où traînent les garçons qui se prostituent.

— Sauf que ça n'a pas marché comme prévu.

— Le moins qu'on puisse dire, c'est qu'il y a eu un retour de manivelle. Quand Win a tué ces hommes, Patrick s'est enfui. Il m'a téléphoné, affolé. Je lui ai dit de chercher un hôtel et de ne plus bouger. Mais Gros Gandhi l'a rattrapé.

— Donc, quand vous m'avez remercié, la larme à l'œil, de lui avoir sauvé la vie…

— Ce n'était pas de la comédie.

Elle regarda Myron dans les yeux, espérant y trouver du réconfort ou de la bienveillance peut-être.

— Vous lui avez réellement sauvé la vie. J'ai tout gâché. Tout gâché depuis le départ. Vous allez me demander pourquoi je n'ai pas fait ceci ou cela. Je n'en sais rien. Face à chaque nouvelle situation, j'ai fait ce que je croyais être le mieux pour mon fils. Au début, ça a fonctionné. Patrick a oublié ce qui s'était passé. Ma sœur vit en France. Il allait souvent chez elle. Il aimait son école. Il était heureux. Bien sûr, on lui manquait. Sa sœur lui manquait, elle aussi. Et, oui, l'un des plus gros problèmes était de cacher la vérité à Francesca. Mais elle n'aurait pas pu garder le secret. Pas à onze ans. Nous avons essayé de la rassurer, de lui dire que son frère allait bien, mais, évidemment, elle a souffert. On n'a pas pris cette décision de gaieté de cœur.

Nancy pencha la tête.

— Vous le lui auriez dit, vous ?

Myron faillit rétorquer qu'il n'aurait jamais choisi cette voie-là, mais il jugea inutile d'enfoncer une porte ouverte.

— Je ne sais pas, répondit-il. En tout cas, vous les avez tous détruits. Votre mari n'a pas pu vivre avec ça. Brooke, Chick, Clark... tout ce qu'ils ont dû endurer à cause de vous.

— Rhys était mort. Vous ne comprenez pas ? Rien ne pouvait le leur ramener. Je ne pouvais pas le sauver. Je ne pouvais sauver que mon propre fils.

Myron sentit le portable de Nancy vibrer dans sa paume. Il jeta un œil sur le numéro et le lut à haute voix.

— C'est Patrick !

Nancy lui arracha le téléphone des mains.

— Allô, Patrick ?

Myron entendit l'adolescent qui pleurait.

— Maman ?

Il paraissait beaucoup plus jeune que ses seize ans.

— Je suis là, mon bébé.

— Ils savent ce que j'ai fait. Je... Je veux mourir.

Nancy décocha un regard noir à Myron.

— Non, non, écoute maman. Tout ira bien. Dis seulement à maman où tu es.

— Tu sais où je suis.

— Non, je ne sais pas.

— Aide-moi, maman.

— Où es-tu, Patrick ?

— Je veux me tuer. Je veux me tuer pour être avec Rhys.

— Non, chéri, écoute-moi.

— Au revoir, maman.

Il raccrocha.

— Oh, mon Dieu !

Le téléphone lui tomba des mains.

— « Être avec Rhys », répéta Myron à mi-voix.

Il saisit Nancy par les épaules.

— Où avez-vous jeté le corps de Rhys ?

Elle se dégagea brusquement et courut vers sa voiture. Myron la suivit.

— Je prends le volant, déclara-t-il. Où est-il ?

Nancy hésita.

Myron revit Patrick assis à la table de cuisine. La voix compassée, monocorde parce qu'il était en train de mentir. Mais, à la fin, il s'était laissé gagner par l'émotion.

« J'ai vu… J'y étais… Ils ont… balancé son corps dans le ravin. Comme si c'était rien. Comme si Rhys n'était rien. »

Parce qu'il disait la vérité.

— Votre fils, vous voulez le récupérer mort ou vivant ? cria Myron. Où est ce ravin, Nancy ?

35

D'après l'appli de navigation, le trajet jusqu'au lac Charmaine dans l'état actuel du trafic prendrait un peu plus de quatre-vingt-dix minutes. Myron appela d'abord le bureau du shérif du comté de Pike pour les informer de la situation. On lui passa directement le shérif Daniel Yiannikos.

— Je suis dans ma voiture de patrouille, dit le shérif. Où est le garçon ?

— Suivez Old Oak Road jusqu'au bout, près du lac Charmaine, fit Myron. Quatre cents mètres plus au sud, il y a un ravin.

— Je vois où c'est, dit le shérif.

— Il s'appelle Patrick.

— Encore un qui veut tenter le grand saut ? Il ne sera pas le premier.

— Je ne sais pas. Il menace de se suicider.

— OK, j'y serai dans huit minutes. Quel âge a Patrick ?

— Seize ans.

Nancy essayait de le joindre depuis qu'ils s'étaient mis en route. Sans résultat.

— Et son nom complet ? demanda Yiannikos.

— Patrick Moore.

— Ça me dit quelque chose.

— On a parlé de lui aux infos.

— Le gamin qui vient d'être retrouvé ?

— Il est en état de choc, précisa Myron.

— OK, on fera attention.

— Dites-lui que sa mère arrive.

Myron raccrocha, puis appela son vieil ami Jake Courter, le shérif du comté de Bergen, dans le New Jersey. Il lui expliqua la situation et demanda une escorte policière.

— Ça marche, répondit Jake. On te rejoint sur la Route 80.

Vingt minutes plus tard, lorsque le shérif Yiannikos rappela enfin, Nancy Moore agrippa le bras de Myron avec une telle force qu'il craignit qu'elle n'y laisse un bleu.

— Allô ?

— Patrick est vivant, annonça le shérif. Pour le moment.

Myron exhala un soupir.

— Il se tient au-dessus du ravin avec un flingue sur la tempe.

Nancy s'effondra.

— Oh, mon Dieu !

— Là, il est calme. Il nous dit de rester à l'écart. C'est ce qu'on fait.

— A-t-il formulé une demande quelconque ?

— Rien, à part s'assurer que sa mère allait arriver. Nous lui avons demandé s'il souhaitait lui parler. Il a dit que non, il veut seulement la voir. Il nous a dit de rester à l'écart, sans quoi il allait tirer. Vous en avez encore pour longtemps ?

Comme promis, les voitures de patrouille du comté de Bergen les avaient rejoints sur la Route 80 direction ouest. Myron appuya sur l'accélérateur. La police l'aida à se frayer un passage au milieu d'une circulation chargée.

— Une demi-heure, quarante minutes.

— OK, dit le shérif Yiannikos. Je vous rappelle s'il y a du nouveau.

Myron raccrocha, passa un rapide coup de fil à Win, puis demanda à Nancy :

— Pourquoi Vada est-elle revenue ?

— À votre avis ?

— Elle a vu aux informations que Patrick était rentré.

— Oui.

— Et elle a décidé de se mettre à table.

— C'est ce qu'elle dit. Nous l'avons… interceptée. On ne lui a fait aucun mal. On l'a juste convaincue de venir discuter dans la maison du lac. On lui a pris ses clés de voiture et demandé de nous laisser quelques jours. Histoire de la faire changer d'avis.

— Et si elle avait refusé ?

Nancy haussa les épaules.

— Je préfère penser qu'on aurait trouvé une solution.

— C'est elle que Hunter attendait quand on est allés là-bas.

— Oui, elle est arrivée une demi-heure après votre départ.

— Hunter n'arrêtera pas Win.

— Certainement, répliqua Nancy. Vous pourriez rouler un peu plus vite ?

— Et Tamryn Rogers ?

— Patrick sortait avec elle en Suisse. J'ai cru qu'il la laisserait tomber en rentrant, mais vous connaissez les ados. Votre neveu avait raison : un ado qui se sent seul recherche des contacts. Alors, oui, Patrick a filé pour la retrouver en cachette. Ça n'aurait pas été bien grave, si vous ne l'aviez pas suivi.

Ils traversèrent le Dingmans Ferry Bridge. D'après le GPS, ils étaient à huit minutes de leur destination.

— C'est terminé maintenant, dit Myron.

— Oui, sans doute. Mais moi, je dois sauver mon fils. Depuis le début, c'est tout ce qui m'intéresse. Ensuite, eh bien, on tournera la page. La police sortira la dépouille de Rhys de ce ravin. Ils pourront l'enterrer décemment. J'ai consulté mon avocate avant de partir. Devinez quel est le délai de prescription pour dissimulation de cadavre ?

La main de Myron se crispa sur le volant.

— Dix ans. Réfléchissez un peu. Au bout du compte, j'ai caché un cadavre et bidouillé les preuves. J'ai raconté des craques à la police. Hunter est rongé par la culpabilité. Il portera le chapeau, mais, avec un bon avocat, il sera condamné à une courte peine, si tant est qu'il soit condamné. Donc, au final, Myron, si nous pouvons sauver mon garçon, oui, ce sera terminé.

— C'est du cynisme, dit Myron.

— C'est la réalité.

— Une réalité qui aurait pu être tout autre.

— Rhys était mort. Je ne pouvais rien pour lui.

— Et Patrick, vous croyez l'avoir aidé ? Un enfant de six ans, l'obliger à mentir ainsi !

— Il était trop jeune.

— Du coup, vous avez balayé la poussière sous le tapis. Votre mari est devenu alcoolique. Votre fille a dû porter le deuil de son frère. Vada, je n'ose imaginer dans quel pétrin vous l'avez fourrée. Et Brooke, et Chick et Clark. Avez-vous seulement une idée de tout le mal que vous avez fait ?

— Je n'ai pas à me justifier devant vous. Le rôle d'une mère est de protéger son enfant. C'est comme ça. Je vais ramener mon fils à la maison et tout rentrera dans l'ordre.

Myron tourna dans Old Oak Road. Quatre voitures de police étaient garées au bout du chemin. Le shérif Yiannikos vint à leur rencontre.

— On reste à l'écart. Il réclame sa mère.

— C'est moi, dit Nancy.

Et elle se précipita dans le bois. Myron la suivit.

— Non, lui lança-t-elle. Attendez ici.

Elle disparut sous les arbres. Myron regarda le shérif.

— Ce serait trop long à expliquer, mais elle ne peut pas y aller seule. Il faut que je l'accompagne.

— Je viens avec vous.

Ils hâtèrent le pas, gravissant la colline derrière Nancy. Un oiseau croassa au loin. Nancy jeta un coup d'œil par-dessus son épaule, mais ne ralentit pas son allure. Elle était trop pressée de rejoindre Patrick.

Le rôle d'une mère est de protéger son enfant.

Au sommet de la colline, Nancy s'arrêta net et porta les mains à son visage, l'air horrifié. Myron courait vers elle, suivi de près par Yiannikos. Arrivés en haut, ils virent ce qu'elle voyait.

Patrick pressait le canon du pistolet contre sa tempe. Il ne pleurait pas. Il n'était pas hystérique.

Il souriait.

Nancy fit un pas hésitant vers lui.

— Patrick ?

La voix de son fils résonna, forte et claire, dans le bois silencieux.

— Ne t'approche pas.

— Je suis là, dit-elle. Je te ramène à la maison.

— Je suis à la maison, répondit-il.

— Je ne comprends pas.

— Tu crois vraiment que je suis resté dans la voiture ?

— Qu'est-ce que tu dis, mon chéri ? Je ne vois pas…

— Vous m'avez amené avec vous. Tu m'as dit de rester dans la voiture et de fermer les yeux.

Patrick sourit, le pistolet toujours collé à la tempe.

— Tu crois que je t'ai écoutée ?

« J'ai vu… J'y étais… Ils ont… balancé son corps dans le ravin. Comme si c'était rien. Comme si Rhys n'était rien. »

— Je l'ai tué, poursuivit Patrick.

Une larme solitaire roula sur sa joue.

— Et vous l'avez jeté là-dedans. Vous m'avez obligé à vivre avec ça.

— Tout va bien, fit Nancy d'une voix fêlée. Ça va s'arranger…

— Je le revois tous les jours. Tu crois que j'ai pu oublier ? Tu crois que je me suis pardonné ? Ou que je vous ai pardonné, à vous ?

— Je t'en supplie, Patrick.

— Tu m'as tué aussi, maman. Tu m'as jeté dans ce ravin. Et maintenant, il faut payer pour ça.

Nancy regarda désespérément autour d'elle en quête d'une bouée de sauvetage.

— Regarde, Patrick, la police est là. Ils sont au courant de tout. Ça va aller. S'il te plaît, chéri, baisse cette arme. Je suis venue te chercher pour te ramener à la maison.

Patrick secoua la tête.

— Ce n'est pas pour ça que tu es venue, maman, riposta-t-il d'un ton glacial.

Nancy tomba à genoux.

— S'il te plaît, Patrick, lâche cette arme. Rentrons à la maison. Je t'en prie.

— Bon sang, marmonna le shérif Yiannikos, il va le faire.

Myron eut la même impression, mais même s'il piquait un sprint, il n'arriverait jamais à temps.

— Voici ma maison, déclara Patrick. Ma place est ici.

Il arma le chien du pistolet.

Nancy hurla :

— Non !

— Je ne t'ai pas appelée pour que tu me sauves.

Le doigt de Patrick se mit à trembler sur la détente.

— Je t'ai appelée pour que tu me regardes mettre fin…

Soudain une nouvelle voix – une voix féminine – cria :

— Arrête !

L'espace d'un instant, tout se figea. Myron tourna la tête. Brooke Baldwin se tenait de l'autre côté de la clairière, accompagnée de Win.

Elle se dirigea vers l'adolescent.

— C'est fini, Patrick.

Il n'abaissa pas la main.

— Madame Baldwin…

— C'est fini, je te dis.

— Reculez, fit Patrick.

Brooke secoua la tête.

— Tu n'avais que six ans. Tu étais un petit garçon. C'était un accident. Je ne t'en veux pas. Tu m'entends, Patrick ?

Elle fit un autre pas vers lui.

— C'est fini.

— Je veux mourir, s'écria-t-il. Je veux être avec Rhys.

— Non, répondit Brooke. La mort et la désolation, ça suffit comme ça. S'il te plaît, Patrick. S'il te plaît, n'ajoute pas à ma douleur.

Elle tendit la main.

— Regarde-moi.

Il tourna la tête vers elle. Brooke attendit pour être sûre qu'il la regardait dans les yeux.

— Je te pardonne, dit-elle. Tu n'étais qu'un enfant. Ce n'était pas ta faute. Rhys, mon fils, ton ami, il n'aurait pas voulu ça. Si ç'avait été l'inverse, si Rhys avait tiré sur toi, lui aurais-tu pardonné ?

Le pistolet trembla dans la main de Patrick.

— Réponds-moi.

Il hocha la tête.

— S'il te plaît, Patrick. Donne-moi ce pistolet.

Le vent était retombé. Personne ne bougeait. Personne ne respirait. Même les arbres semblaient retenir leur souffle. Brooke franchit la distance qui les séparait.

Patrick hésita et, une seconde, Myron crut qu'il allait appuyer sur la détente.

Quand Brooke lui prit le pistolet, Patrick s'écroula dans ses bras. Il poussa un cri guttural et éclata en sanglots. Fermant les yeux, Brooke le serra contre elle.

— Je suis tellement désolé. Tellement, tellement désolé.

Brooke contempla le ravin où son fils reposait depuis dix ans déjà. Elle resserra son étreinte, puis finit par craquer et pleura avec Patrick. Ils restèrent là un moment, enlacés... la mère de l'enfant mort étreignant celui qui l'avait tué.

Nancy Moore s'approcha avec précaution. Brooke la regarda par-dessus l'épaule de Patrick. Leurs yeux se rencontrèrent. Nancy articula silencieusement :

— Merci.

Brooke lui fit signe de la tête, mais ne lâcha pas Patrick. Elle ne le fit que lorsqu'il arrêta de pleurer.

36

La police remonta le corps quatre heures plus tard.

Hunter Moore était à l'hôpital pour soigner ses blessures. Il s'en remettrait. Vada Linna allait bien. Elle avait tout raconté à Brooke et Win. C'était effectivement pour dire la vérité qu'elle était revenue. Hunter risquait d'être poursuivi pour enlèvement et séquestration, mais cela était une autre histoire.

Nancy Moore avait été placée en garde à vue, mais son avocate, Hester Crimstein, l'avait fait libérer sous caution en moins d'une heure. Nancy avait vu juste. Aucune charge sérieuse ne pesait contre elle.

— Tu devrais rentrer, dit Win.

Myron secoua la tête. Il était resté jusqu'ici et n'avait guère l'intention de partir maintenant.

Le cadavre n'était plus qu'un squelette, mais les vêtements étaient intacts. Brooke caressa le jean et le sweat rouge.

— Rhys, dit-elle.

Puis, sans un mot, elle rebroussa chemin vers la voiture. Win la suivit, mais elle le congédia.

— Rentre avec Myron. J'ai besoin d'être seule. Et c'est à moi de l'annoncer à Chick.

— Je pense que ce n'est pas une bonne idée, dit Win.

— Je t'aime, répliqua-t-elle, mais je me fiche pas mal de ce que tu penses.

Ils la regardèrent s'éloigner, la tête haute.

— Allez, viens, fit Win. On rentre.

Il prit le volant. Quelques minutes plus tard, Mickey appelait pour avoir des nouvelles. Il était avec Ema et Spoon.

— C'est fini, lui dit Myron.

— Vous avez trouvé Rhys ?

— Il est mort.

Mickey le répéta à Ema. Et Myron entendit la jeune fille pleurer.

Win laissa la voiture sur le parking derrière le Dakota. Lorsqu'ils entrèrent dans l'appartement, Terese les prit tous les deux dans ses bras. Et ils restèrent ainsi jusqu'à ce que le portable de Win se mette à bourdonner. Il s'excusa et leur souhaita une bonne nuit. Myron plongea son regard dans les yeux de Terese.

— Si tu savais comme j'ai hâte de t'épouser.

Il prit une longue douche chaude. Terese se joignit à lui. Ils n'échangèrent pas un mot. Mais ils firent l'amour. Farouchement, avec ferveur. Ce fut parfait et peut-être même thérapeutique. Myron sombra plus qu'il ne s'endormit dans les bras de sa fiancée. Il ne rêva pas. Il resta juste un moment dans ses bras. Peut-être une heure ou deux.

Soudain il se sentit frissonner.

— Qu'est-ce qui t'arrive ? demanda Terese.

— Le flingue.

— Quel flingue ?

— Patrick avait un pistolet, répondit Myron. Qu'est-ce qu'il est devenu ?

Épilogue

Trois mois plus tard

Vous espérez peut-être un revirement et un happy end.

Vous vous dites que le corps n'était peut-être pas celui de Rhys Baldwin, que Brooke et Chick ont fini par retrouver leur enfant.

Mais il n'y a pas toujours ce genre de revirement dans la vie. Et, la plupart du temps, pas de happy end.

Aujourd'hui, cependant, tout le monde est heureux.

Il y a quinze jours, j'ai organisé pour Myron un enterrement de vie de garçon qui restera dans les annales. Pourquoi dans les annales ? Disons que nous avons visité quatre continents. Myron, évidemment, a été très sage. Comme à son habitude. Moi, je me suis lâché pour deux. Esperanza et Big Cyndi aussi.

Quoi, direz-vous, des femmes à un enterrement de vie de garçon ?

Les temps changent, mon ami.

Aujourd'hui, je porte une queue-de-pie en tant que témoin de Myron. C'est curieux. Myron a toujours rêvé de ce jour où il épouserait la femme de sa vie pour s'installer et fonder une famille. Le sort, hélas, en avait décidé autrement. Pour ma part, je n'ai jamais encouragé ce genre de projet. L'amour, ce n'est pas trop mon truc.

Du moins, ça ne l'était pas.

Myron est bien plus que mon meilleur ami. Je l'aime et je veux – non, j'ai besoin – qu'il soit heureux. Il m'a manqué pendant toute cette année, même si, souvent, je me tenais plus près de lui qu'il ne le soupçonnait. Le soir où il est allé voir *Hamilton*, j'étais trois rangées derrière lui. Quand il a retrouvé son frère Brad dans ce trou à rats, je n'étais pas très loin non plus.

Juste au cas où.

Je l'aime. Et je veux qu'il soit heureux.

Il y a eu d'autres femmes dans sa vie, notamment la dénommée Jessica. Mais Terese, ce n'est pas pareil. Ça se sent quand on est avec eux. Séparément, ils sont une chose. Mais ensemble, c'est totalement différent, totalement spectaculaire. Disons simplement que, si tout est affaire de réaction chimique – et, pour ma part, j'en suis persuadé –, ces deux composants-là se combinent pour former un tout extatique.

Je frappe à la porte. Terese répond :

— Entrez.

J'entre.

— Alors ? demande-t-elle en pivotant vers moi.

Avez-vous déjà vu une ravissante et radieuse mariée en robe blanche ? Si oui, vous avez la réponse.

— Whaou, dis-je.

— J'ai l'impression d'entendre Myron.

Je lui baise la main.

— Je voulais te présenter tous mes vœux de bonheur. Et, que ça te plaise ou non, sache que je serai toujours là pour toi.

Elle hoche la tête.

— Je sais.

— Et si tu lui brises le cœur, je te brise les deux jambes.

— Ça aussi, je le sais.

Je l'embrasse sur la joue et quitte la pièce.

Vous vous demandez probablement ce qui s'est passé après la découverte du corps de Rhys. Comme vous l'avez vu au journal télévisé, la vérité a éclaté au grand jour. Personne, évidemment, n'a songé à accuser Patrick. Ainsi que Brooke l'avait souligné au bord de ce ravin, il n'était qu'un enfant au moment des faits.

Les Baldwin – Brooke, Chick et Clark – vont aussi bien que possible. Myron aime à répéter que la vérité la plus laide vaut mieux que le plus joli des mensonges. J'en suis moins convaincu, mais, apparemment, ça fonctionne ici. Ils savent à quoi s'en tenir maintenant. Brooke a enterré Rhys dans notre cimetière familial près de Philadelphie. Toute la famille est en deuil.

Mais désormais ils peuvent tourner la page.

Clark reste très proche de Francesca. Elle n'a su la vérité qu'après le retour de Patrick. Nancy Moore a estimé que sa fille était suffisamment forte et adulte pour l'assumer.

Ce en quoi elle se trompait.

Hunter Moore s'est plus ou moins remis de ses blessures. Il sera poursuivi pour la vague tentative d'enlèvement de Vada Linna, mais j'ignore ce que ça donnera. On verra bien.

Pour ce qui est de Nancy Moore, les forces de l'ordre sont à sa recherche, même si je doute qu'elle figure sur la liste de leurs priorités. Le soir même de sa libération sous caution, Nancy a suivi, semble-t-il, l'exemple de son fils et s'est évanouie dans la nature. Les policiers promettent de tout faire pour la retrouver.

Myron m'a demandé si nous ne devrions pas participer aux recherches, pour aider à traduire Nancy en justice. Je lui ai dit que non. Nous avons fait ça pour Brooke. Si c'est fini pour elle, alors c'est fini pour nous.

Mais assez parlé de cela.

Myron se marie aujourd'hui. Je me tiens sous le dais à côté de lui. Lorsque la mariée paraît et qu'il jette un œil sur Terese en robe blanche, je l'entends marmonner :

— Whaou !

Je souris et dis :

— Tout à fait d'accord avec toi.

Les parents de Terese étant décédés, c'est Al, le père de Myron, qui lui donne le bras. Je balaie la salle du regard. Tout le monde est là. Big Cyndi est demoiselle d'honneur. Esperanza sort de derrière le rideau. C'est elle qui célébrera le mariage. Au fait, vous vous posez peut-être des questions sur cette histoire de Little Pocahontas et de Big Mama. Elles ont décidé d'abandonner leurs noms de guerre. D'aucuns pourraient s'en plaindre. Mais pas Esperanza.

« Respecter la culture d'un peuple, m'a-t-elle dit, n'a jamais tué personne. »

Les temps changent, mon ami.

Myron prend une grande inspiration. Il a les larmes aux yeux. Je pose ma main sur son épaule pour nous redonner du courage. Il la presse brièvement contre lui en signe de reconnaissance. Nous attendons que le père de Myron escorte Terese jusqu'à l'estrade.

L'essentiel de la cérémonie se déroule comme dans un brouillard.

Sur un signal d'Esperanza, je tends l'anneau à Myron.

Il est mon meilleur ami, et je l'aime.

Seulement, désolé, quelquefois le plus joli des mensonges vaut mieux que la vérité.

Je ne le dirai jamais à Myron. Même si je me demande s'il ne s'en doute pas un peu.

Le lendemain de la découverte du corps de Rhys, il m'a téléphoné.

— Où est le pistolet ?

— Quel pistolet ? ai-je demandé.

— Le pistolet de Patrick.

— Ah ça, ai-je menti, la police l'a confisqué.

Il a eu un instant d'hésitation avant de répondre :

— OK.

Vous croyez peut-être que je l'ai gardé. Mais ce n'est pas moi.

Rappelez-vous, c'est Brooke qui a pris le pistolet de Patrick.

L'appel que j'ai reçu à notre arrivée au Dakota ? C'était Brooke. J'y suis allé pour l'aider à faire le ménage. La police a pu identifier les restes de mon cousin Rhys, même dix ans après.

Ça ne risque pas de se produire avec Nancy Moore.

Aucune chance qu'on retrouve sa trace un jour.

Oh, il y aura des signalements. Un coup de fil anonyme informera de sa présence sur une plage des îles Fidji. Quelqu'un d'autre dira qu'elle vit dans un couvent sur les hauteurs de Toscane. Ou peut-être qu'on la croisera à Londres, où Zorra est allé rendre visite à un certain pédophile grassouillet.

Nancy Moore restera à jamais invisible, un mystère.

La cérémonie prend fin. Je regarde Myron soulever le voile de Terese. Il marque une pause parce que – je le connais, voyez-vous – il tient à savourer cet instant. Un instant rare dont il aimerait profiter pleinement.

Il voudrait que le temps s'arrête.

Myron est doué pour ça.

J'ignore si j'approuve le geste de Brooke ou si, à sa place, j'aurais fait la même chose. Mais ce n'est pas à moi de juger. Non seulement Nancy Moore l'a privée de son fils, mais elle l'a empêchée de faire son deuil. Elle a causé énormément de mal à Chick et Clark. Elle savait la vérité depuis dix ans et pourtant elle l'a laissée souffrir. Elle lui a volé sa vie. Elle a pris l'enfant de Brooke, son petit garçon, et l'a jeté comme un sac-poubelle rempli d'ordures dans un ravin.

À vous de me dire quel prix il faut payer pour ça.

J'admets également que, sur ce point, mon attitude est quelque peu sexiste. Si Nancy Moore avait été un homme… Si c'était Hunter qui avait découvert le corps ce jour-là et l'avait balancé, détruisant une famille entière, aurais-je hésité une seconde avant de le supprimer ?

La question reste posée.

Brooke et moi, on est pareils. Un lien nous unit. Un lien dont il n'est pas forcément bon de vanter tous les aspects. Brooke a-t-elle agi dans un accès de rage maternelle bien compréhensible ? Et si c'était à refaire, le referait-elle ?

Je n'en sais rien.

Mais je m'interroge par ailleurs sur les choix de Nancy Moore en tant que mère. N'avait-elle pas alerté la police parce qu'elle craignait qu'on ne l'accuse d'un crime, que son fils soit marqué à vie par ce drame ou parce que Chick avait des associés peu fréquentables qui risquaient de s'en prendre à elle ?

Ou avait-elle senti que le plus grand danger pourrait provenir d'une mère qui avait perdu son enfant ?

Pour le moment, je regarde Myron casser un verre en marchant dessus comme le veut la coutume. L'assistance se lève pour l'acclamer. Myron Bolitar, homme marié, s'élance dans l'allée avec sa jeune épousée.

Je vous épargnerai les larmes, les embrassades et les vœux de bonheur.

Je préfère passer directement au premier morceau de musique. Ça tient du gag, mais c'est du Myron tout craché. Le DJ appelle Myron et sa mère, Ellen, sur la piste de danse. Ellen, qui souffre de la maladie de Parkinson, est agitée d'un tremblement, mais Myron lui prend la main et l'entraîne sur la piste.

Personne ne bouge.

La musique retentit. Ellen a choisi une chanson de Bruce Springsteen. Une chanson de circonstance :

If I should fall behind,
Wait for me[1].

Tout le monde les regarde danser. Je scrute les visages. Big Cyndi pleure à chaudes larmes. Elle ne

1. « Si je reste en arrière, attends-moi. » *(N.d.T.)*

cherche même pas à retenir ses gémissements plaintifs, et je trouve ça beau. La sœur de Myron est venue de Seattle. Son frère Brad et sa femme Kitty sont de retour. Ils se sont postés à côté de Mickey et Ema. Mickey et Ema se tiennent par la main. J'essaie de ne pas trop lorgner de leur côté.

Le DJ annonce :

— Voulez-vous rejoindre Myron et sa maman, Ellen, sur la piste de danse ?

Al, le père de Myron, guide Terese sur la piste. Le jeune Mickey prend le relais et danse avec sa grand-mère, maladroit comme tous les ados. Esperanza s'approche de Myron. Ils dansent ensemble, mes deux amis les plus chers.

La piste se remplit peu à peu. Moi, je me contente de regarder.

Cela, mes amis, est la vie.

Vous voyez, moi aussi à l'occasion je peux être fleur bleue.

Je la sens près de moi avant même qu'elle ne m'adresse la parole.

— Vous êtes Win, n'est-ce pas ?

Je me tourne vers Ema.

— Lui-même.

— Maman vous passe le bonjour.

Je réussis à hocher la tête.

— Salue Angelica de ma part.

Elle me regarde longuement, puis :

— Vous voulez danser ?

Elle ne se doute pas de ce que ça représente pour moi. Ou peut-être que si. Je pensais que sa mère ne lui en parlerait jamais. Aurait-elle changé d'avis ?

Ou bien Ema serait-elle particulièrement intuitive et perspicace ?

Ce serait donc héréditaire.

J'ai du mal à recouvrer ma voix. J'articule péniblement :

— Avec plaisir.

Elle me suit sur la piste. Nous nous faisons face. Elle pose une main sur mon épaule et l'autre dans la mienne. Nous dansons. À un moment, Ema se rapproche. Sa tête s'incline sur mon épaule.

J'ose à peine bouger. J'ose à peine respirer.

Je voudrais que le temps s'arrête.

Remerciements

L'auteur (qui de temps à autre aime à parler de lui à la troisième personne) voudrait remercier dans le désordre les personnes suivantes : Michelle Singer, Andy Morgan, Rick Kronberg, Linda Fairstein, Ian Rankin (c'est lui qui a choisi la bière), Bill Friedman, Rick Friedman (les deux Friedman n'ont aucun lien de parenté... du moins, à ma connaissance), Selina Walker, Ben Sevier, Christine Ball, Jamie Knapp, Carrie Swetonic, Stephanie Kelly, Lisa Erbach Vance, Diane Discepolo, Craig Coben et Anne Armstrong-Coben, docteur en médecine.

Les histoires de Mickey Bolitar et de ses amis Ema et Spoon font l'objet d'une trilogie pour jeunes adultes : *À découvert*, *À quelques secondes près*, *À toute épreuve*. Vous, les adultes, je pense qu'elles vous plairont aussi. Myron apparaît également dans ces trois romans, histoire de lui rendre la monnaie de sa pièce.

L'auteur remercie par ailleurs Joe Corless, Rob Dixon, Neil Huber, Alyse Mervosh, Denise Nussbaum, Jesse et Mindy Rogers, Chris Alan Weeks et Daniel

Yiannikos. Ces personnes (ou leurs proches) ont contribué généreusement à des œuvres caritatives de mon choix pour voir leur nom figurer dans ce livre. Si vous souhaitez participer dans les prochaines parutions, allez sur www.harlancoben.com ou envoyez un mail à l'adresse giving@harlancoben.com pour plus de précisions.

*Cet ouvrage a été composé et mis en page
par Nord Compo à Villeneuve-d'Ascq*

Imprimé en France par CPI
en février 2019
N° d'impression : 3032177

S28954/01